A QUEDA

GUILLERMO DEL TORO
E
CHUCK HOGAN

Tradução:
PAULO REIS
SÉRGIO MORAES REGO

A QUEDA

Livro II da
Trilogia da Escuridão

Rocco

Título original
THE FALL
Book II
Of
The Strain Trilogy

Este livro é uma obra de ficção. Personagens, incidentes e diálogos são produtos da imaginação dos autores e não devem ser interpretados como reais. Qualquer semelhança com acontecimentos reais ou pessoas, vivas ou não, é mera coincidência.

Copyright © 2010 *by* Guillermo del Toro e Chuck Hogan

Todos os direitos reservados.
Nenhuma parte deste livro pode ser reproduzida sob qualquer forma sem autorização do editor.

Edição brasileira publicada mediante acordo com HarperCollins Publishers.

Direitos para a língua portuguesa reservados
com exclusividade para o Brasil à
EDITORA ROCCO LTDA.
Av. Presidente Wilson, 231 – 8º andar
20030-021 – Rio de Janeiro – RJ
Tel.: (21) 3525-2000 – Fax: (21) 3525-2001
rocco@rocco.com.br
www.rocco.com.br

Printed in Brazil/Impresso no Brasil

preparação de originais
FÁTIMA FADEL

CIP-Brasil. Catalogação na fonte.
Sindicato Nacional dos Editores de Livros, RJ.

D439q	Del Toro, Guillermo, 1964-
	A queda / Guillermo del Toro e Chuck Hogan; tradução Sérgio Moraes Rego e Paulo Reis. – Rio de Janeiro: Rocco, 2010.
	(Trilogia da Escuridão, v. 2)
	Tradução de: The fall
	ISBN 978-85-325-2609-0
	1. Ficção norte-americana. I. Hogan, Chuck. II. Rego, Sérgio Moraes. III. Reis, Paulo. IV. Título. V. Série.
10-5216	CDD–813
	CDU–821.111(73)-3

Este é para Lorenza, com todo o meu amor.
— GDT

Para minhas quatro criaturas favoritas.
— CH

Trecho do diário de Ephraim Goodweather

Sexta-feira, 26 de novembro

Bastaram sessenta dias para que o mundo acabasse.
E estávamos lá contribuindo para isso com nossas omissões, nossa arrogância...

Quando a crise chegou ao Congresso para ser analisada, legislada e por fim vetada, já havíamos perdido a luta. A noite pertencia a eles.

Restou-nos a saudade da luz do sol, que a nós não mais pertencia...

Tudo aconteceu poucos dias depois que a nossa "incontestável evidência visual" alcançou o mundo... sua verdade foi afogada por milhares de refutações irônicas e paródias que invadiram o YouTube antes que pudéssemos ter qualquer esperança.

Tornou-se uma brincadeira nos programas de fim de noite, piadistas que éramos, quá-quá-quá... até que o crepúsculo nos encobriu, deixando-nos diante de um vazio imenso e cruel.

O primeiro estágio da resposta pública a qualquer epidemia é sempre Negar.

O segundo, Procurar o Culpado.

Todos os costumeiros espantalhos foram apresentados como distrações: agruras econômicas, agitação social, o bode expiatório racial, ameaças terroristas.

No final, porém, fomos simplesmente nós. Todos nós. Permitimos que isso acontecesse porque nunca acreditamos que pudesse acontecer. Éramos espertos demais. Adiantados demais. Fortes demais.

E agora a escuridão é total.

Não há mais garantias ou certezas absolutas; não existem mais raízes para a nossa existência. Os dogmas básicos da biologia humana foram reescritos, não no código do DNA, mas em sangue e em vírus.

Parasitas e demônios estão por toda parte. Nosso futuro não é mais o declínio orgânico natural da morte, mas uma transmutação diabólica. Uma infestação. Uma transformação.

Eles nos tiraram nossos vizinhos, nossos amigos e nossas famílias. E agora usam esses rostos, os rostos de nossos familiares, de nossos Entes Queridos.

Fomos expulsos de nossas casas. Banidos de nosso próprio reino, vagamos por terras estranhas à procura de um milagre. Nós, os sobreviventes, estamos ensanguentados, quebrados e derrotados.

Mas não nos transformamos. Não somos Eles.

Ainda não.

Isso não pretende ser um registro ou uma crônica, mas um lamento, a poesia dos fósseis, uma reminiscência sobre o fim da civilização.

Os dinossauros não deixaram para trás quase nenhum vestígio. Apenas uns poucos ossos preservados em âmbar, o que havia em seus estômagos e seus dejetos.

Minha única esperança é que possamos deixar para trás algo mais do que eles deixaram.

CÉUS DE CHUMBO

Loja de Penhores Knickerbocker, rua 118 Leste, Harlem espanhol

Quinta-Feira, 4 de Novembro

O*s espelhos são portadores de más notícias,* pensou Abraham Setrakian, parado debaixo da arandela fluorescente esverdeada, enquanto olhava para o espelho do banheiro. Um velho olhando para um vidro ainda mais velho. As bordas do espelho estavam escurecidas com a idade, a decomposição indo sorrateiramente para mais perto do centro. Para o reflexo dele. Para ele.

"Você vai morrer em breve."

O espelho de prata lhe mostrava isso. Muitas vezes ele estivera próximo da morte, *ou pior,* mas aquilo era diferente. Na sua imagem, Setrakian via essa inevitabilidade. E, ainda assim, de certa forma, encontrava conforto na verdade dos velhos espelhos. Honestos e puros. Aquele era uma peça magnífica, da virada do século, bastante pesado, pendurado por um arame trançado na antiga parede de azulejos e inclinado para baixo. Nas paredes, pousados no chão ou encostados nas estantes, havia cerca de oitenta espelhos de prata, espalhados por toda a residência. Setrakian os colecionava compulsivamente. Assim como as pessoas que já cruzaram um deserto sabem o valor da água, ele também achava impossível desdenhar a aquisição de um espelho de prata, especialmente um espelho pequeno e portátil.

Além disso, porém, Setrakian confiava na mais antiga característica desses objetos.

Contrariando o mito popular, os vampiros certamente têm reflexo. Nos espelhos modernos, produzidos em massa, sua imagem é refletida como a de cada humano. Mas no espelho de prata, seus reflexos ficam distorcidos. Alguma propriedade física da prata produz uma interferência visual na imagem dessas atrocidades carregadas de vírus, como se fosse um alerta. Tal como o espelho da história da Branca de Neve, um espelho de prata não consegue mentir.

E assim Setrakian olhava para seu rosto no espelho, diante da grossa pia de porcelana e do balcão onde ficavam seus pós e pomadas, os bálsamos para a artrite, o unguento aquecido para aliviar a dor das juntas nodosas. Olhava e estudava o espelho.

Ali ele se confrontava com sua força decadente. O reconhecimento de que seu corpo era apenas isso: um corpo. Envelhecido e enfraquecendo. Decaindo até o ponto em que ele não sabia mais se sobreviveria ao trauma corporal de uma transformação em vampiro. Nem todas as vítimas sobreviviam.

Seu rosto: as linhas profundas pareciam uma impressão digital, com o polegar do tempo estampado firmemente em sua face. Envelhecera uns vinte anos da noite para o dia. Seus olhos pareciam pequenos e secos, amarelados como marfim. O rubor da pele desaparecera, e o cabelo se assentava sobre o crânio como uma fina relva prateada remexida por uma recente tempestade.

Toque-toque-toque.

Ele ouvia a morte chamando. Ouvia a bengala. Seu coração.

Setrakian olhou para as mãos retorcidas, moldadas por pura força de vontade para se adaptarem e segurar o cabo daquela espada-bengala de prata, mas pouco capazes de fazer outras coisas mais com alguma destreza.

A batalha com o Mestre o deixara muito enfraquecido. O Mestre era mais forte até mesmo do que Setrakian se recordava ou presumia. Era preciso rever as próprias teorias diante da sobrevivência do Mestre exposto à luz solar direta, luz solar que o enfraquecera e marcara, mas que não o destruíra. Os raios ultravioleta que esmagavam o vírus deveriam ter penetrado no Mestre com a força de dez mil espadas de prata; contudo, a terrível criatura aguentara o impacto e fugira.

O que é a vida, no fim das contas, senão uma série de pequenas vitórias e fracassos maiores? Mas o que mais se podia fazer? Desistir? Setrakian nunca desistia.

Imaginar o que poderia ter acontecido era tudo que lhe restava no momento. Se ele ao menos tivesse feito *isso* em vez *daquilo*. Se tivesse conseguido, de alguma forma, dinamitar o prédio ao saber que o Mestre estava lá dentro. Se Eph houvesse deixado que ele morresse, em vez de salvá-lo naquele momento crítico...

Seu coração disparou novamente só de pensar nas oportunidades perdidas. Os batimentos ondulavam, irregulares. Dando arrancos. Feito uma criança impaciente dentro dele, querendo correr e correr.

Toque-toque-toque.

Um zumbido surdo soava acima das batidas de seu coração.

Setrakian conhecia aquele ruído muito bem: era o prelúdio do oblívio. Depois acordaria numa sala de emergência, se ainda houvesse alguma funcionando...

Com um dedo endurecido, pescou uma pílula branca na caixa. A nitroglicerina evitava a angina, ao relaxar os vasos que carregavam sangue para o seu coração, fazendo com que se dilatassem, aumentando o fluxo e o suprimento de oxigênio. Um tablete sublingual que ele colocou debaixo da língua seca, para que dissolvesse.

Teve imediatamente uma sensação doce, de formigamento. Em poucos minutos o murmúrio em seu coração cessaria.

De ação rápida, a pílula de nitroglicerina lhe devolveu a confiança. Todos aqueles pensamentos sobre o que poderia ter acontecido, aquelas recriminações e lamentações – tudo não passava de um desperdício da atividade cerebral.

Ali estava ele agora. Sua Manhattan adotada o chamava, desmoronando por dentro.

Já fazia algumas semanas desde que o 777 pousara no aeroporto JFK. Algumas semanas desde a chegada do Mestre e o início da epidemia. Setrakian previra aquilo já nos primeiros noticiários. Tinha tanta certeza quanto uma pessoa que intui a morte de um ente querido quando o telefone toca em horário fora do normal. A notícia do avião morto se apoderara da cidade. Apenas poucos minutos após a aterrissagem segura, o avião apagara completamente, estacionado na pista de taxiagem, todo às escuras. Agentes dos Centros de Controle e Prevenção de Doenças entraram no avião com trajes de isolamento, encontrando todos os passageiros e a tripulação mortos, exceto quatro "sobreviventes". Esses sobreviventes não estavam nada bem, sendo os sintomas de sua doença só aumentados pela presença do Mestre. Escondido no caixão dentro do compartimento de carga do avião, ele cruzara o oceano graças à riqueza e influência de Eldritch Palmer: um homem moribundo que decidira não morrer, mas sim negociar o controle humano do planeta em troca da eternidade. Depois de um dia de incubação, o vírus fora ativado nos passageiros mortos, que se levantaram das mesas do necrotério e saíram espalhando a praga vampiresca pelas ruas da cidade.

A extensão total da praga era conhecida por Setrakian, mas o resto do mundo resistia à terrível verdade. Desde então, outro avião se apagara totalmente depois de pousar no Aeroporto Internacional de Heathrow, em Londres, ficando inerte na pista de taxiagem perto do portão. No Aeroporto de Orly, um jato da Air France também chegara apagado. No Aeroporto Internacional de Narita, em Tóquio. No Franz Joseph Strauss, em Munique. No International Ben Gurion, em Tel Aviv, famoso por sua segurança, onde comandos antiterroristas haviam invadido a aeronave escurecida na pista, encontrando todos os cento e vinte e seis passageiros mortos ou desmaiados. E, no entanto, não foram enviados alertas para que se revistassem os compartimentos de carga nem para destruir completamente o avião. Tudo estava acontecendo depressa demais, com desinformação e incredulidade na ordem do dia.

E assim a coisa continuou. Em Madri, Pequim, Varsóvia, Moscou, Brasília, Auckland, Oslo, Sofia, Estocolmo, Reykjavik, Jacarta, Nova Déli. Certos territórios mais militantes e paranoicos agiram certo e puseram seus aeroportos em quarentena imediatamente, isolando os jatos apagados com força militar. Contudo... Setrakian não podia deixar de suspeitar que aquelas aterrissagens eram mais uma distração tática do que uma tentativa de propagar a infecção. Apenas o tempo diria se ele tinha razão... embora, na verdade, restasse muito pouco desse precioso tempo.

A essa altura, os *strigoi* originais – a primeira geração de vampiros, as vítimas do avião da Regis Air, e seus Entes Queridos – haviam começado a segunda onda de maturação. Estavam ficando mais acostumados com o meio ambiente e seus novos corpos. Aprendendo a se adaptar, a sobreviver e a prosperar, atacavam ao anoitecer. O noticiário relatava "distúrbios" em grandes áreas da cidade, e isso era parcialmente verdade. Os saques e atos de vandalismo corriam soltos em plena luz do dia, mas ninguém chamava a atenção para o fato de que à noite a atividade aumentava.

Devido a esses problemas por todo o país, a infraestrutura já começava a desmoronar. Com as linhas de suprimento de alimentos interrompidas, a distribuição atrasava. Conforme as faltas ao trabalho aumentavam, a mão de obra disponível diminuía: os apagões elétricos e as quedas de força ficavam sem manutenção. A polícia e os bombeiros levavam cada vez mais tempo para reagir, e as incidências da ação de grupos paramilitares e de incêndios criminosos cresciam.

Incêndios se multiplicavam. Saqueadores agiam à solta.

Setrakian olhou para seu próprio rosto, mais uma vez desejando vislumbrar o homem mais jovem dentro de si. Talvez até mesmo o garoto. Pensou no jovem Zachary Goodweather, ali no quarto de hóspedes no fim do corredor. E, de alguma forma, o velho no fim da vida sentia pena do garoto; onze anos de idade, mas já no final da infância. Arrancado do estado de graça, espreitado por uma coisa morta-viva que ocupava o corpo de sua mãe...

Setrakian entrou no seu quarto e andou em direção a uma cadeira. Sentou-se com uma das mãos cobrindo o rosto, esperando que a desorientação passasse.

Grandes tragédias provocam sensações de isolamento, que o envolviam agora. Setrakian lamentava a ausência da esposa, Miriam, morta havia muito tempo. As lembranças do rosto dela haviam sido expulsas da sua mente pelas poucas fotografias que ele possuía, e às quais recorria frequentemente, com o efeito de congelar a imagem da mulher no tempo, sem jamais, verdadeiramente, capturar a essência do ser. Miriam fora o amor de sua vida. Ele era um homem de sorte; às vezes era uma luta lembrar-se disso. Cortejara uma mulher bonita e casara com ela. Vira a beleza e vira o mal. Testemunhara o melhor e o pior do século anterior, e sobrevivera a tudo. Agora estava presenciando o fim.

Setrakian pensou na ex-esposa de Ephraim, Kelly, que encontrara uma vez na vida e mais uma vez na morte. Ele compreendia a dor do homem. Compreendia a dor desse mundo.

Lá fora ouviu outro acidente de carro. Tiros a distância, alarmes tocando insistentemente; carros, prédios, tudo sem resposta. Os berros que cortavam a noite eram os últimos gritos de humanidade. Os saqueadores estavam levando não somente mercadorias e bens, mas também almas. Não adquiriam posses; possuíam tudo.

Pousou a mão sobre um catálogo na mesa de cabeceira. Um catálogo da Sotheby's. O leilão seria realizado dentro de poucos dias. Não era uma coincidência. Nada daquilo era coincidência: nem a recente ocultação, nem o conflito no exterior, nem a recessão econômica. Como peças de dominó alinhadas, nós caímos.

Setrakian pegou o catálogo do leilão e procurou uma página determinada. Ali, sem qualquer ilustração ao lado, estava relacionado um antigo volume:

Occido Lumen (1667) – Uma narrativa completa da primeira aparição dos Strigoi e a plena refutação de todos os argumentos produzidos contra a sua existência, traduzidas pelo falecido rabino Avigdor Levy. Coleção particular, manuscrito com ilustrações, encadernação original. Pode ser examinado com visita marcada. Preço estimado $15-$25 M

Aquele livro – não um fac-símile ou uma fotografia – era crucial para a compreensão do inimigo, os *strigoi*. E para vencê-los.

O livro era baseado numa coleção de antigas tábuas de argila da Mesopotâmia, inicialmente descobertas em jarros dentro de uma caverna nas montanhas Zagros em 1508. Escritos na língua sumeriana e extremamente frágeis, as tábuas foram vendidas a um rico comerciante de seda, que viajou com elas por toda a Europa. O comerciante foi encontrado estrangulado em Florença, e seus armazéns incendiados. As tábuas, entretanto, sobreviveram em poder de dois necromantes, o famoso John Dee e um acólito mais obscuro conhecido historicamente como John Silence. Dee foi consultor da rainha Elizabeth I, e, incapaz de decifrar o que estava gravado ali, conservou as tábuas como um artefato mágico até 1608, quando, forçado pela pobreza, vendeu tudo por intermédio de sua filha Katherine para o culto rabino Avigdor Levy, morador do antigo gueto de Metz, em Lorraine, na França. Durante décadas o rabino foi decifrando meticulosamente as tábuas, utilizando suas incríveis habilidades, pois decorreriam três séculos antes que outros pudessem finalmente decifrar artefatos semelhantes. Por fim o judeu apresentou suas descobertas sob a forma de um manuscrito, oferecido como presente ao rei Luís XIV.

Ao receber o texto, o rei ordenou a imediata prisão do velho rabino e a destruição das tábuas, bem como de toda a biblioteca de textos e artefatos religiosos que o judeu mantinha. As tábuas foram pulverizadas, e o manuscrito ficou jogado num cofre junto com muitos tesouros proibidos. Secretamente, madame de Montespan, amante do rei e uma ávida admiradora do oculto, orquestrou em 1671 a recuperação do manuscrito, que permaneceu nas mãos de La Voisin, uma parteira que era a feiticeira e confidente de Montespan, até seu exílio causado pela histeria em torno do Affaire des Poisons.

O livro veio de novo à tona brevemente em 1823, aparecendo na posse do notório réprobo e acadêmico londrino William Beckford. Estava relacionado como parte da biblioteca em Fonthill Abbey, o palácio extravagante onde Beckford acumulava artefatos, livros e incríveis e raros objetos de arte. O palácio neogótico e todo seu conteúdo foram vendidos para um comerciante de armas a fim de saldar uma dívida, e o livro permaneceu desaparecido por quase um século. Em 1911 foi listado erroneamente, ou talvez por má-fé, sob o título de *Casus Lumen*, como parte de um leilão em Marselha; mas o livro nunca foi exibido, e o leilão foi sumariamente cancelado depois que uma misteriosa revolta explodiu na cidade. Nos anos subsequentes, o manuscrito foi dado pela maioria das pessoas como destruído. Agora ele estava em Nova York.

Mas quinze milhões? Vinte e cinco milhões? Impossível de se conseguir. Deveria haver outro meio...

O maior medo de Setrakian, que ele não ousava compartilhar com ninguém mais, era que a batalha, iniciada há muito tempo, já estivesse perdida. Que tudo aquilo representasse o fim do jogo, que o rei da humanidade já estivesse em xeque-mate, ainda que teimosamente fazendo seus últimos movimentos sobre o tabuleiro do mundo.

Setrakian fechou os olhos tentando abafar um zumbido nos ouvidos. Mas o zumbido persistia; na realidade, ficava mais forte.

A pílula nunca tivera aquele efeito sobre ele.

Quando seu deu conta disso, Setrakian enrijeceu o corpo.

Não era a pílula, em absoluto. O zumbido estava por toda parte, em volta dele. Baixo, mas estava.

Eles não estavam sozinhos.

O garoto, pensou Setrakian. Com grande esforço, pôs-se de pé e saiu da cadeira, partindo na direção do quarto de Zack.

Toque-toque-toque.

A mãe estava vindo atrás de seu filho.

Zack Goodweather estava sentado de pernas cruzadas num canto do terraço da loja de penhores. Tinha o computador de seu pai sobre o colo. Aquele era o único lugar de todo o prédio onde ele podia ficar conectado à internet, invadindo a rede desprotegida de um vizinho em algum lugar naquele quarteirão. O sinal sem fio era fraco, variando entre uma e duas barras, fazendo com que qualquer busca na internet andasse a passos lentíssimos.

Zack fora proibido de usar o computador do pai. Na realidade, deveria estar dormindo naquele momento. O garoto de onze anos já tinha bastante dificuldade para conciliar o sono em noites normais; era um bom caso de insônia que ele vinha escondendo dos pais havia algum tempo.

Zack-Insone! O primeiro super-herói que ele criara. Uma história em quadrinhos de oito páginas, colorida, ilustrada, legendada e desenhada por Zachary Goodweather. Contava a história de um adolescente que patrulhava as ruas de Nova York à noite, derrotando terroristas e poluidores. E poluidores terroristas. Ele nunca conseguira desenhar bem as dobras da capa do herói, mas os rostos eram bastante bons, e também a musculatura.

A cidade precisava de um *Zack-Insone* já. O sono era luxo. Um luxo que ninguém poderia gozar, se todos soubessem o que ele sabia.

Se todos houvessem visto o que ele vira.

Zack deveria estar metido num saco de dormir de penas de ganso num quarto no terceiro andar. O aposento cheirava a mofo, como o velho quarto de cedro na casa dos avós: um lugar que ninguém mais abria, a não ser as crianças para bisbilhotar. O pequeno quarto, estranhamente angulado, fora usado para estocagem pelo senhor Setrakian (ou professor Setrakian – Zack ainda não tinha certeza sobre isso, ao ver como o velho administrava a loja de penhores no primeiro andar). Havia pilhas e pilhas de livros, muitos espelhos antigos, um guarda-roupa com trajes velhos e algumas arcas trancadas, realmente trancadas, sem o tipo de trancas falsificadas que podem ser abertas com um clipe de metal e uma caneta esferográfica (Zack já tentara isso).

O exterminador Vasiliy – ou V, como ele mandara Zack chamá-lo – ligara um velho jogo Nintendo alimentado a cartucho em um televisor Sanyo penhorado ali. O aparelho tinha grandes chaves e mostradores na frente, em vez de botões, e tudo fora trazido do primeiro andar, onde ficavam expostas as mercadorias. Eles esperavam que Zack ficasse ali quietinho, jogando *A lenda de Zelda*. Mas a porta do quarto não tinha fechadura. Seu pai e Vasiliy Fet haviam instalado barras de ferro na parede em torno da janela, mas por dentro, não por fora. As barras foram soldadas ao caixilho da janela, uma gaiola que o senhor Setrakian dissera ter sobrado da década de 1970.

Zack sabia que eles não estavam tentando trancá-lo ali dentro. Estavam tentando trancar *sua mãe* do lado de fora.

Ele procurou a página profissional do pai no site dos Centros de Controle e Prevenção de Doenças, mas tudo que encontrou foi a mensagem "Page Not Found". Então eles já o haviam excluído do site do governo. Tentativas com "dr. Ephraim Goodweather" mostravam que ele era um desacreditado funcionário do CCD que fabricara um vídeo falso, supostamente para mostrar um humano-convertido-em-vampiro sendo destruído. Diziam ali que Eph distribuíra o vídeo pela internet numa tentativa de explorar a histeria causada pelo eclipse, por interesses próprios. O texto dizia que Eph baixara o vídeo, mas na realidade fora Zack que baixara o vídeo para o pai, vídeo esse que ele não queria que o filho visse. Obviamente a última parte era besteira. Que "interesses" teria seu pai além de tentar salvar vidas? Um site de notícias descrevia Goodweather como "um alcoólatra confesso, envolvido numa batalha litigiosa pela guarda do filho; dizia também que "atualmente se acreditava que Eph estava foragido com o garoto, que sequestrara". Zack sentiu um nó na garganta. A mesma matéria dizia que tanto a ex-esposa de Goodweather quanto o namorado dela atualmente estavam desaparecidos e presumivelmente mortos.

Tudo aquilo deixara Zack nauseado nos últimos dias, mas a desonestidade daquela matéria era especialmente desagradável para ele. Tudo errado, até a última palavra. Será que eles realmente não sabiam a verdade? Ou... não se importavam? Talvez estivessem tentando explorar o problema dos pais dele *com interesses próprios*?

E os comentários? Eram ainda piores. Zack não podia lidar com as coisas que andavam dizendo sobre seu pai, a arrogância autossuficiente de todos aqueles comentaristas anônimos na rede. Agora precisava lidar com a terrível verdade sobre sua mãe; a banalidade do veneno lançado naqueles blogs e fóruns se desviava completamente da verdade.

Como se pode lamentar a morte de alguém que na verdade não se foi? Como temer alguém cujo desejo por você é eterno?

Se o mundo conhecesse a verdade tal como Zack a conhecia, a reputação de seu pai seria restaurada e a voz dele ouvida... mas mesmo assim nada mudaria. Sua mãe e sua vida nunca mais seriam iguais.

Assim, o principal desejo de Zack era de que tudo aquilo passasse. Queria que algo fantástico acontecesse, fazendo tudo voltar ao normal. Tal como na infância, quando, com cerca de cinco anos, quebrara um espelho e só o cobrira com um lençol; depois rezara com toda a força para que a peça se restaurasse antes que os pais descobrissem. Ou tal como a época em que desejou que seus pais se apaixonassem novamente. Que eles acordassem um dia e percebessem o erro que haviam cometido.

Agora ele nutria a esperança secreta de que seu pai pudesse fazer algo incrível. A despeito de tudo, Zack ainda supunha que havia um final feliz à espera. Esperando por todos eles. Talvez até mesmo para fazer sua mãe voltar ao que era antes.

Sentiu as lágrimas aflorando, e dessa vez não lutou para estancá-las. Estava em cima do terraço, sozinho. Queria tanto ver sua mãe de novo. O pensamento o aterrorizava, contudo ele ansiava pela vinda dela. Para olhar nos olhos dela. Ouvir a voz dela. Desejava que ela lhe explicasse aquilo, como sempre fazia com toda coisa perturbadora. *Tudo vai ficar bem...*

Um grito em algum lugar no fundo da noite o trouxe de volta ao presente. Ele olhou para a parte oeste da cidade, vendo chamas e uma coluna de fumaça negra. Levantou o olhar. Uma noite sem estrelas. Apenas uns poucos aviões. Ouvira caças a jato zunindo no ar à tarde.

Zack esfregou o rosto na manga da camisa, na altura do cotovelo, e voltou ao computador. Numa busca rápida, descobriu a pasta que continha o arquivo do vídeo que fora proibido de ver. Abriu o arquivo e ouviu a voz do pai, percebendo que ele também operava a câmera. Era a sua câmera, que o pai pedira emprestado.

Era difícil enxergar o que estava sendo filmado: algo no escuro dentro de um telheiro. Uma coisa inclinada para a frente, agachada. Um rosnado gutural e um sibilo no fundo da garganta. O tinido rastejante de uma corrente. A câmera deu um close, a resolução da imagem melhorou, e Zack viu a boca aberta da criatura. Uma boca que se abria mais do que devia, com algo semelhante a um fino peixe prateado se retorcendo lá dentro.

Os olhos da criatura presa no telheiro eram grandes e reluzentes. A princípio, Zack confundiu a expressão daqueles olhos com tristeza e dor. Uma coleira, aparentemente uma coleira de cachorro, prendia a criatura pelo pescoço, acorrentando-a ao chão de terra ali atrás. Era pálida: de tão sem cor, quase brilhava. Depois ouviu-se um estranho bombeamento, *tlec-chup, tlec-chup, tlec-chup,* e três pregos de prata, disparados por trás da câmera (talvez pelo pai?) atingiram a criatura do telheiro como balas finas. A imagem deu um salto quando aquele ser soltou um rosnado surdo, feito um animal doente consumido pela dor.

– Basta – disse no vídeo uma voz que pertencia ao sr. Setrakian, mas tinha um tom que não parecia qualquer coisa que Zack já ouvira sair da boca do bondoso velho penhorista. – *Precisamos ter piedade*.

Depois o velho apareceu na tela, entoando algumas palavras em uma língua estrangeira que parecia antiga, como que invocando um poder ou lançando uma maldição. Ele levantou uma espada de prata, comprida e brilhante sob o luar, e a criatura no telheiro soltou um uivo quando a arma foi brandida com grande força...

Vozes fizeram Zack desviar a atenção do vídeo. Vinham lá de baixo, da rua. Ele fechou o laptop e se levantou, baixando o olhar por sobre a mureta do terraço para a rua 118.

Cinco homens subiam o quarteirão a pé em direção à loja, acompanhados lentamente por um 4x4. Portavam armas de fogo e batiam em cada porta. O veículo parou antes do cruzamento, bem em frente à loja. Os homens a pé se aproximaram do prédio, fazendo retinir os portões de segurança. Gritavam:

– Abram!

Zack recuou e virou-se para a porta do terraço, imaginando que seria melhor que estivesse de volta a seu quarto caso alguém fosse verificar.

Então ele a viu. Uma garota adolescente, provavelmente cursando o ensino médio. Parada no terraço em frente, do outro lado de um terreno baldio na esquina da entrada da loja. A brisa levantava sua camisola comprida, amarfanhando-a em torno dos joelhos, mas não movia seu cabelo, reto e pesado.

Ela estava de pé na mureta do terraço. Bem na borda, perfeitamente equilibrada, sem oscilar. Pousada na borda, como que querendo tentar o salto. Um salto impossível. Querendo e sabendo que fracassaria.

Zack ficou olhando. Ele não sabia. Não tinha certeza. Mas suspeitava.

De qualquer forma, levantou a mão. E acenou para a garota.

Ela olhou de volta para ele.

* * *

A dra. Nora Martinez, anteriormente integrante do quadro de funcionários dos Centros de Controle e Prevenção de Doenças, destrancou a porta da frente. Cinco homens em uniforme de combate, com coletes à prova de balas e armas olharam para ela por entre a grade de segurança. Dois deles usavam lenços que cobriam a parte inferior dos rostos.

– Está tudo bem aí dentro, madame? – perguntou um deles.

– Está – respondeu Nora, procurando um distintivo ou qualquer tipo de insígnia, sem ver nenhum. – Enquanto essa grade aguentar, tudo está bem.

– Estamos indo de porta em porta, limpando os quarteirões. Um distúrbio ali adiante – disse outro, apontando para a rua 117. – Mas achamos que o pior está indo para o centro da cidade desta direção.

O que significava o Harlem.

– E vocês... quem são?

– Cidadãos preocupados, madame. A senhora não vai querer permanecer aqui completamente sozinha.

– Ela não está sozinha – disse Vasiliy Fet, o funcionário do Departamento de Controle de Pragas da cidade de Nova York, aparecendo atrás dela.

Os homens avaliaram aquele grandalhão.

– Você é o penhorista?

– Meu pai é – disse Vasiliy. – Que tipo de problema vocês estão encontrando?

– Tentamos conter esses loucos que estão provocando distúrbios na cidade. Agitadores e oportunistas. Aproveitando uma situação ruim e piorando a coisa.

– Vocês parecem policiais – disse Vasiliy.

– Se estão pensando em sair da cidade, devem fazer isso agora – disse um deles, evitando o assunto. – As pontes estão entupidas, e os túneis engarrafados. O lugar vai virar uma merda.

– Vocês deviam pensar em vir nos ajudar aqui fora. Fazer alguma coisa para melhorar a situação – disse outro.

– Vou pensar nisso – disse Vasiliy.

– Vamos! – chamou o motorista do 4x4; o motor estava ligado.

– Boa sorte – disse um dos homens, com certo desprezo. – Vocês vão precisar dela.

Nora observou os homens partirem. Depois trancou a porta, recuando para a penumbra.

– Já foram embora – disse ela.

Ephraim Goodweather, que estivera observando tudo ali ao lado, apareceu e disse:

– Idiotas.

– Policiais – disse Vasiliy, observando-os dobrar a esquina.

– Como você sabe? – perguntou Nora.

– Sempre dá para perceber.

– Foi bom você ficar fora das vistas deles – disse Nora a Eph.

Eph assentiu.

– Por que eles não tinham distintivos?

– Provavelmente foram beber depois do serviço – disse Vasily – e decidiram não deixar a cidade degringolar desse jeito. Com as esposas de malas feitas para Jersey, eles não têm nada o que fazer além de baixar o cacete por aí. Os canas acham que mandam na cidade. E não estão muito errados. Mentalidade de gangue de rua. É a praia deles, e vão lutar por ela.

– Pensando bem, a cabeça deles não é muito diferente da nossa no momento – disse Eph.

– Só que eles estão carregando chumbo, quando deveriam estar brandindo prata – disse Nora, pegando a mão de Eph. – Eu queria ter podido avisar a eles.

– Foi tentando alertar as pessoas que eu me tornei um foragido, para começar – disse Eph.

Eph e Nora haviam sido os primeiros a subir no avião apagado depois que a equipe da SWAT descobrira os passageiros aparentemente mortos. A descoberta de que os corpos não estavam se decompondo naturalmente, junto com o desaparecimento do caixote semelhante a um caixão durante a ocultação solar, ajudara a convencer Eph de que eles se defrontavam com uma crise epidemiológica que não poderia ser explicada por meios médicos e científicos normais. A relutante percepção abrira sua mente para as revelações do penhorista, Setrakian, e a horrenda verdade por trás da praga. Seu desespero em alertar o mundo sobre a verdadeira natureza da doença, o vírus vampiresco que se deslocava insidiosamente pela cidade e penetrava nos bairros, levara-o a romper com o CCD, que tentara silenciá-lo com uma estrepitosa acusação de assassinato. Desde então ele estava foragido.

Eph olhou para Vasiliy.

– Tudo certo com o cano?

– Pronto para partir.

Eph apertou a mão de Nora. Ela não queria deixá-lo partir.

A voz de Setrakian soou na escada espiralada no fundo da loja.

– Vasiliy? Ephraim! Nora!

– Estamos aqui embaixo, professor – replicou Nora.

– Alguém está se aproximando – disse ele.

– Não, nós acabamos de nos livrar deles. Eram vigilantes. E bem armados.

– Não estou me referindo a alguém humano – disse Setrakian. – E não consigo encontrar o jovem Zack.

A porta do quarto de Zack se abriu de repente, e ele se virou. O pai entrou de roldão, pronto para lutar.

– Caramba, pai – disse Zack, sentando no saco de dormir.

Eph deu uma olhadela em volta do quarto.

– Setrakian acabou de procurar você aqui.

– Hum... – Zack esfregou o olho de propósito. – Não deve ter me visto no chão.

– É, talvez. – Eph lançou um olhar mais demorado para Zack. Não parecia acreditar no filho, mas claramente tinha algo mais premente no pensamento do que apanhar o garoto mentindo. Andou pelo quarto, verificando a janela gradeada. Zack notou que o pai mantinha uma das mãos atrás das costas, movimentando-se de modo que ele não visse o que havia ali.

Nora entrou correndo por atrás dele e parou quando viu Zack.

– O que é? – perguntou Zack, levantando-se.

O pai balançou a cabeça de maneira tranquilizadora, mas o sorriso chegou rápido demais – era apenas um sorriso, sem alegria nos olhos, sem nenhuma alegria.

– Só estamos dando uma olhada. Você espera aqui, está bem? Eu volto.

Ele saiu, virando de modo a fazer a coisa atrás das costas continuar escondida. Zack ficou imaginando: aquilo seria a tal coisa *tlec-chup* ou uma espada de prata?

– Fique aqui – disse Nora, e fechou a porta.

Zack ficou imaginando o que eles estavam procurando. Ele ouvira a mãe mencionar o nome de Nora uma vez em uma briga com o pai, mas aquilo nem fora realmente uma briga, pois eles já haviam se separado, e sim um desabafo. E já vira o pai beijar Nora uma vez, imediatamente antes de partir com o senhor Setrakian e Vasiliy. Depois ela ficara muito tensa e preocupada durante toda a ausência deles. Quando os três voltaram, tudo mudara. O pai de Zack parecia tão acabrunhado, ele nunca mais queria ver o pai daquele jeito outra vez. E o senhor Setrakian voltara doente. Depois, bisbilhotando, Zack até entreouvira partes de conversas, mas não suficientes.

Algo sobre um "mestre".

Algo sobre a luz do sol não conseguir "destruí-lo".

Algo sobre "o fim do mundo".

Parado ali sozinho no quarto de hóspedes, pensando em todos os mistérios à sua volta, observou um borrão num dos poucos espelhos pendurados na parede. Era uma distorção, parecida com uma vibração visual: algo que deveria estar bem focado, mas ao invés disso parecia enevoado e indistinto no vidro.

Algo na sua janela.

Zack virou-se, bem devagar a princípio e, depois, de uma vez.

De alguma maneira, o velho se agarrara ao exterior do prédio. Seu corpo estava desconjuntado e distorcido; seus olhos eram vermelhos, arregalados e ardentes. O cabelo caía, já fino e pálido; o vestido de professora fora rasgado num dos ombros, expondo a carne manchada de terra. Os músculos do pescoço estavam inchados e deformados, com vermes sanguíneos serpenteando debaixo das maçãs do rosto e na testa.

Mamãe.

Ela viera. Como Zack sabia que aconteceria.

Instintivamente, ele deu um passo na direção da mãe. Depois leu a expressão no rosto dela, que subitamente passou de dor a algo tão sombrio que só poderia ser descrito como demoníaco.

Ela notara as barras.

Num instante sua mandíbula se abriu, escancarando-se, exatamente como no vídeo, com um ferrão se projetando das profundezas embaixo da língua. O ferrão quebrou o vidro da janela com um estalo e um tinido para depois destender-se, penetrando pelo buraco perfurado. Tinha um metro e oitenta centímetros de comprimento, terminando numa ponta que revoluteava a poucos centímetros do pescoço de Zack.

O garoto ficou paralisado, com os pulmões asmáticos trancados, incapazes de inspirar qualquer quantidade de ar.

Na extremidade da extensão carnuda, tremia uma estranha ponta com dois esporões, zunindo no ar. Zack permaneceu exatamente onde estava. O ferrão começou a amolecer. Com um casual meneio de cabeça, Kelly Goodweather recolheu-o rapidamente para dentro da boca. Depois lançou a cabeça sobre a janela, estilhaçando o restante do vidro, e foi se enfiando pelo buraco. Precisava de poucos centímetros mais para alcançar a garganta de Zack e resgatar seu Ente Querido para o Mestre.

O menino ficou vidrado nos olhos daquele ser. Eram vermelhos, com pontos pretos no centro. Ele procurou, vertiginosamente, por qualquer semelhança com sua *mãe*.

Ela estava morta, como dissera o pai? Ou viva?

Já se fora para sempre? Ou estava ali, bem ali, no quarto com ele?

Ainda era dele? Ou já de alguém mais?

Ela enfiou a cabeça por entre as barras de ferro, ferindo a carne e quebrando o osso, como uma cobra abrindo caminho na toca de um coelho, tentando desesperadamente cobrir a distância que restava entre seu ferrão e a carne do garoto. A mandíbula se abriu de novo, com os olhos reluzentes pousados sobre a garganta de Zack, um pouco acima do pomo de adão.

Eph entrou correndo no quarto, e encontrou Zack parado ali, olhando aturdido para Kelly. A vampira espremia a cabeça entre as barras de ferro; estava prestes a atacar. Eph pulou na frente do filho, puxou uma espada de prata detrás das costas, e gritou:

– NÃO!

Nora irrompeu no quarto atrás de Eph, acendendo uma lanterna Luma com uma forte luz ultravioleta. Sentiu nojo ao ver Kelly Goodweather, aquele ser humano deturpado, aquela mãe-monstro, mas avançou, segurando, com a mão estendida, a luz capaz de matar o vírus.

Eph também se adiantou na direção de Kelly e seu ferrão tenebroso. Os olhos da vampira eram de uma fúria animalesca.

– FORA! PARA TRÁS! – berrou Eph para Kelly, tal como faria com um animal selvagem que tentasse entrar na sua casa à procura de alimento. Apontou a espada para ela e avançou correndo em direção à janela.

Com um último e dolorosamente esfaimado olhar para o filho, Kelly se afastou da grade da janela, fora do alcance da espada de Eph, e fugiu velozmente pela lateral da parede externa do prédio.

Nora colocou a lanterna dentro da gaiola, apoiada entre duas barras cruzadas, de modo que a luz mortífera enchesse o espaço da janela estilhaçada, para impedir Kelly de retornar.

Eph correu na direção do filho. Zack tinha o olhar embaçado, as mãos na garganta e o peito arfante. A princípio Eph pensou que aquilo era desespero, mas depois percebeu que era algo mais.

Um ataque de pânico. O garoto estava trancado por dentro. Incapaz de respirar.

Eph olhou em torno desesperadamente, e acabou encontrando o inalador de Zack em cima da velha televisão. Comprimiu o dispositivo nas mãos de Zack, guiou-o para a boca dele e apertou o botão. Zack arquejou, com os pulmões abertos pelo aerossol e a palidez imediatamente reduzida. As vias respiratórias se expandiram como um balão, e o garoto arriou, enfraquecido.

Eph descansou a espada e consolou o filho. Reanimado, porém, Zack empurrou o pai para longe e correu na direção da janela vazia.

– Mamãe! – gemeu ele.

* * *

Kelly recuou, subindo pela parede de tijolos do prédio. As garras em seus dedos médios ajudavam a subida, enquanto ela achatava o corpo contra o prédio como uma aranha, impelida pela fúria contra o intruso. Ela sentia, com a intensidade de uma mãe que sonha com um filho em dificuldades chamando seu nome, a terna proximidade do Ente Querido. O farol psíquico que era a tristeza humana dele. A força da carência do filho pela mãe redobrava sua incondicional carência vampiresca por ele.

O que Kelly vira ao pousar os olhos em Zachary Goodweather de novo não fora um garoto. Não era seu filho, seu amor. Em vez disso, ela vira um pedaço seu que teimosamente permanecia humano. Algo que biologicamente ainda era seu, uma eterna parte de seu ser. Seu próprio sangue, só que ainda vermelho-humano, e não branco-vampiro. Ainda transportando oxigênio, e não alimento. Kelly vira uma parte sua incompleta, afastada à força.

E ela queria aquela parte. Queria aquela parte alucinadamente.

Aquilo não era amor humano, mas carência vampiresca. Anseio vampiresco. A reprodução humana se espalha para fora, criando e crescendo, enquanto a reprodução vampiresca opera no sentido contrário, revertendo para a descendência sanguínea, habitando as células vivas e convertendo-as para seus próprios fins.

O ímã positivo, o amor, transforma-se no seu oposto, que na realidade não é o ódio, nem a morte. O ímã negativo é a infecção. Em vez de compartilhar o amor, de juntar semente e ovo, e mesclar genes comuns na criação de um novo e único ser, trata-se de uma deturpação do processo reprodutivo. Uma substância inerte invade uma célula viável, produzindo centenas de milhões de cópias idênticas. Não é compartilhada ou criativa, mas violenta e destrutiva. É uma deturpação e uma perversão. É estupro biológico e usurpação.

Ela precisava de Zack. Enquanto ele permanecesse inacabado, ela permaneceria incompleta.

A criatura-Kelly parou na mureta do terraço, indiferente à cidade conflituosa ao seu redor. Só queria saber de sua sede. Uma ânsia por sangue e pelo *seu* tipo de sangue. Era esse o frenesi que a impelia. Um vírus só sabe uma coisa: precisa infectar.

Já começara a procurar outro meio de penetrar naquela caixa de tijolos, quando ouviu, por trás do caixilho da porta, um par de sapatos velhos esmagando o cascalho.

Na escuridão, ela o distinguiu bem. O velho caçador Setrakian apareceu com uma espada de prata, avançando. Pretendia imprensá-la entre a mureta do terraço e a noite.

A assinatura de calor dele era estreita e débil; em um humano envelhecido, o sangue se move vagarosamente. Ele parecia pequeno, embora agora todos os humanos parecessem pequenos para ela. Pequenos e deformados: criaturas agarradas à existência, tropeçando em intelectos mesquinhos. A borboleta com uma caveira desenhada nas costas aladas olha para uma crisálida peluda com absoluto desprezo. Um estágio anterior da evolução, um modelo ultrapassado, incapaz de ouvir a exultação tranquilizadora do Mestre.

Alguma coisa nela sempre voltava a Ele. Alguma forma primitiva, ainda que bem coordenada, de comunicação animal. A psique da colmeia.

Enquanto o velho humano avançava na direção de Kelly, com a mortífera lâmina de prata reluzindo, uma reação surgiu. Vinha diretamente do Mestre e era transmitida através de Kelly para a mente do antigo vingador.

Abraham.

Aquilo vinha do Mestre, mas não pela grande voz dele, como Kelly a compreendia.

Abraham. Não faça isso.

A voz tinha uma entonação feminina. Mas não a de Kelly. Jamais ouvira.

Mas Setrakian sim. Ela viu isso na assinatura de calor dele, na aceleração do coração dele.

Eu vivo nela também... Eu vivo nela...

O vingador parou, um indício de fraqueza aparecendo nos olhos. A vampira Kelly aproveitou o momento: o queixo caiu e a boca se abriu desmesuradamente, sentindo o impulso iminente do ferrão ativado.

Mas o caçador levantou a espada e avançou para Kelly com um grito. Ela não tinha escolha. A espada de prata queimava na noite de seus olhos.

Kelly se virou e correu pela mureta, virando para baixo e fugindo precipitadamente pela parede do prédio. Do terreno baldio lá embaixo, ela olhou para o velho e sua assinatura de calor decrescente, parado, observando-a fugir.

Eph foi até Zack, puxando-o pelo braço, mantendo-o longe da luz ultravioleta incandescente da lâmpada presa à janela.

– Vá embora! – gritou Zack.

– Parceiro – disse Eph, tentando acalmar o filho, ou acalmar os dois. – Carinha. Z. Ei!

– Você tentou matar a mamãe!

Eph não sabia o que dizer, porque realmente tentara.

– Ela... ela já está morta.

– Não para mim!

– Você viu como ela está, Z. – Eph não queria falar sobre o ferrão. – Você viu aquela coisa. Ela não é mais sua mãe. Sinto muito.

– Você não precisa matar a mamãe! – disse Zack, com a voz ainda áspera de tão engasgada.

– Eu preciso – disse Eph. – Eu preciso.

Ele foi até Zack, tentando um novo contato físico. Mas o garoto se afastou e se aproximou de Nora, a substituta feminina mais próxima. Ficou chorando no ombro dela.

Nora olhou para Eph com uma expressão de consolo nos olhos, mas Eph não queria saber disso. Vasiliy estava na porta atrás dele.

– Vamos – disse Eph, saindo apressado do quarto.

O esquadrão da noite

Subiram a rua em direção ao parque Marcus Garvey, os cinco policiais de folga a pé, e o sargento no seu carro particular.

Não portavam emblemas. Nem câmeras portáteis. Nada de relatórios descrevendo a ação. Nada de inquéritos, nem murais comunitários ou Corregedoria.

Tratava-se de usar a força. Para acertar as coisas.

"Mania transmissível", era como os federais haviam denominado aquilo. "Demência relecionada a uma praga."

O que havia acontecido com os antigos "bandidos"? Esse termo saíra de moda?

O governo estava falando em chamar a Polícia Militar estadual? A Guarda Nacional? O Exército?

Pelo menos deem uma primeira chance a nós – a polícia da cidade.

– Ei... que diabo!

Um deles estava segurando o braço. Um corte profundo, bem através da manga.

Outro projétil caiu aos pés deles.

– Que porra é essa de pedradas agora?

Eles varreram os telhados com os olhos.

– Lá!

Um enorme pedaço de pedra decorativa, uma flor-de-lis, veio na direção de suas cabeças, fazendo com que se dispersassem. A pedra se espatifou no meio-fio, atingindo-lhes a canela.

– Ali dentro!

Eles correram para a porta e entraram rapidamente. O primeiro homem a entrar subiu correndo a escada até o segundo andar. Ali, uma adolescente com uma camisola comprida estava parada no meio do corredor.

– Caia fora daqui, meu bem! – gritou o homem, passando por ela rispidamente e indo na direção do segundo lance de escadas. Alguém se movimentava ali em cima. O policial não precisou esperar pelas regras de engajamento ou força justificável. Gritou para o sujeito parar e depois abriu fogo, acertando quatro balaços e derrubando o alvo.

Avançou contra o desordeiro, cheio de gás. Era um cara negro com quatro bons balaços no peito. O policial sorriu e gritou para a vão da escada.

– Peguei um!

O cara negro se sentou. O policial recuou, ainda conseguindo disparar mais um tiro antes que o sujeito se lançasse sobre ele, agarrando-o e fazendo algo com seu pescoço.

O policial girou, com o fuzil comprimido entre o corpo dos dois, sentindo o corrimão sob seu quadril.

Os dois caíram juntos, batendo com força no chão. Um segundo policial virou-se e viu o suspeito em cima do primeiro, mordendo-o no pescoço ou coisa assim. Antes de disparar, ele ainda olhou para cima, para ver de onde os dois haviam caído, e avistou a adolescente de camisola.

Ela pulou sobre ele, jogando-o de costas no chão. Então cravou as unhas no rosto e no pescoço do homem.

Um terceiro policial desceu a escada e viu a garota. Depois viu o cara atrás dela, o ferrão saindo da boca, pulsando enquanto drenava o sangue do primeiro policial.

Atirou na garota, jogando-a para trás. Quando já partia ao encalço do outro monstro, uma mão o agarrou por trás. Uma unha comprida seemelhante a uma garra cortou-lhe o pescoço e girou seu corpo.

Kelly Goodweather, enfurecida pela fome e pela carência de sangue na ânsia de pegar o filho, foi puxando o policial com uma das mãos para o apartamento mais próximo. Depois bateu a porta com força para que pudesse se alimentar profundamente, sem interrupções.

O Mestre – Parte I

OS MEMBROS DO HOMEM se retorceram pela última vez, o ligeiro hálito de seu último suspiro escapando da boca, o tremor da morte assinalando o final do repasto para o Mestre. Largado pela sombra imponente, o corpo do homem caiu inerte e nu perto de outras quatro vítimas aos pés de Sardu.

Todas exibiam a mesma marca forte do ferrão na carne macia do interior da coxa, mais precisamente sobre a artéria femural. A imagem popular dos vampiros bebendo sangue do pescoço não era incorreta, mas os vampiros poderosos preferiam a artéria femural da perna direita. A pressão e a oxigenação eram perfeitas, e o sabor mais encorpado, quase rude. Já a jugular carregava sangue impuro e picante. Não obstante, o ato de se alimentar há muito tempo deixara de ser emocionante para o Mestre. Muitas vezes o velho vampiro se alimentava sem sequer encarar a vítima, embora a adrenalina causada pelo medo na presa sempre acrescentasse uma excitação exótica ao gosto metálico do sangue.

Durante séculos a dor humana permaneceu fresca e até mesmo revigorante: suas várias manifestações divertiam o Mestre, e a delicada sinfonia de arquejos, gritos e exalações do rebanho ainda despertavam seu interesse.

Mas agora, principalmente ao se alimentar dessa maneira, *en masse*, o Mestre procurava silêncio absoluto. Lá no fundo, convocava sua voz primeva – a voz original –, a voz de seu verdadeiro ser, descartando todos os outros hóspedes dentro de seu corpo e sua vontade. Emitia seu murmúrio: um pulsar, um ribombar surdo psicossedativo vindo de dentro, uma chicotada mental, paralisando as presas próximas pelo maior tempo possível, a fim de que ele pudesse se alimentar em paz.

No final, porém, *O Murmúrio* deveria ser usado com cautela, pois expunha a verdadeira voz do Mestre. Seu verdadeiro ser.

Demandava algum tempo e esforço para aquietar todas as vozes residentes e redescobrir a própria. E era algo perigoso, pois essas vozes serviam como disfarces. As vozes, inclusive a de Sardu, o menino-caçador cujo corpo ele habitava, camuflavam sua presença, sua posição, seus pensamentos diante dos Antigos. Elas o protegiam.

O Mestre usara *O Murmúrio* dentro do 777 ao chegar, e agora emitia novamente aquele som pulsado para conseguir silêncio absoluto e poder pensar com tranquilidade. Podia fazer isso ali, centenas de metros abaixo do solo, num antro de concreto dentro de um ossário semiabandonado. Sua câmara ficava no centro de um labirinto de currais curvos e túneis de serviço debaixo de um matadouro de gado. O lugar já servira para coletar sangue e resíduos, mas sofrera uma limpeza completa antes que o Mestre fixasse residência ali, e agora parecia muito mais uma capela industrial.

O vergão latejante em suas costas começara a sarar quase que imediatamente. Jamais temera sofrer danos permanentes por causa do ferimento, pois nada temia, mas o vergão se transformaria numa cicatriz, desfigurando seu corpo como uma afronta. Aquele velho idiota e os humanos a seu lado ainda lamentariam ter cruzado o caminho do Mestre.

Um levíssimo eco de raiva, de indignação profunda, trepidou por suas muitas vozes e sua vontade única. O Mestre se sentia afrontado, o que era uma sensação nova e energizante. Indignação não era um sentimento que ele experimentasse com frequência, e assim essa nova reação foi recebida com júbilo.

Um riso silencioso crepitou através de seu corpo ferido. Naquele jogo, ele se achava bem à frente, e todas as diversas peças comportavam-se como esperado. Bolivar, o enérgico lugar-tenente de suas hostes, estava provando ser bastante habilidoso na propagação da sede, e chegara até mesmo a reunir uns poucos servos que poderiam realizar tarefas diurnas. A arrogância de Palmer crescia a cada avanço tático, mas apesar disso ele permanecia inteiramente sob o controle do Mestre. A Ocultação marcara o momento para o plano ser posto em prática. O fenômeno definirá a delicada e sagrada geometria necessária. Agora, dentro de muito pouco tempo, a Terra se incendiaria...

No solo, um dos petiscos gemeu, inesperadamente agarrando-se à vida. Revigorado e encantado, o Mestre olhou para a presa. Na sua mente, o coro de vozes recomeçou. Examinou o homem a seus pés, que ainda tinha um pouco de dor e medo no olhar – ali estava uma guloseima imprevista.

Desta vez o Mestre se deliciou, saboreando aquela sobremesa picante. Sob o teto abobadado do Ossário, levantou o corpo do homem, pousando cuidadosamente a mão em cima do coração, e cobiçosamente extinguiu o ritmo que havia ali.

Marco Zero

A PLATAFORMA ESTAVA VAZIA quando Eph pulou para os trilhos, entrando atrás de Vasiliy no túnel do metrô que corria ao longo do canteiro de obras do projeto Marco Zero.

Nunca imaginara que poderia voltar àquele lugar. Depois de tudo que testemunhara e encontrara anteriormente, não poderia imaginar uma força grande o bastante para compeli-lo a retornar ao labirinto subterrâneo que era o ninho do Mestre.

Mas há calos que se formam até mesmo num único dia. O uísque ajudara. Uísque ajudava muito.

Eph caminhou por sobre as pedras negras ao longo dos mesmos trilhos inutilizados de antes. Os ratos não haviam voltado. Passou pela mangueira de esgotamento abandonada pelos operários, que também haviam desaparecido.

Como de costume, Vasiliy levava sua barra de aço reforçado. A despeito das armas mais adequadas e de maior impacto que ele e Eph carregavam, como lâmpadas ultravioleta, espadas de prata e uma pistola de pregos carregada com projéteis de prata pura, Vasiliy continuava levando sua barra contra ratos, embora ambos soubessem que não havia mais ratos por ali. Os vampiros haviam infestado o domínio subterrâneo dos ratos.

Vasiliy também gostava da pistola de pregos. Pistolas pneumáticas de ar comprimido exigiam tubagem e água. Já as elétricas careciam de impacto e trajetória. Nenhum dos dois tipos era realmente uma arma portátil. Já sua pistola, que pertencia ao arsenal de antigas e modernas curiosidades do velho, funcionava com o cartucho de fixação a pólvora de uma carabina. Era carregada com cinquenta pregos de prata por vez, inseridos pela culatra como um pente de balas de fuzil UZI. Balas de chumbo abriam buracos nos vampiros, tal como em humanos, mas quando o sistema nervoso já desapareceu, a dor física não é mais problema e os projéteis revestidos de cobre reduziam-se a instrumentos rombudos. Uma carabina de caça tinha o poder de deter um vampiro, mas, a menos que você lhe cortasse a cabeça na altura do pescoço, as saraivadas de chumbo também não matavam. Já a prata, introduzida no corpo sob a forma de pregos sem cabeça de cinco centímetros, matava os vírus. As balas de chumbo enfureciam as criaturas, mas os pregos de prata feriam-nas em nível genético. Quase tão importante, ao menos para Eph, era que a prata lhes metia medo. Bem como a luz ultravioleta na frequência pura de onda curta. A prata e a luz solar eram o equivalente vampiresco da barra para exterminar ratos.

Vasiliy chegara aos vampiros em seu trabalho de funcionário municipal. Como exterminador de ratos, queria saber o que os andava afugentando do subsolo. Já encontrara uns poucos vampiros nas suas aventuras subterrâneas, e sua dedicação como exterminador de pragas e experiência nos subterrâneos da cidade calhavam perfeitamente com a caça aos vampiros. Fora ele o primeiro a conduzir Eph e Setrakian para aquele lugar ali embaixo, à procura do ninho do Mestre.

O fedor de matança permanecia enclausurado no ambiente subterrâneo. O cheiro de carvão de vampiros queimados, e o permanente odor de amônia dos excrementos das criaturas.

Eph viu que ficava para trás e apertou o passo, esquadrinhando o túnel com a lanterna, tentando alcançar Vasiliy.

O exterminador mastigava um charuto Toro apagado que costumava levar na boca.

– Você está bem? – perguntou.

– Estou ótimo – disse Eph. – Não podia estar melhor.

– Ele está confuso. Cara, eu vivia confuso nessa idade, e minha mãe não era... você sabe.

– Eu sei. Zack precisa de tempo, e tempo é justamente uma das muitas coisas que eu não posso dar a ele nesse momento.

– Ele é um bom garoto. Eu não gosto de crianças em geral, mas gosto do seu filho.

Eph assentiu, agradecido pelo esforço que Vasiliy fazia.

– Eu também gosto dele.

– Estou preocupado com o velho.

Eph pisava com cuidado sobre as pedras soltas.

– O esforço foi muito para ele.

– Fisicamente, claro. Mas não é só.

– O fracasso.

– Isso, sim. Chegar tão perto, depois de tantos anos caçando essas coisas, só para ver o Mestre resistir e sobreviver ao seu melhor ataque. Mas tem mais. Há coisas que ele não está contando para nós, ou ainda não contou. Tenho certeza disso.

Eph se lembrou do vampiro-rei lançando a capa para trás num gesto de triunfo, com a carne branca feito lírio cozinhando em plena luz do dia, enquanto uivava para o sol numa atitude de desafio, e depois desaparecendo sobre a mureta do terraço.

– Ele achou que a luz do sol mataria o Mestre.

Vasiliy mastigou seu charuto.

– Pelo menos algum dano o sol realmente causou. Quem sabe quanto tempo aquele monstro seria capaz de aguentar a exposição. E você... você o cortou. Com a prata. – Eph conseguira dar um golpe, por sorte, nas costas do Mestre, que a subsequente exposição ao sol fundira instantaneamente numa cicatriz negra. – Se ele pode ser ferido, imagino que pode ser destruído, certo?

– Mas... um animal ferido não é mais perigoso?

– Os animais, como as pessoas, são motivados pela dor e pelo medo. Mas esse monstro? Ele vive na dor e no medo. Não precisa de mais motivação.

– Para aniquilar todos nós.

– Tenho pensado muito nisso. Ele quer aniquilar toda a humanidade? Quero dizer... nós somos seu alimento. Para ele, somos café da manhã, almoço e jantar. Se transformar quase todas as pessoas em vampiros, esgota o suprimento de comida inteiro. Com todas as galinhas mortas, não há mais ovos.

Eph ficou impressionado com o raciocínio de Vasiliy, que era a lógica de um exterminador.

– Ele precisa manter um equilíbrio, não é? Se converter pessoas demais em vampiros, vai criar uma demanda grande demais por alimento humano. É a economia do sangue.

– A menos que haja algum outro destino nos aguardando. Eu só espero que o velho tenha as respostas. Se ele não tiver...

– Ninguém terá.

Chegaram à suja interseção do túnel. Eph levantou a lanterna Luma, fazendo os raios ultravioleta ressaltarem as manchas irregulares dos dejetos dos vampiros: a matéria biológica de urina e fezes ficava fluorescente sob a baixa frequência da luz. As manchas já não tinham as cores vívidas de que Eph se recordava. Estavam esmaecendo. Isso significava que nenhum vampiro voltara ali recentemente. Talvez, por meio de sua telepatia, tenham sido avisados pelas centenas de companheiros mortos pelas mãos de Eph, Vasiliy e Setrakian.

Vasiliy usou a barra de aço para revolver um monte de telefones celulares descartados, empilhados como um antigo monumento funerário. Uma melancólica ode à futilidade humana: era como se os vampiros houvessem sugado a vida das pessoas, deixando apenas aquelas geringonças. Depois disse calmamente:

– Andei pensando numa coisa que o velho disse quando falou sobre mitos em culturas e épocas diferentes, mas que revelam medos humanos básicos e semelhantes. Símbolos universais.

– Arquétipos.

– É essa a palavra. Terrores comuns a todas as tribos e terras, profundamente enraizados em todos os seres humanos; doenças, pragas, guerra, cobiça. Sua opinião era a seguinte... e se todas essas coisas não forem meras superstições? E se estiverem diretamente relacionadas? Não medos distintos, ligados por nosso subconsciente, mas... e se na realidade tiverem raízes no nosso passado? Em outras palavras, e se não forem mitos comuns? E sim verdades comuns?

Eph teve dificuldade para raciocinar teoricamente ali, nas entranhas da cidade sitiada.

– Você está dizendo que o que ele quis dizer é que talvez sempre tenhamos sabido disso?

– Sim... e sempre o temamos. Que essa ameaça, esse clã de vampiros que vivem de sangue humano, e cuja doença possui os corpos humanos, existia e era conhecida. Mas quando eles se esconderam ou seja lá o que for, recuando para as sombras, a verdade virou mito. O fato virou folclore. Mas esse veio subterrâneo de medo corre tão fundo em nós, em todos os povos e todas as culturas, que nunca desapareceu.

Eph assentiu, interessado, mas também distraído. Vasiliy podia se afastar e apreciar o panorama em geral, mas estava em situação oposta à do exterminador. Sua ex-esposa fora levada e transformada em vampiro. Agora estava alucinadamente dedicada à missão de converter também em vampiro seu sangue, seu Ente Querido, o filho deles. Aquela praga demoníaca afetara Eph num nível pessoal, e ele estava achando difícil dirigir a atenção para qualquer outra coisa, que dirá teorizar sobre a grande escala das coisas, embora isso fosse, de fato, sua orientação como epidemiologista. Mas, quando algo tão insidioso entra na nossa vida pessoal, todos os pensamentos superiores saem pela janela.

Eph percebeu que estava cada vez mais obcecado por Eldritch Palmer, o chefe do Grupo Stoneheart e um dos três homens mais ricos do mundo; o homem que eles haviam identificado como cúmplice do Mestre na conspiração. Os ataques haviam aumentado, dobrando a cada noite que passava, com o vírus propagando-se exponencialmente, mas o noticiário insistia em reduzir aqueles ataques a meros "distúrbios". Era como chamar uma revolução de protesto isolado. Obviamente, eles deviam estar mais bem informados, mas alguém – e só *podia* ser Palmer, um homem que tinha interesse em enganar o povo americano e o mundo em geral – estava influenciando a mídia e controlando o Centro de Controle de Doenças. Apenas o Grupo Stoneheart poderia financiar e pôr em execução uma campanha tão maciça de desinformação pública sobre a ocultação. Particularmente, Eph já decidira que, se não podiam destruir o Mestre naquele momento, com certeza poderiam destruir Palmer, que não era apenas idoso, mas também notoriamente doente. Qualquer outro homem já teria falecido dez anos antes, mas Palmer se mantinha vivo graças à sua vasta fortuna e a seus recursos ilimitados, como um veículo antigo que exigisse manutenção vinte e quatro horas por dia apenas para se manter funcionando. A vida, como o médico em Eph imaginava, virara para Palmer algo como um fetiche. Por quanto tempo ele poderia continuar assim?

A fúria de Eph contra o Mestre, por ter transformado Kelly ou por contradizer tudo que ele acreditava sobre ciência e medicina, era justificada mas impotente, era como agitar os punhos contra a própria morte. Mas, condenar Palmer, o colaborador e facilitador humano do Mestre, dava a seu tormento uma direção e um propósito. Melhor do que isso, legitimava seu desejo por uma vingança pessoal.

Aquele velho destruíra a vida do filho de Eph, estilhaçando o coração do garoto.

Eles alcançaram a câmara comprida, o lugar que procuravam. Antes de passarem pelo canto, Vasiliy preparou a pistola de pregos e Eph ergueu a espada.

Na extremidade mais distante da câmara baixa estava o amontoado de terra e dejetos. Era o altar sujo sobre o qual viera o caixão, aquele caixote caprichosamente entalhado que atravessara o Atlântico dentro do frio compartimento de carga do voo 753 da Regis Air, trazendo o Mestre enterrado na argila fria e macia.

O caixão desaparecera. Desaparecera de novo, como acontecera no hangar cercado de seguranças do aeroporto LaGuardia. O topo achatado do altar de terra ainda trazia a marca da madeira.

Alguém – ou, mais provavelmente, alguma *coisa* – voltara para recuperar a peça antes que Eph e Vasiliy pudessem destruir o lugar de descanso do Mestre.

– Ele voltou aqui – disse Vasiliy, olhando ao redor.

Eph estava muito decepcionado. Ansiava por destruir o pesado caixote, assim dirigindo sua ira para alguma forma física de destruição, e perturbando de certo modo o hábitat do monstro. Para fazê-lo perceber que eles não haviam desistido, e que nunca recuariam.

– Aqui – disse Vasiliy. – Olhe para isso.

Um espraiado redemoinho de cores na base da parede lateral podia ser visto sob o facho da lanterna-bastão de Vasiliy, indicando um jato recente de urina de vampiro. Então ele iluminou toda a parede com a lanterna normal.

Um mural de loucos desenhos grafitados, dispostos de modo aleatório, cobria a extensão de pedra. Mais de perto, Eph notou que a grande maioria das figuras era de variações de um mesmo desenho de seis pontas, indo do rudimentar ao abstrato, e depois a motivos simplesmente intrigantes. Aqui havia algo com aparência de estrela; ali um desenho parecido com uma ameba. A grafitagem se estendia pela larga parede como se a coisa tivesse se replicado, cobrindo a pedra de alto a baixo. Os desenhos tinham cheiro de tinta fresca.

– Isso é novidade – disse Vasiliy, afastando-se para ter uma visão geral.

Eph adiantou-se para examinar um hieróglifo no centro de uma das mais intricadas estrelas. Parecia ser um gancho, uma garra, ou...

– Uma lua crescente. Ele correu a luz negra pelo desenho complexo. Invisíveis a olho nu, duas formas idênticas estavam escondidas nos vetores do traçado. E uma seta apontava para os túneis que se estendiam adiante.

– Podem estar migrando – disse Vasiliy. – Mostrando o caminho...

Eph assentiu e acompanhou o olhar de Vasiliy. A direção indicada era o sudeste.

– Meu pai costumava me falar dessas marcas – disse Vasiliy. – Papo de andarilhos, da época em que ele chegou ao país pela primeira vez, depois da guerra. Desenhos a giz indicavam casas amistosas ou inamistosas, onde você poderia se alimentar, conseguir uma cama ou até mesmo avisar a outros sobre um proprietário hostil. Ao longo dos anos, vi sinais assim em armazéns, túneis, porões...

– O que significam?

– Não conheço a linguagem.

– Ele olhou em torno. – Mas parecem estar apontando para aquele caminho. Veja se algum desses telefones ainda tem um pouco de bateria. Um que tenha câmera.

Eph vasculhou o topo da pilha, experimentando os aparelhos e descartando os apagados. Um Nokia cor-de-rosa com um enfeite de Hello Kitty fosforescente reviveu em sua mão. Ele atirou o celular para Vasiliy, que examinou o aparelho.

– Nunca entendi a porra desse gato. A cabeça é grande demais. Como isso pode ser um gato? Olhe só. Está doente com... água por dentro?

– Hidrocefalia, você quer dizer? – disse Eph, tentando imaginar o porquê daquilo.

Vasiliy arrancou o enfeite do gato e jogou-o fora.

– Isso é mau agouro. Porra de gato. Eu detesto a porra desse gato.

Fotografou a figura da lua crescente iluminada pela luz azulada, e depois fez um vídeo de todo o grafite maníaco. Parecia assombrado pela visão do interior daquele lugar sinistro, obcecado pela natureza daquela invasão e intrigado com seu significado.

Estava claro quando eles saíram do túnel. Eph carregava a espada e outros equipamentos numa bolsa esportiva de beisebol pendurada no ombro. Vasiliy levava suas armas em uma pequena caixa com rodinhas que ele usava para transportar seus instrumentos e venenos exterminadores. Estavam com as roupas de trabalho sujas pelos túneis debaixo do Marco Zero.

Wall Street estava estranhamente silenciosa, com as calçadas quase vazias. Ouvia-se o lamento de sirenes distantes, implorando uma resposta, que não viria. A fumaça negra estava se tornando uma característica permanente no céu da cidade.

Os poucos pedestres ainda vistos passavam por eles apressadamente, com pouco mais que um aceno de cabeça. Alguns usavam máscaras faciais, outros protegiam o nariz e a boca com lenços de pescoço, agindo de acordo com a desinformação acerca do tal "vírus" misterioso. A maior parte das lojas estava fechada – saqueadas e vazias, ou sem eletricidade. Passaram por um mercado iluminado, mas sem empregados. Lá dentro, as pessoas levavam o que sobrara de frutas estragadas nas bancadas da frente ou mercadorias enlatadas das prateleiras já quase vazias. Qualquer coisa consumível. O refrigerador de bebidas já fora saqueado, como também a seção de alimentos congelados. A caixa registradora também já estava limpa, porque hábitos antigos custam a desaparecer. Mas dinheiro não chegava a ter o valor que a água e a comida teriam em breve.

– Que maluquice – murmurou Eph.

– Pelo menos algumas pessoas ainda têm energia – disse Vasiliy. – Espere até os telefones e computadores se apagarem, e elas descobrirem que nada pode ser recarregado. Aí então que a gritaria vai começar.

Os símbolos dos sinais de trânsito continuavam mudando da mão vermelha para a figura branca andando, mas sem transeuntes para atravessar. Manhattan sem pedestres não era Manhattan. Eph ouvia buzinas de automóveis nas avenidas principais, mas apenas um ou outro táxi atravessava as ruas transversais, com motoristas curvados sobre os volantes e passageiros ansiosos sentados nos bancos traseiros.

Por força de hábito, ambos fizeram uma pausa no meio-fio seguinte, quando o sinal ficou vermelho.

– Por que agora, na sua opinião? – perguntou Eph. – Se eles já estão aqui há séculos, o que provocou isso?

– A noção de tempo dele não é igual à nossa – disse Vasiliy. – Medimos nossas vidas em dias e anos, por um calendário. Ele é uma criatura da noite. Só tem o céu para se preocupar.

– O eclipse – disse Eph, de repente. – Ele estava esperando por isso.

– Talvez represente algo – disse Vasiliy. – Talvez tenha algum significado para ele...

Quando passaram por uma delegacia, um policial do Departamento de Trânsito deu uma espiada neles, observando Eph.

– Merda. – Eph olhou para o outro lado, mas não com rapidez ou displicência suficientes. Mesmo com a desintegração das forças policiais, seu rosto aparecia muito na televisão, e todo mundo ainda estava observando, esperando receber orientações quanto ao que fazer.

Enquanto eles se afastavam, o policial virou de costas. "É só paranoia minha", pensou Eph.

Virando a esquina, seguindo instruções precisas, o policial deu um telefonema.

O blog de Vasiliy Fet

Alô, alô, mundo.

Ou o que sobrou dele.

Eu achava que nada era mais inútil do que escrever um blog.

Não conseguia imaginar perda de tempo maior.

Quer dizer, quem liga para o que você tem a dizer?

Portanto, realmente não sei o que é isso.

Mas preciso fazer isso.

Acho que tenho dois motivos.

Um é registrar meus pensamentos. Colocar minhas ideias nessa tela de computador, para serem vistas e talvez dar algum sentido a tudo que está acontecendo. Porque o que vivenciei nos últimos dias me transformou, literalmente, e preciso tentar descobrir quem sou agora.

O segundo motivo?

Simples. Propagar a verdade. A verdade sobre o que está acontecendo.

Quem sou eu? Sou um exterminador por ofício. Portanto, se você mora em uma das cinco partes de Nova York, avista um rato na sua banheira e chama o serviço de controle de pragas...

É isso aí. Eu sou o cara que aparece duas semanas depois.

Antes você conseguia deixar para mim o serviço sujo. De enxotar as pestes. De erradicar as pragas.

Mas isso não acontece mais.

Uma nova infestação está se espalhando por toda a cidade, e pelo mundo. Uma nova estirpe de intrusos. Uma praga sobre a raça humana.

Essas criaturas estão fazendo ninho no seu porão.

No seu sótão.

Nas suas paredes.

E agora vou fechar com chave de ouro.

Quando se trata de ratos, camundongos ou baratas, o melhor meio de eliminar uma infestação é remover a fonte de alimento.

Muito bem.

O único problema é: qual é a fonte de alimento dessa nova estirpe?

Isso mesmo.

Somos nós.

Você e eu.

Caso você ainda não tenha percebido, nós estamos na maior merda, entende?

Município de Fairfield, Connecticut

O PRÉDIO BAIXO ERA um dos dez no final de uma estrada em mau estado, um conjunto de escritórios que já andava em dificuldades até antes da recessão. Ainda mantinha o símbolo de seu inquilino anterior, R. L. Industries, uma antiga locadora de carros blindados. Consequentemente, permanecia rodeada por um alambrado resistente com quatro metros de altura. O acesso se dava por meio de cartão-senha em um portão eletrônico.

A metade onde ficava a garagem abrigava o Jaguar cor creme do médico e uma frota de veículos pretos adequados à caravana de um magnata. A metade onde ficavam os escritórios fora transformada num pequeno centro cirúrgico particular, servindo a apenas um paciente.

Eldritch Palmer estava deitado na sala de recuperação, acordando com o costumeiro desconforto pós-operatório. Ele voltava a si lentamente, mas com firmeza, fazendo pela enésima vez essa viagem escura de retorno à consciência. Sua equipe cirúrgica conhecia bem a adequada mistura de sedativos e anestesia. Eles não o punham mais em sedação muito profunda. Naquela idade avançada, isso era muito arriscado. E, na opinião de Palmer, quanto menos anestesia fosse usada mais rapidamente ele se recuperava.

Permanecia ligado a máquinas, conferindo a eficiência do seu novo fígado. O doador fora um refugiado salvadorenho adolescente, testado para ver se estava livre de doenças, drogas e alcoolismo. Um órgão sadio e jovem, marrom-róseo, com formato mais ou menos triangular, semelhante a uma bola de futebol americano em tamanho. Trazido fresco do avião a jato, menos de catorze horas depois de ser colhido, aquele alotransplante era, segundo as contas do próprio Palmer, seu sétimo fígado. Passavam por seu corpo tal como filtros de papel passam por cafeteiras.

O fígado, sendo o maior órgão interno e também a maior glândula isolada do corpo humano, tem muitas funções vitais, inclusive as de metabolismo, armazenagem de glicogênio, síntese do plasma, produção de hormônio e desintoxicação. Atualmente não existe expediente médico capaz de compensar sua ausência no corpo, o que fora uma grande infelicidade para o relutante doador salvadorenho.

Fitzwilliam, o enfermeiro de Palmer, além de guarda-costas e companheiro constante, estava parado no canto, sempre vigilante à maneira da maioria dos ex-fuzileiros navais. O cirurgião entrou, ainda com a máscara, calçando um novo par de luvas. Era um médico exigente, ambicioso e, mesmo pelos padrões da maior parte dos cirurgiões, incrivelmente rico.

Afastou o lençol. A incisão recém-suturada apenas reabrira a cicatriz de um transplante anterior. Por fora o peito de Palmer expunha uma massa encaroçada de cicatrizes desfigurantes, e o interior era uma cesta endurecida de órgãos em falência. Foi isso que o cirurgião lhe disse.

— Lamento, mas o seu corpo não aguenta mais nenhum alotransplante de tecido ou de órgãos. Chegamos ao fim.

Palmer sorriu. Seu corpo era uma colmeia de órgãos de outras pessoas, e nesse aspecto ele não diferia muito do Mestre, que era a corporificação de uma colmeia de almas de mortos-vivos.

– Obrigado, doutor. Eu compreendo. – A voz de Palmer ainda estava rascante devido ao tubo respiratório. – Na verdade, sugiro que o senhor esqueça esta cirurgia completamente. Sei que o senhor teme que a Sociedade Americana de Medicina descubra nossas técnicas para colher órgãos, e por isso libero o senhor de qualquer compromisso. O pagamento que o senhor receberá por este procedimento será o último. Não vou precisar mais de intervenções médicas, nunca mais.

O olhar do cirurgião permaneceu indeciso. Eldritch Palmer, um homem que esteve doente por quase toda a vida, possuía uma rara vontade de viver: um instinto de sobrevivência feroz e antinatural, que o médico jamais encontrara em ninguém. Estaria ele finalmente sucumbindo a seu destino final?

Pouco importava. O cirurgião ficou aliviado e agradecido. Sua aposentadoria já vinha sendo planejada havia algum tempo, e tudo estava arranjado. Era uma bênção ficar livre de todos os compromissos numa época tão tumultuada quanto aquela. Só esperava que os voos para Honduras ainda estivessem funcionando. E incendiar aquele prédio não causaria qualquer investigação em meio a tantos distúrbios sociais.

Tudo isso o médico engoliu com um sorriso educado. Depois retirou-se sob o olhar frio de Fitzwilliam.

Palmer descansou os olhos, deixando sua mente voltar para a exposição solar do Mestre, perpetrada por aquele velho idiota, Setrakian. Avaliou esse acontecimento nos únicos termos que compreendia: O que aquilo significava para ele?

Simplesmente o cronograma fora acelerado, coisa que por sua vez facilitava sua redenção iminente.

Finalmente seu dia estava quase chegando.

Setrakian. A derrota realmente tinha gosto amargo? Ou era mais semelhante a cinzas na língua?

Palmer nunca conhecera a derrota, nunca *conheceria* a derrota. E quantos podem dizer isso?

Como uma pedra no meio de um rio com corredeiras, lá estava Setrakian. Tinha a crença orgulhosa e tola de que estava perturbando a corrente, quando na realidade o rio estava, conforme previsto, passando a toda a velocidade em torno dele.

A futilidade dos humanos. A vida começa tão promissora, não é? Mas tudo termina de forma tão previsível.

Seus pensamentos voltaram-se para a Fundação Palmer. Entre os super-ricos realmente esperava-se que cada um dos mais abastados fundasse uma instituição de caridade com seu próprio nome. Essa, a sua única fundação filantrópica, usara seus amplos recursos para transportar e cuidar de dois ônibus cheios de crianças atingidas pela recente ocultação do sol. Elas haviam ficado cegas repentinamente durante aquele raro evento celestial, fosse por terem olhado para o sol eclipsado sem proteção óptica adequada, fosse devido a um desafortunado defeito nas lentes de um lote de óculos de segurança feitos para crianças. Os óculos com defeito haviam sido rastreados até uma fábrica na China, mas a pista se extinguira num terreno baldio em Taipei...

Não se mediriam despesas para a reabilitação e a reeducação daquelas pobres almas, garantia a sua fundação. E Palmer estava realmente falando sério.

O Mestre exigira isso.

Rua Pearl

AO ATRAVESSAREM A RUA, Eph sentiu que estavam sendo seguidos. Vasiliy, por sua vez, tinha a atenção voltada para os ratos. Deslocados, os roedores corriam de porta em porta e ao longo da sarjeta ensolarada, evidentemente em estado de pânico e caos.

– Olhe lá para cima – disse Vasiliy.

O que Eph pensara ser pombos pousados nos beirais eram, de fato, ratos. Olhavam para baixo, observando Eph e Vasiliy como que aguardando para ver o que fariam. Sua presença era indicativa, como um barômetro, da infestação vampiresca que se espalhava no subsolo, expulsando os ratos de seus ninhos. Alguma vibração animal que os *strigoi* emitiam, ou então sua presença ostensivamente maléfica, repelia outras formas de vida.

– Só pode haver um ninho aqui perto – disse Vasiliy.

Eles passaram por um bar, e Eph sentiu uma sede repentina no fundo da garganta. Voltou e testou a porta, vendo que estava destrancada. Era um bar antigo, estabelecido há mais de cento e cinquenta anos – a mais antiga cervejaria ainda em funcionamento em Nova York, conforme se gabava o letreiro –, mas não havia fregueses nem barman. A única coisa que perturbava o silêncio era a tagarelice baixa do noticiário num televisor preso num canto alto.

Foram até a parte de trás do bar, igualmente deserta e ainda mais escura. Canecas de cerveja parcialmente consumidas estavam largadas nas mesas, e umas poucas cadeiras ainda exibiam casacos pendurados. Quando a festa terminara ali, fora de maneira abrupta e súbita.

Eph conferiu os banheiros, vendo que o toalete masculino tinha grandes e antigos vasos que terminavam numa vala no chão, e também os achou vazios, como era previsível.

Voltou para o salão, arrastando as botas pela serragem no chão. Vasiliy pousara o equipamento e puxara uma cadeira, descansando as pernas.

Então Eph se enfiou atrás do balcão. Não havia bebidas destiladas, nem misturadores de coquetel ou baldes de gelo; apenas torneiras de chope, com prateleiras de grandes canecas de vidro embaixo. O lugar só servia cerveja. Nada de destilados, que era o que Eph queria. Apenas uma marca de cerveja própria, tanto clara quanto escura. As antigas torneiras só faziam parte da decoração, mas as mais novas jorravam facilmente. Eph encheu duas canecas de cerveja escura.

– Um brinde a... quê?

Vasiliy levantou-se e foi até o balcão, pegando uma das canecas.

– A quem mata sugadores de sangue.

Eph bebeu metade da cerveja.

– Parece que o pessoal se mandou daqui apressadamente.

– Última chamada – disse Vasiliy, limpando a espuma do grosso lábio superior. – Última chamada por toda a cidade.

Uma voz na televisão chamou a atenção deles, que foram para a parte da frente do salão. Um repórter em transmissão ao vivo numa cidade pequena perto de Bronxville, terra de um dos quatro sobreviventes do voo 753. Com fumaça escurecendo o céu ao fundo, a legenda abaixo da cena dizia: OS DISTÚRBIOS EM BRONXVILLE CONTINUAM.

Vasiliy estendeu a mão para mudar de canal. A Bolsa de Nova York caía violentamente devido a temores de consumidores, a ameaça de uma epidemia ainda maior do que a da gripe suína e uma onda de desaparecimentos entre os próprios corretores. Corretores apareciam sentados, imóveis, enquanto as cotações de mercado desabavam.

No canal NY1 o foco das notícias era o tráfego, mostrando cada saída de Manhattan congestionada, com as pessoas fugindo da ilha diante dos boatos de uma quarentena. Havia *overbooking* em viagens aéreas e ferroviárias. Os aeroportos e as estações de trem eram cenários de puro caos.

Eph ouviu um helicóptero acima deles. Uma aeronave assim era provavelmente o único meio de entrar e sair de Manhattan no momento. Caso você tivesse seu próprio heliporto, como Eldritch Palmer.

Eph encontrou um telefone com fio, desses antigos, atrás do balcão. Conseguiu um ruído de discar precário e, usando pacientemente o dial rotativo, ligou para Setrakian.

O telefone tocou e Nora atendeu. Antes que ela pudesse falar, Eph perguntou:

– Como está o Zack?

– Melhor. Ele ficou muito perturbado durante algum tempo.

– Ela não voltou mais?

– Não. Foi escorraçada do terraço por Setrakian.

– Do terraço? Meu Deus. – Eph ficou enjoado. Agarrou uma caneca limpa, enchendo-a de cerveja apressadamente. – Onde ele está agora?

– Lá em cima. Quer que eu vá chamar?

– Não. É melhor falar com ele pessoalmente quando voltar.

– Acho que você tem razão. Vocês destruíram o caixão?

– Não – disse Eph. – O troço sumiu.

– Sumiu? – perguntou ela.

– Aparentemente o Mestre não está muito ferido. Nem com os movimentos realmente comprometidos. E... é esquisito, mas havia uns desenhos misteriosos na parede dos túneis, feitos com tinta em aerossol...

– Como assim, alguém está grafitando as paredes?

Eph apalpou o celular no bolso, assegurando-se de que o aparelho cor-de-rosa ainda estava ali.

– Eu gravei um vídeo. Na verdade, não sei o que é aquilo. – Ele afastou o telefone um momento para beber mais cerveja. – Mas vou lhe dizer uma coisa. A cidade está sinistra. Silenciosa.

– Não por aqui – disse Nora. – A coisa acalmou um pouco agora ao alvorecer, mas isso não vai demorar. O sol já não parece amedrontar muito os vampiros. É como se eles estivessem ficando mais audaciosos.

– É exatamente isso que está acontecendo – disse Eph. – Eles estão aprendendo, ficando mais espertos. Precisamos nos mandar daqui. Hoje.

– O Setrakian acabou de dizer isso. Por causa da Kelly.

– Porque ela sabe onde nós estamos agora?

– Porque ela sabe, e isso significa que o Mestre sabe.

Eph apertou a mão sobre os olhos fechados, tentando afastar sua dor de cabeça.

– Está bem.

– Onde vocês estão agora?

– No centro financeiro, perto da estação Ferry Loop. – Ele não mencionou que estava num bar. – O Vasiliy está procurando um carro maior. Vamos arranjar isso e voltar logo.

– Só... por favor, voltem para cá em um pedaço humano.

– Esse é o nosso plano.

Ele desligou e vasculhou debaixo do balcão. Estava procurando um recipiente que contivesse mais cerveja, pois era disso que ele precisava para descer de novo ao subsolo. Alguma coisa que não fosse uma caneca de vidro. Encontrou um frasco antigo, forrado de couro, e, ao espanar a poeira da tampa de metal, descobriu atrás uma garrafa de conhaque de boa qualidade. Não havia poeira na bebida; provavelmente era guardada ali para um rápido gole do barman, a fim de quebrar a monotonia da cerveja. Eph lavou o frasco e estava enchendo-o cuidadosamente sobre uma pia pequena, quando ouviu uma batida na porta.

Saiu rapidamente de trás do balcão, procurando a bolsa de armas até se lembrar que os vampiros não batem antes de entrar. Passou cautelosamente por Vasiliy e foi em direção à porta, olhando pela janela e vendo o dr. Everett Barnes, diretor dos Centros de Controle e Prevenção de Doenças. O velho médico interiorano não estava usando seu uniforme de almirante – os Centros haviam nascido no âmbito da Marinha Norte-Americana –, mas sim um terno marfim sobre branco, com o paletó desabotoado. Ele parecia ter deixado apressadamente um café da manhã tardio.

Eph podia ver a área da rua imediatamente atrás dele, e aparentemente Barnes estava sozinho, pelo menos no momento. Destrancou e abriu a porta.

– Ephraim – disse Barnes.

Eph agarrou-o pela lapela e puxou-o para dentro rapidamente, trancando a porta de novo.

– Você – disse ele, examinando novamente a rua. – Onde estão os outros?

O diretor Barnes se libertou de Eph, arrumando o paletó.

– Eles têm ordens de ficarem bem afastados, mas logo estarão aqui, não tenha dúvida disso. Insisti que precisava de alguns minutos sozinho com você.

– Meu Deus! – disse Eph, examinando os terraços do outro lado da rua antes de se afastar das janelas da frente. – Como conseguiram trazer você aqui tão depressa?

– Era uma questão prioritária que eu falasse com você. Ninguém quer machucar você, Ephraim. Tudo isso está sendo feito a meu pedido.

Eph virou as costas e rumou para o balcão.

– Talvez só você pense assim.

– Nós precisamos que você venha conosco – disse Barnes, indo atrás dele. – Eu preciso de você, Ephraim. Sei disso agora.

– Olhe aqui – disse Eph, chegando ao balcão e se virando. – Talvez você compreenda o que está acontecendo, talvez não. Talvez você seja parte do esquema, não sei. Talvez nem mesmo você saiba, mas há alguém por trás disso, alguém muito poderoso e, se eu for a algum lugar com você agora, isso certamente resultará na minha morte ou incapacitação. Ou pior.

– Estou ansioso para ouvir você, Ephraim. Seja lá o que você tenha para dizer. Estou aqui na sua frente como um homem que admite seu erro. Agora eu sei que nós estamos sob o poder de algo inteiramente devastador e de outro mundo.

– Não de outro mundo. Deste mundo mesmo. – Eph tampou o frasco de conhaque.

Vasiliy surgiu atrás de Barnes e perguntou:

– Quanto tempo até eles chegarem aqui?

– Não muito tempo – disse Barnes, desconfiado ao ver o enorme exterminador de macacão sujo. Voltou a atenção de novo para Eph e o frasco. – Você devia estar bebendo agora?

– Agora mais do que nunca – disse Eph. – Sirva-se, se quiser. Eu recomendo a cerveja escura.

– Olhe aqui, eu sei que você vem passando por um período difícil...

– O que acontece *comigo* realmente não interessa, Everett. Isso não diz respeito a mim, de modo que não adiantará fazer qualquer apelo ao meu ego. O que *eu estou* preocupado é com essas meias-verdades, ou seria melhor dizer essas mentiras deslavadas, sendo divulgadas sob os auspícios do CCD. Você já não está mais servindo ao público, Everett? Apenas ao seu governo?

O diretor Barnes fez uma careta.

– Necessariamente a ambos.

– Isso é fraco – disse Eph. – Inepto. E até criminoso.

– É por isso que eu preciso que você volte, Ephraim. Preciso da sua experiência como testemunha ocular, os seus conhecimentos especializados...

– É tarde demais! Será que nem isso você vê?

Barnes recuou um pouco, ainda de olho em Vasiliy, que o deixava nervoso.

– Você tinha razão sobre Bronxville. Nós pusemos o local em quarentena.

– Em quarentena? – perguntou Vasiliy. – Como?

— Uma cerca de arame.

Eph deu uma risada amarga.

— Uma cerca de arame? Meu Deus, Everett. É exatamente disso que eu estou falando. Vocês estão reagindo à *percepção* que o *público* tem do vírus, e não à ameaça propriamente dita. Fazendo o pessoal se sentir seguro com cercas? Com um *símbolo*? Eles vão despedaçar essas cercas...

— Então me fale. Diga o que eu preciso fazer. O que *você* precisa.

— Comece destruindo os cadáveres. Essa é a etapa número um.

— Destruir os... você sabe que não posso fazer isso.

— Então nada mais que você faça tem importância. Você precisa mandar uma equipe militar varrer aquele lugar e eliminar cada um dos mortos-vivos. Depois expandir a operação para o sul, dentro da cidade propriamente dita, e prosseguir pelo Brooklyn e o Bronx...

— Você está falando de assassinato em massa. Pense nas imagens...

— Pense na *realidade*, Everett. Eu sou médico, assim como você. Mas agora estamos num mundo novo.

Vasiliy voltou para a frente do bar, de olho na rua.

— Eles não querem que você me leve lá para prestar ajuda. Querem que você me leve lá para me neutralizar, junto com as pessoas que eu conheço — continuou Eph, indo até a bolsa de armas e puxando uma espada de prata. — Isto é o meu bisturi agora. A única forma de curar essas criaturas é libertá-las, e sim, isso significa mortandade em massa. Nada de conselhos médicos. Você quer ajudar... realmente ajudar? Então vá à tevê e conte isso a eles. Conte a eles a verdade.

Barnes olhou para Vasiliy na frente do salão.

— E quem é esse com você agora? Eu esperava ver você com a doutora Martinez.

Alguma coisa no modo como Barnes falou o nome de Nora soou estranho para Eph. Mas ele não conseguiu insistir no assunto. Vasiliy voltou rapidamente das janelas da frente.

— Lá vêm eles — disse Vasiliy.

Eph se aventurou perto o bastante para ver as vans se aproximando, fechando as duas extremidades da rua. Vasiliy passou por ele, agarrando Barnes pelo ombro e levando-o até uma mesa nos fundos, onde o fez sentar num canto. Eph pendurou a bolsa de beisebol no ombro e levou a caixa de Vasiliy até lá.

– Por favor – disse Barnes. – Eu imploro a vocês. Aos dois. Eu posso proteger vocês.

– Ouça aqui. Oficialmente você acabou de se tornar nosso refém, de modo que cale a boca, porra – disse Vasiliy, que depois se virou para Eph. – E agora? Como vamos manter esses caras lá fora? A luz ultravioleta não funciona com o FBI.

Eph olhou em torno da velha cervejaria, procurando uma resposta nos quadros e nas recordações de um século e meio, pendentes das paredes e entupindo as prateleiras atrás do balcão. Havia retratos de Lincoln, Garfield, McKinley e um busto de JFK – todos os presidentes assassinados. Ali perto, entre curiosidades como um mosquete, uma caneca de creme de barbear e obituários emoldurados, pendia uma pequena adaga de prata.

Ao lado havia um aviso: NÓS JÁ ESTÁVAMOS AQUI ANTES DE VOCÊ NASCER.

Eph correu para trás do balcão. Com o pé, espalhou a serragem que cobria um anel, uma alça incrustada no gasto soalho de madeira.

Aproximando-se, Vasiliy ajudou-o a levantar o alçapão.

O cheiro revelava tudo o que eles precisavam saber. Amônia, penetrante e recente.

O diretor Barnes, ainda na cadeira do canto, disse:

– Eles irão atrás de vocês.

– A julgar pelo cheiro, eu não recomendaria isso – disse Vasiliy, descendo na frente.

– Everett – disse Eph, ligando a lanterna Luma antes de começar a descer. – Caso tenha ficado pendente alguma ambiguidade, vou deixar tudo perfeitamente claro agora. Eu peço demissão.

Eph seguiu Vasiliy até embaixo, com a etérea luz azul-violeta da lanterna iluminando a área de suprimentos sob o bar. Vasiliy estendeu a mão para fechar o alçapão acima deles.

– Deixe aberta – murmurou Eph. – Se ele estiver tão comprometido quanto eu acho que está, já correu para a porta.

Vasiliy obedeceu, deixando o alçapão aberto.

O teto era baixo e os detritos de muitas décadas estreitavam o caminho. Eram velhos barriletes e barris, umas poucas cadeiras quebradas, pilhas de engradados de copos vazios e uma velha lava-louças industrial. Vasiliy ajustou elásticos grossos em torno dos tornozelos e dos punhos do casaco: era um truque aprendido a duras penas na época em que ele distribuía iscas em apartamentos infestados de baratas. Depois entregou uns elásticos a Eph.

— Para vermes — disse, fechando o zíper do casaco.

Eph cruzou o chão de pedra, abrindo uma porta lateral que levava a um local quente para guardar gelo que estava vazio.

Em seguida vinha uma porta de madeira com uma velha maçaneta oval. A poeira do chão na frente da porta agitou-se em forma de leque. Vasiliy assentiu e Eph abriu-a com um empurrão.

Você não hesita. Você não pensa. Eph aprendera essa lição. Você nunca lhes dá tempo de se agruparem e se anteciparem, porque é nessa manobra que um deles se sacrificará a fim de que os outros possam atacar você. Enfrentando ferrões que podem alcançar mais de um metro e meio, podendo chegar a quase dois metros, e com a extraordinária visão noturna que eles têm, você nunca, jamais para de se mover até que o último monstro seja destruído.

O pescoço era o ponto vulnerável deles, tal como a garganta era para as presas humanas. Se cortar a coluna vertebral, você destrói o corpo e o ser que reside ali. Uma quantidade significativa de perda de sangue branco atinge o mesmo objetivo, embora o derramamento de sangue seja muito mais perigoso, pois os vermes capilares escapam vivos do corpo procurando novos corpos humanos para invadir. Era por isso que Vasiliy gostava de prender elásticos nos pulsos.

Eph destruiu os dois primeiros da maneira que provara ser mais eficiente, usando a luz ultravioleta como uma tocha para repelir a fera, isolando-a e encurralando-a contra uma parede, e depois chegando com a espada para o *coup de grâce*. Armas feitas de prata produzem sérios ferimentos nos vampiros e causam neles o equivalente à dor sentida por humanos. A luz ultravioleta queima o DNA dos monstros como se fosse uma chama.

Vasiliy usou a pistola de pregos, lançando estiletes de prata nos rostos dos monstros para cegá-los ou desorientá-los, e depois atacou suas gargantas distendidas. Vermes libertados saíram se contorcendo pelo chão molhado. Eph matou alguns deles com a luz ultravioleta, enquanto outros encontraram seu destino debaixo do solado duro das botas de Vasiliy, que depois de pisotear alguns jogou-os dentro de um pequeno frasco na sua caixa.

– Para o velho – disse ele, antes de continuar com a carnificina.

Ouviram muitos passos e vozes no bar lá em cima, enquanto se apressavam a passar para a sala seguinte.

Um deles atacou Eph pelo lado, ainda usando o avental do barman, com os olhos arregalados e famintos. Eph golpeou-o com as costas da mão, fazendo a criatura recuar com o feixe de luz UV. Já estava aprendendo a ignorar sua tendência de médico para a misericórdia. O vampiro ficou rangendo os dentes num canto, num estado deplorável, enquanto Eph se aproximava para dar cabo dele.

Dois mais, talvez três, haviam fugido pela porta seguinte assim que viram a luz azul-violeta se aproximar. Um grupo pequeno continuava ali, agachado debaixo de prateleiras quebradas, pronto para atacar.

Vasiliy veio para o lado de Eph, com a lanterna na mão. Eph avançou para os vampiros, mas Vasiliy segurou-o pelo braço. Enquanto Eph resfolegava, o exterminador agia de maneira metódica, concentrado e sem angústia.

– Espere – disse Vasiliy. – Deixe alguns para os cupinchas do Barnes do FBI.

Vendo que era boa a ideia de Vasiliy, Eph recuou, ainda com a lanterna dirigida para os vampiros.

– E agora?

– Aqueles outros fugiram. Existe uma saída.

Eph olhou para a porta seguinte.

– Tomara que você tenha razão – disse ele.

Vasiliy seguiu na frente pelo subsolo, acompanhando a trilha de urina seca e fosforescente sob a lanterna Luma. As salas deram lugar a uma série de porões, ligados por velhos túneis cavados a mão. As marcas de amônia se abriam em muitas direções diferentes. Vasiliy selecionou uma, dobrando numa interseção.

– Eu gosto disso – disse ele, batendo com a bota para soltar a sujeira.

– É como caçar ratos seguindo seus rastros. A luz UV torna isso fácil.

– Mas como eles conhecem esses percursos?

– Eles têm estado ocupados. Explorando e se alimentando. Você nunca ouviu falar da Malha Volstead?

– Volstead? Como a Lei Volstead? A Lei Seca?

– Restaurantes, bares, casas de tolerância tiveram que abrir seus porões, ir para o subsolo. Esta é uma cidade que simplesmente vive se reconstruindo sobre si mesma. Combine os velhos porões e casas ali embaixo com os túneis, aquedutos e antigos canos de serviços públicos... há quem diga que a gente pode se movimentar de quarteirão a quarteirão, bairro a bairro, somente pelo subsolo, entre dois pontos quaisquer da cidade.

– A moradia de Bolivar – disse Eph, lembrando-se do roqueiro que fora um dos sobreviventes do voo 753. Seu prédio era um antigo antro de contrabandistas, com um porão secreto para estocar gim que se ligava aos túneis do metrô embaixo dele. Eph olhou para trás quando passaram por um túnel lateral. – Como você sabe para onde está indo?

Vasiliy apontou para outro sinal dos andarilhos rabiscado na pedra, provavelmente feito com as unhas endurecidas como garras de uma das criaturas.

– Isto aqui vai dar em alguma coisa – disse ele. – É tudo que sei ao certo. Mas aposto que a estação Ferry Loop não está a mais de um quarteirão ou dois de distância.

Nazareth, Pensilvânia

Augustin...

Augustin Elizalde se levantou. De pé, num caos de absoluta escuridão. Um negrume tão palpável que parecia tinta, sem uma nesga de luz.

Como se fosse o espaço sem estrelas. Piscou os olhos para ter certeza de que estavam abertos. Estavam. Mas nada mudava.

Aquilo era a morte? Nenhum lugar poderia ser mais escuro.

Só podia ser. Ele estava morto, porra.

Ou talvez houvesse sido transformado. Será que agora ele era um vampiro? Tinha o corpo possuído, e seu antigo eu enclausurado na escuridão da mente, como um prisioneiro num sótão? Talvez a frialdade que ele sentia e a dureza do chão debaixo de seus pés fossem apenas truques cerebrais compensatórios. Ele estava emparedado para sempre dentro da própria cabeça.

Gus agachou-se um pouco, tentando estabelecer sua existência por meio de movimentos e impressões sensoriais. Ficou tonto devido à ausência de um ponto focal, e firmou os pés abrindo mais as pernas. Estendeu as mãos para o alto e pulou, mas não conseguiu sentir o teto.

Uma leve brisa agitava-lhe a camisa. Tinha cheiro de chão. De terra.

Ele estava no subsolo. Enterrado vivo.

Augustin...

De novo. A voz de sua mãe o chamava como num sonho.

– Mama?

A voz ricocheteou fazendo um eco surpreendente. Ele lembrou-se da mãe quando a deixara; sentada no fundo do closet do quarto, debaixo de uma grande pilha de roupas. Olhando para ele com a fome sorridente de um *monstro* recentemente transformado.

Vampiros, dissera o velho.

Gus se virou, tentando adivinhar de onde vinha a voz. Nada lhe restava a fazer além de seguir aquele som.

Foi até uma parede de pedra, tateando ao longo de uma superfície lisa e sutilmente curvada. Sua palmas continuavam feridas onde haviam sido cortadas pela lasca de vidro que ele brandira para assassinar, não, para *destruir*, seu irmão-transformado-em-vampiro. Parou para apalpar os pulsos, e percebeu que haviam desaparecido as algemas que usou ao fugir da custódia da polícia, aquelas cuja corrente os caçadores de vampiros haviam cortado.

Aqueles caçadores. Eles também haviam se revelado vampiros, aparecendo naquela rua em Morningside Heights e combatendo os outros vampiros, como dois lados numa guerra de gangues. Mas os caçadores estavam bem equipados: tinham armas e coordenação. Dirigiam carros. Não eram apenas aqueles agressivos robôs sedentos de sangue, como os que ele enfrentara e destruíra.

A última coisa que Gus recordava era o momento em que fora jogado por eles na traseira do 4x4. Mas... por que ele?

Outro sopro de vento, como se fosse o último suspiro da Mãe Natureza, passou por seu rosto, e Gus foi atrás, esperando estar caminhando na direção certa. A parede terminava num ângulo agudo. Ele apalpou o lado oposto, à sua esquerda, e encontrou a mesma coisa: terminava num ângulo, com uma brecha no meio. Exatamente como um portal.

Gus avançou. O novo eco de seus passos indicava que aquele lugar era mais largo e com o teto mais alto do que o restante. Havia ali um leve odor que de certa forma lhe era familiar. Tentou localizar de onde vinha.

E conseguiu. Era a solução desinfetante que precisava usar na prisão, quando fazia parte da equipe de manutenção. Não era forte o suficiente para irritar suas narinas.

Então algo começou a acontecer. Gus achou que sua mente estava lhe pregando peças, mas depois percebeu que, sim, havia luz entrando no recinto. A lentidão com que a iluminação avançava e a incerteza geral da situação eram aterrorizantes. Duas lâmpadas trípodes, bem afastadas uma da outra, perto das paredes mais distantes, estavam se acendendo gradualmente, diluindo a espessa escuridão.

Gus enrijeceu os braços, tal como faziam os lutadores de artes marciais mistas que ele via na internet. As luzes foram ficando mais fortes, embora tão gradualmente que era quase imperceptível. Mas as pupilas de Gus estavam tão dilatadas pela escuridão, sua retina tão exposta, que qualquer fonte de luz causaria uma reação.

A princípio ele não percebeu. O ser estava bem em frente a ele, a cerca de quatro metros de distância, mas a cabeça e os membros eram tão pálidos, imóveis e lisos que foram captados pelos olhos de Gus como parte das paredes de pedra.

A única coisa que se destacava era um par de orifícios escuros simétricos. Não eram buracos negros, mas quase negros.

O mais profundo dos vermelhos. Vermelho-sangue.

Se aqueles orifícios eram olhos, não piscavam. Nem encaravam Gus. Olhavam para ele com uma extraordinária falta de emoção. Eram olhos tão indiferentes quanto pedras vermelhas. Olhos encharcados de sangue que já haviam visto tudo.

Gus distinguiu o contorno de um roupão no corpo do ser, confundindo-se com a escuridão como se fosse uma cavidade dentro de outra. O ser era alto, se estivesse sendo avaliado por Gus corretamente. Mas sua imobilidade lembrava a morte. Gus não se moveu.

– O que é isso? – disse ele com uma voz um pouco engraçada, que traía seu medo. – Tu acha que vai comer um mexicano hoje à noite? É melhor repensar isso. Que tal tu vir engasgar comigo, puto?

O ser irradiava tal silêncio e imobilidade que Gus poderia muito bem estar diante de uma estátua vestida. O crânio era despido de pelos e totalmente liso, sem a cartilagem das orelhas. Então Gus percebeu algo: ouviu, ou melhor, sentiu, uma vibração como um zumbido.

– E aí... o que tu tá esperando? Gosta de brincar com a comida antes de engolir? – disse ele para aqueles olhos sem expressão, já levantando os punhos fechados à altura do rosto. – Não com a porra desse *chalupa* aqui, pedaço de merda morto-vivo.

Algo que não era um movimento atraiu sua atenção para a direita, e ele viu que ali havia outro ser de pé, como se fizesse parte da parede de pedra. Era um pouco menor do que o primeiro, e com olhos de formato diferente, mas também sem expressão.

E depois Gus viu, aos poucos, um terceiro à esquerda.

Gus, para quem os tribunais não eram um local estranho, sentiu como se estivesse sendo trazido à presença de três juízes alienígenas dentro de uma câmara de pedra. Estava começando a enlouquecer, mas sua reação foi continuar falando, para manter a atitude de membro da gangue. Os juízes com quem ele se defrontara chamavam isso de "desrespeito". Gus chamava de "responder à altura". Era o que fazia quando se sentia desprezado, quando sentia que estava sendo tratado não como um ser humano, único, mas como uma inconveniência, um obstáculo jogado no caminho de alguém.

Seremos breves.

As mãos de Gus voaram até suas têmporas. Não até os ouvidos; de certa forma, aquela voz estava *dentro* de sua cabeça. Vinha da mesma parte do cérebro onde seu próprio monólogo interior se originava, como se uma estação de rádio pirata houvesse começado a transmitir na frequência dele.

Você é Augustin Elizalde.

Ele agarrou a cabeça, mas a voz estava bem lá dentro. Não podia ser desligada.

– Sou, eu sei quem eu sou, porra. Quem são vocês, porra? O que são vocês, porra? E como conseguiram penetrar na minha...

Você não está aqui como suprimento alimentar. Nós temos bastante gado à mão para o inverno.

Gado?

– Ah, vocês querem dizer gente? – Gus ouvira gritos ocasionais, vozes angustiadas ecoando pelas cavernas, mas imaginara que aquilo não passava de sonho.

Gado criado solto vem preenchendo as nossas necessidades há milhares de anos. Animais estúpidos fornecem alimentação farta. De vez em quando, um deles mostra engenhosidade inusitada.

Gus mal acompanhou o que era dito, querendo que as criaturas fossem direto ao assunto.

– Então... vocês estão dizendo que não vão tentar me transformar em um... de vocês?

Nossa linhagem é pura e privilegiada. Entrar para a nossa estirpe é uma dádiva. Inteiramente única e muito, muito cara.

Aquilo não fazia o menor sentido para Gus.

– Se não vão beber o meu sangue, então que diabo vocês querem?

Nós temos uma proposta.

– Uma proposta? – Gus socou o lado da cabeça como se fosse um equipamento defeituoso. – Acho que vou escutar, porra... a menos que eu tenha alguma escolha.

Precisamos de um servo diurno. Um caçador. Somos uma raça de seres noturnos, vocês são diurnos.

– Diurnos?

Seu ritmo endógeno circadiano corresponde diretamente ao ciclo luz-escuridão do que vocês chamam um dia de vinte e quatro horas. A cronobio-

logia inata de sua raça está aclimatada ao horário celestial deste planeta, ao inverso da nossa. Você é uma criatura do sol.

– Sou o quê, porra?

Precisamos de alguém que possa se movimentar livremente durante o período de luz solar. Alguém que possa suportar a exposição ao sol, e na realidade use o poder da luz, bem como quaisquer outras armas a seu dispor, para massacrar os impuros.

– Massacrar os impuros? Vocês são vampiros, certo? Estão dizendo que querem que eu mate a sua própria espécie?

Não a nossa espécie. Essa linhagem impura está se espalhando promiscuamente através da sua gente... é um flagelo. Está fora de controle.

– O que vocês esperavam?

Nós não participamos disso. Diante de você estão seres de grande honra e discrição. Esse contágio representa a violação de uma trégua, de um equilíbrio que durou séculos. É uma afronta direta.

Gus recuou alguns centímetros. Na verdade, achava que estava começando a compreender tudo agora.

– Alguém está tentando tomar o pedaço de vocês.

Não nos reproduzimos da maneira aleatória e caótica da sua espécie. Nossa reprodução é um processo de cuidadosa consideração.

– São comedores exigentes.

Nós comemos o que queremos. Alimento é alimento. A ser descartado quando estamos saciados.

Uma risada surgiu dentro do peito de Gus, que quase engasgou. Eles estavam falando de pessoas como se três custassem um dólar no mercado da esquina.

Você acha isso engraçado?

– Não. O oposto. É por isso que estou rindo.

Quando consome uma maçã, você joga fora o núcleo? Ou conserva as sementes para plantar mais árvores?

– Acho que jogo fora.

E um recipiente plástico? Depois de esvaziar o conteúdo?

– Tá legal, já saquei. Vocês bebem seus litros de sangue e depois jogam fora a garrafa humana. Mas quero saber o seguinte... por que eu?

Porque você parece capaz.
— Por que vocês acham isso?
Para começar, sua ficha policial. Você chamou nossa atenção quando foi preso por assassinato em Manhattan.
O gordo nu fazendo aquela zorra na Times Square. O cara tinha atacado uma família ali, e na ocasião Gus estava disposto a dizer: "Na minha cidade não, tarado." Agora, é claro, ele preferia não ter se intrometido, como o restante das pessoas.
Depois você escapou da polícia, matando mais impuros durante o processo.
Gus cerrou as sobrancelhas.
— Aquele "impuro" era meu chapa. Como vocês sabem tudo isso, morando nesse buraco de merda aqui?
Fique certo de que estamos conectados com o mundo humano nos seus níveis mais elevados. Para manter o equilíbrio, porém, não podemos nos arriscar a ser expostos, e é precisamente isso que essa linhagem impura ameaça fazer agora. É aí que você entra.
— Uma guerra de gangues. Disso eu entendo. Mas vocês deixaram de fora uma coisa superimportante, porra. Como... por que, porra, eu ajudaria vocês?
Três razões.
— Estou contando. É melhor que sejam boas.
A primeira é que você sai desta sala vivo.
— Aceito essa.
A segunda é que seu sucesso nessa empreitada o tornará mais rico do que você jamais imaginaria possível.
— Hum. Não sei. Posso contar bastante.
A terceira... está bem atrás de você.
Gus se virou. Primeiro ele viu um caçador, um dos vampiros valentões que o tiraram da rua. A cabeça dele estava metida dentro de um capuz negro, onde brilhavam os olhos vermelhos.
Junto a ele estava uma vampira com aquela expressão de fome distante já familiar para Gus. Era baixa e atarracada, com cabelo preto amarfanhado, um vestido caseiro rasgado, e a parte da frente da garganta intumescida pelo ferrão vampiresco ali dentro.

Na base da gola em V de seu vestido havia um crucifixo preto e vermelho altamente estilizado: era uma tatuagem que ela dizia estar arrependida de ter mandado fazer na juventude, mas que devia parecer bacana para caralho na época, e que desde a infância sempre impressionara Gusto, pouco importando o que ela dissesse.

A vampira era a mãe dele. Seus olhos estavam vendados com um pedaço de pano preto. Gus podia ver a pulsação na garganta dela, a ânsia daquele ferrão.

Ela sente você. Mas seus olhos devem permanecer vendados. Dentro dela reside a vontade de nosso inimigo. Ele vê por meio dela. Ouve por meio dela. Não podemos mantê-la nesta câmara durante muito tempo.

Os olhos de Gus encheram-se de lágrimas de ódio. A tristeza doía nele, manifestada em raiva. Desde os onze anos de idade, ele nada fizera além de envergonhá-la. E agora, ela estava ali diante dele: um animal, um monstro morto-vivo.

Gus se virou de frente para os outros. Aquela fúria ameaçava irromper em seu âmago, mas ali ele estava impotente, e sabia disso.

A terceira é que você poderá libertá-la.

Soluços secos subiram pela garganta de Gus como arrotos de tristeza. Ele estava nauseado com aquela situação, horrorizado com tudo, mas...

Ele se virou. Era como se a mãe houvesse sido sequestrada. Feita refém pela tal linhagem "impura" de vampiros da qual eles falavam.

– Mama – disse ele. Embora ela escutasse, sua expressão não se alterava.

Matar seu irmão, Crispin, fora fácil por causa da animosidade de longa data entre os dois. Crispin era um viciado, e até mesmo mais fracassado do que Gus. Cortar o pescoço de Crispin com aquela lasca de vidro quebrado fora a eficiência em ação: terapia familiar e descarte de lixo, tudo numa coisa só. A raiva que ele acumulara durante décadas se evaporara com cada corte.

Mas livrar sua *madre* da maldição seria um ato de amor.

A mãe de Gus foi retirada da câmara, mas o caçador continuou ali. Gus olhou de volta para os três, vendo-os melhor agora. Terríveis em sua imobilidade. Eles nunca se mexiam.

Nós lhe forneceremos tudo de que você necessitar para cumprir essa tarefa. Dinheiro não será problema, pois acumulamos vastas fortunas de tesouro humano ao longo dos tempos.

Aqueles que recebiam o dom da eternidade haviam pagado fortunas durante séculos. Em seus cofres, os Antigos conservavam espirais de prata da Mesopotâmia, moedas bizantinas, soberanos e marcos alemães. O dinheiro nada significava para eles. Conchas para trocar com os nativos.

– Então... vocês querem que eu traga para vocês... é isso?

Quinlan lhe fornecerá qualquer coisa de que precisar. Qualquer coisa. Ele é o nosso melhor caçador, eficiente e leal, único em muitos aspectos. A sua única obrigação é guardar segredo. Manter nossa existência em sigilo é fundamental. Deixamos a seu critério recrutar outros caçadores, tais como você. Invisíveis e desconhecidos, mas matadores habilidosos.

Gus se empertigou, sentindo a atração da mãe lá atrás. Uma saída para a ira: talvez fosse exatamente daquilo que ele precisasse.

Seus lábios contraíram-se num sorriso raivoso. Ele precisava de mão de obra. Precisava de matadores.

E sabia exatamente aonde ir em seguida.

Estação South Ferry

ENGANANDO-SE APENAS NUMA CURVA, Vasiliy conduziu-os para um túnel que ligava o subsolo do bar à abandonada estação South Ferry. O sistema Intermunicipal de Trânsito, o sistema Independente e o sistema Brooklyn-Manhattan têm dezenas de estações fantasmas que não constam mais dos mapas, embora possam ser avistadas pelas janelas dos vagões do metrô nas atuais linhas em serviço, se você souber quando e onde olhar.

Ali o clima do subsolo era mais úmido, com uma umidade que vinha da terra. Nas paredes escorregadias corria água.

A trilha brilhante dos dejetos dos *strigoi* ficava mais escassa ali. Vasiliy olhou em torno, intrigado. Sabia que o percurso por baixo da

Broadway era parte do primeiro projeto municipal do metrô, e que a estação South Ferry fora inaugurada para os usuários em 1905. O túnel debaixo do rio, na direção do Brooklyn, fora aberto três anos depois.

O mosaico de azulejos originais com as iniciais da estação, SF, ainda estava lá, bem no alto da parede, perto de um incongruente aviso moderno...

NENHUM TREM PARA AQUI NESTA ESTAÇÃO

... como se alguém ainda fosse se enganar. Eph entrou num pequeno recesso de manutenção, esquadrinhando o recinto com a lanterna Luma.

Da escuridão saiu uma voz crepitante.

– Vocês são do Intermunicipal de Trânsito?

Eph sentiu o cheiro do homem antes de vê-lo. A figura emergiu de uma alcova próxima entupida de colchões rasgados e sujos; era um espantalho em forma de homem, desdentado, vestido com várias camadas de camisas, casacos e calças. O odor de seu corpo fora pacientemente destilado e envelhecido por todas aquelas peças.

– Não – disse Vasiliy, assumindo o comando. – Não estamos aqui para expulsar ninguém.

O homem olhou para os dois de alto a baixo, fazendo uma avaliação imediata quanto à veracidade do que eles diziam.

– Meu nome é Cray-Z. Vocês são lá de cima?

– Certo – disse Eph.

– Como estão as coisas lá? Eu sou um dos últimos que sobraram aqui.

– Últimos? – disse Eph, notando pela primeira vez o contorno desmantelado de uns poucos barracos de papelão. Depois de um momento, algumas outras figuras espectrais surgiram. Eram as "Pessoas Toupeiras", os habitantes do abismo urbano, os decaídos, os desgraçados, os destituídos, os "janelas quebradas" da era do prefeito Giuliani. Era ali que todos acabavam encontrando seu destino: o subsolo da cidade, onde permaneciam aquecidos vinte e quatro horas por dia, sete dias por semana, até mesmo no inverno mais rigoroso. Com sorte e experiência, uma pessoa podia ficar acampada num daqueles lugares por seis meses corridos, até mais. Longe das estações mais movimentadas, alguns residiam ali por anos sem jamais ver uma equipe de manutenção.

Cray-Z olhou para Eph com a cabeça inclinada, para favorecer seu único olho bom. O outro estava coberto de cataratas granuladas.

– Isso mesmo. Quase toda a colônia desapareceu, assim como os ratos. É, cara. As pessoas sumiram, deixando seus maiores bens para trás.

Ele fez um gesto na direção de pilhas de porcarias: sacos de dormir rasgados, sapatos enlameados, alguns casacos. Vasiliy sentiu uma pontada, sabendo que aqueles artigos representavam a soma total dos pertences mundanos daqueles que haviam partido recentemente.

Cray-Z deu um sorriso vazio.

– Estranho, cara. Coisa de assombração.

Vasiliy se lembrou de algo que lera na *National Geographic*, ou que talvez tivesse visto uma noite no History Channel: a história de um grupo de colonizadores na era pré-Estados-Unidos, talvez em Roanoke, que um dia desapareceu. Cerca de cem pessoas haviam desaparecido, deixando para trás todos os seus pertences e nenhum motivo para essa súbita e misteriosa partida, além de dois entalhes enigmáticos: a palavra CROATAN escrita num poste no forte, e as letras CRO entalhadas na casca de uma árvore próxima.

Vasiliy olhou de novo para as letras SF do mosaico de azulejos, bem alto na parede.

– Eu conheço você. Já vi você por aí, quer dizer, lá em cima – disse Eph, mantendo uma distância educada do fedorento Cray-Z. Depois apontou para a superfície. – Você carrega um daqueles cartazes, DEUS ESTÁ TE VIGIANDO, ou alguma coisa parecida.

Cray-Z deu um sorriso quase completamente desdentado e foi buscar o cartaz escrito a mão, orgulhoso do seu status de celebridade. DEUS ESTÁ TE VIGIANDO!!! em brilhantes letras vermelhas, com três pontos de exclamação para dar mais ênfase.

Na realidade ele era um fanático meio delirante. Ali embaixo, era um marginal entre outros marginais. Vivia no subsolo há tanto tempo quanto os outros, talvez até há mais tempo. Alegava poder ir a qualquer lugar da cidade sem subir à superfície, mas aparentemente não conseguia urinar sem molhar as pontas dos sapatos.

Avançou ao longo dos trilhos, acenando para que Eph e Vasiliy o seguissem. Mergulhou numa espécie de cabana de lona e paletes, onde antigos fios esgarçados se esgueiravam para dentro do teto, ligados a alguma fonte de energia escondida na rede elétrica da grande cidade.

Começara a garoar ligeiramente dentro do túnel, com os encanamentos do teto molhando o chão. A água caía na lona de Cray-Z e escorria para uma garrafa de Gatorade que aguardava.

Cray-Z emergiu da cabana com um antigo recorte promocional da época em que o prefeito da cidade de Nova York, Ed Koch, exibia sua marca registrada, aquele sorriso "Como Estou Indo?"

– Tome aqui – disse ele, entregando a fotografia em tamanho natural para Eph. – Segure isso.

Depois ele os levou ao túnel mais distante, apontando para os trilhos.

– Bem aqui – disse ele. – Foi aqui que elas todas se foram.

– Quem? As pessoas? – perguntou Eph, abaixando o prefeito Koch. – Elas seguiram pelo túnel?

Cray-Z deu uma risada.

– Não. Não só pelo túnel, seu cabeça de merda. Ali *embaixo*. Na curva onde os encanamentos mergulham sob o braço leste do rio, para a ilha Governor, e depois chegam à parte continental do Brooklyn, em Red Hook. Foi lá que eles *pegaram* as pessoas.

– Pegaram quem? – indagou Eph, com um arrepio correndo pela espinha. – Quem... quem pegou as pessoas?

Nesse exato momento um sinal de tráfego acendeu ali perto. Eph saltou para trás.

– Essa linha ainda está ativa?

– O trem 5 ainda dá a volta no anel interno – disse Vasiliy.

Cray-Z cuspiu nos trilhos.

– O cara conhece os trens.

A luz foi ficando mais forte conforme o trem se aproximava, clareando a velha estação e fazendo com que voltasse brevemente à vida. O prefeito Koch tremia debaixo da mão de Eph.

— Olhem bem agora... sem piscar — disse Cray-Z. Ele cobriu o olho cego e deu aquele sorriso quase completamente desdentado.

O trem passou junto deles com um barulho ensurdecedor, fazendo a curva um pouco mais rapidamente do que de costume. Os vagões estavam quase vazios, com talvez uma ou duas pessoas visíveis através das janelas. Aqui e ali ia um solitário em pé segurando nas alças. Eram gente do mundo superior só passando por ali.

Cray-Z agarrou o antebraço de Eph conforme a extremidade final do trem se aproximava.

— Ali... bem ali.

Sob a tremulante luz do trem que passava, Vasiliy e Eph viram algo na traseira externa do último vagão. Um amontoado de vultos ou corpos de pessoas achatados contra a superfície externa do trem. Grudados ali como rêmoras cavalgando um tubarão de aço.

— Viram isso? — exultou Cray-Z. — Viram todos eles? O Outro Povo.

Eph livrou o braço do aperto de Cray-Z, afastando-se alguns passos dele e do prefeito Koch. Enquanto o trem terminava de percorrer o anel e mergulhava na escuridão, a luz deixava o túnel como se fosse água sumindo por um ralo.

Cray-Z começou a voltar rapidamente para sua cabana.

— Alguém tem que fazer alguma coisa, não é? Vocês, caras, acabaram de decidir por mim. Eles são os anjos negros do fim dos tempos. Agarrarão todos nós se deixarmos.

Vasiliy deu uns passos pesados na direção do trem que se afastava, antes de parar e olhar de volta para Eph.

— Os túneis. É assim que eles se movimentam. Não conseguem cruzar água corrente, certo? Só se forem ajudados — disse ele. Eph já estava bem a seu lado. — Mas *debaixo* d'água. Nada impede que façam isso. É o progresso. Essa é a enrascada em que o progresso nos meteu. Como a gente chama... quando você descobre que pode fazer uma merda porque ninguém fez uma regra específica contra aquilo?

— Uma brecha na regra — disse Eph.

— Exatamente. Isso, bem aqui? — Vasiliy abriu os braços, abarcando a área ao seu redor. — Acabamos de descobrir uma gigantesca brecha aberta no sistema.

O ônibus

No início da tarde o ônibus de luxo partira da Casa para Cegos St. Lucia, em Nova Jersey, com destino a uma elegante academia no norte do estado de Nova York.

O motorista, com suas histórias sentimentais e um catálogo inteiro de piadas simplórias, tornava a viagem divertida para os passageiros, cerca de sessenta crianças agitadas com idade entre sete e doze anos. Elas haviam sido selecionadas a partir dos relatórios de prontos-socorros por toda a região. Haviam sofrido danos visuais pouco tempo antes, todas acidentalmente cegadas pela recente ocultação lunar, e para muitas aquela era a primeira viagem sem a presença dos pais.

As bolsas de estudo, todas oferecidas e fornecidas pela Fundação Palmer, incluíam aquela excursão guiada, uma imersão em técnicas de adaptação para quem ficara cego recentemente. Os acompanhantes, nove jovens adultos diplomados na St. Lucia, também eram legalmente cegos, ou seja, tinham uma acuidade visual central de 20/200 ou menos, embora ainda guardassem certa percepção residual da luz. As crianças aos seus cuidados eram todas clinicamente SPL, isto é, "sem percepção luminosa", o que significava que eram totalmente cegas. O motorista era a única pessoa com visão a bordo do veículo.

O tráfego estava lento em muitos pontos, devido aos engarramentos nos arredores da Grande Nova York, mas o motorista mantinha as crianças entretidas com charadas e brincadeiras. Ou ele narrava a viagem, ou descrevia coisas interessantes que podia ver pela janela, ou então inventava detalhes para tornar interessante o prosaico. Era empregado da instituição havia muito tempo, e não se importava de bancar o palhaço. Sabia que o segredo para destravar o potencial daquelas crianças traumatizadas, e abrir seus corações para os desafios à frente, era alimentar sua imaginação, envolvendo-as e engajando-as.

"Toque-toque!"
Quem é?
"Disfarce."
Disfarce quem?

"Essas piadas de disfarce estão me matando."

A parada no McDonald's correu bem, considerando a situação, só que o brinquedo oferecido como brinde era um cartão holográfico. O motorista ficou afastado do grupo, vendo os jovens encontrarem as batatas fritas com mãos hesitantes, sem ter aprendido ainda a "registrar" as refeições para consumi-las com facilidade. Ao mesmo tempo, diferentemente da maioria das crianças cegas que já nasciam deficientes, o McDonald's tinha um significado visual para aquelas, que pareciam encontrar conforto nas lisas cadeiras giratórias e nos canudos de bebidas de tamanho exagerado.

De volta à estrada, o percurso de três horas durou o dobro. Os acompanhantes fizeram as crianças cantarem em rodízio, depois passaram alguns audiolivros nas telas de vídeo no teto. Algumas crianças menores, com os relógios biológicos desorientados pela cegueira, cochilavam de vez em quando.

Os acompanhantes perceberam a mudança na qualidade da luz filtrada pelas janelas do ônibus, vendo que anoitecia lá fora. O ônibus foi seguindo mais rápido no trecho do estado de Nova York, até que, de repente, sentiram o veículo frear, o bastante para que os bichos de pelúcia e os copos de bebida caíssem no chão.

O ônibus encostou e parou.

– O que é? – perguntou a acompanhante-chefe, uma professora-assistente de vinte e quatro anos chamada Joni, que ocupava o assento mais à frente do ônibus.

– Não sei... alguma coisa estranha. Fiquem sentados. Volto em seguida.

O motorista desapareceu, mas os acompanhantes estavam ocupados demais para se preocuparem; toda vez que o veículo parava, mãos se levantavam pedindo ajuda para ir ao banheiro.

Cerca de dez minutos mais tarde, o motorista retornou e deu a partida ao ônibus sem uma palavra, embora os acompanhantes ainda estivessem supervisionando as idas ao banheiro. A solicitação que Joni fez para que ele esperasse foi ignorada, mas as crianças foram por fim ajudadas a voltar para seus assentos, e todo mundo ficou bem.

O ônibus seguiu em silêncio a partir dali. O programa de áudio foi interrompido. As brincadeiras do motorista cessaram, e na realidade ele se recusou a responder às perguntas feitas por Joni, sentada bem ali atrás na primeira fileira. Ela foi ficando assustada, mas decidiu que não podia deixar os outros perceberem sua preocupação. Disse a si mesma que o ônibus ainda se movia de maneira adequada; eles estavam viajando a uma velocidade apropriada e, de qualquer forma, já deviam estar perto de seu destino àquela hora.

Algum tempo depois, o veículo entrou numa estrada de terra, acordando todo mundo. Em seguida, enveredou por um terreno ainda mais acidentado, com todo mundo se segurando: as bebidas foram derramando nos colos das crianças, enquanto o ônibus seguia aos trancos e barrancos. Elas suportaram aquelas sacudidas por um minuto inteiro, até que o veículo parou abruptamente.

O motorista desligou o motor e todos ouviram a porta abrir, com um sibilo pneumático. Ele foi embora sem uma palavra, chacoalhando as chaves levemente enquanto se distanciava.

Joni mandou os acompanhantes aguardarem. Se eles houvessem de fato chegado à academia, como ela esperava, seriam recebidos pelo pessoal de lá a qualquer momento. O problema do motorista silencioso do ônibus poderia ser esclarecido na ocasião apropriada.

Entretanto, cada vez mais parecia que não era isso que aconteceria, e que ninguém viria recebê-los.

Joni agarrou o encosto do assento, levantou e foi tateando até a porta aberta. Em meio à escuridão, chamou:

– Olá?

Nada ouviu além dos estalidos do motor do ônibus que esfriava e o agitar das asas de um pássaro. Então virou para os jovens passageiros a seu cuidado. Sentia a exaustão e a ansiedade deles. Uma viagem longa, agora com um final incerto. Algumas das crianças no fundo estavam chorando.

Joni convocou uma reunião dos acompanhantes na frente do veículo. Entre sussurros frenéticos, ninguém sabia o que fazer.

– Fora de área – explicava o celular de Joni, numa voz irritantemente paciente.

Um dos acompanhantes apalpou o grande painel de instrumentos do veículo à procura do rádio do motorista, sem conseguir localizar o aparelho. Mas observou que o assento de plástico acolchoado do motorista ainda estava inusitadamente quente.

Outro acompanhante, um jovem petulante de dezenove anos chamado Joel, finalmente desdobrou uma bengala e desceu os degraus do ônibus até pisar no solo.

– É um terreno com relva – relatou ele para os outros. Depois gritou para o motorista ou qualquer um que pudesse estar ao alcance de sua voz. – Olá! Há alguém aí?

– Isso é tão errado – disse Joni. Como acompanhante-chefe, ela se sentia tão desamparada quanto as crianças pequenas a seu cuidado. – Eu simplesmente não consigo entender.

– Espere – disse Joel, falando mais alto que ela. – Vocês estão ouvindo isso?

Todos ficaram quietos, escutando.

– Sim – disse outro.

Joni nada ouvia, além do pio de uma coruja a distância.

– O que é?

– Não sei. Um... um zumbido.

– O quê? Mecânico?

– Talvez. Não sei. Parece mais... quase um mantra de aula de ioga. Sabe, uma dessas sílabas sagradas?

Joni escutou mais um pouco.

– Não ouço nada, mas... tá legal. Olhem, nós temos duas escolhas. Fechar a porta e permanecer aqui impotentes, ou fazer todo mundo sair e nos mobilizarmos para conseguir ajuda.

Ninguém queria ficar ali. Eles já estavam no ônibus havia tempo demais.

– E se isso for uma espécie de teste? – arriscou Joel. – Sabe, parte do fim de semana?

Alguém murmurou em concordância.

Aquilo provocou algo em Joni.

– Ótimo – disse ela. – Se for um teste, vamos tirar dez.

Eles fizeram as crianças desembarcarem por fileira de bancos, e foram conduzindo o grupo em colunas cerradas por onde elas podiam andar, cada uma com a mão pousada no ombro da outra. Algumas das crianças reagiam claramente ao "zumbido", tentando replicar o barulho para as demais. A presença do ruído parecia acalmar o grupo. Sua fonte dava um destino a todos.

Três acompanhantes abriam caminho, esquadrinhando com as bengalas a superfície do campo. O terreno era agreste, mas em grande parte livre de rochedos e outros obstáculos traiçoeiros.

Logo depois ouviram o som de animais ao longe. Alguém calculou que fossem jumentos, mas a maioria discordou. O barulho parecia ser de porcos.

Uma fazenda? Talvez aquele zumbido fosse de um grande gerador? Algum tipo de máquina de moer ração funcionando à noite?

Eles apressaram o passo até que chegaram a um obstáculo: uma cerca baixa de madeira. Dois ou três líderes se dividiram para a esquerda e para a direita, procurando uma abertura. Localizaram uma e o grupo foi conduzido para lá, entrando pela passagem. A relva se transformou em terra sob os sapatos, e o ruído dos porcos ficou mais alto, mais próximo. Estavam numa espécie de trilha larga, e os acompanhantes foram levando as crianças em colunas cerradas, até que chegaram a um prédio. A trilha levava direto a uma grande porta aberta, e eles entraram chamando, mas sem obter resposta.

Estavam dentro de uma ampla sala de onde partiam diversos ruídos, sobrepondo-se uns aos outros numa polifonia. Os porcos reagiram à presença deles com guinchos de curiosidade que amedrontaram as crianças. Os animais davam marradas nos cercados apertados e raspavam os cascos no soalho coberto de palha. Joni apalpou os chiqueiros dispostos de cada lado do grupo. O cheiro era de excremento animal, mas também... de algo mais fedorento. Algo como uma sepultura.

Haviam encontrado o interior da ala de porcos de um matadouro, embora ninguém pudesse chamar o local por esse nome.

Para alguns, o zumbido se tornara uma voz. As crianças se sentiam impelidas a sair das fileiras, aparentemente reagindo a alguma coisa familiar na voz... e os acompanhantes tinham que ficar reunindo-as de novo, algumas pela força. Eles começaram a fazer uma nova contagem das cabeças para se certificarem de que todas ainda estavam ali.

Enquanto participava da contagem, Joni finalmente ouviu a voz, que reconheceu ser a sua própria; era uma sensação das mais estranhas, pois a voz parecia se originar dentro de sua própria cabeça, saudando-a como num sonho.

Seguiram o chamado da voz, descendo uma rampa larga até uma área com o odor de sepultura ainda mais forte.

– Olá? – exclamou Joni com voz trêmula, ainda com a esperança de que o motorista sentimental do ônibus responderia. – Você pode nos ajudar?

Um ser os esperava. Uma sombra, como um eclipse. Sentiram seu calor e sua imensidão. O zumbido cresceu, enchendo suas cabeças e não permitindo nenhum desvio de atenção, sufocando seu mais forte sentido remanescente – a audição – e deixando todos num estado de animação quase suspensa.

Nenhum deles ouviu o suave serpejar da pele queimada do Mestre quando ele se movimentou.

INTERLÚDIO I

OUTONO DE 1944

O CARRO DE BOIS SEGUIA, AOS SOLAVANCOS, SOBRE A TERRA E A RELVA amassada, e insistia em girar suas rodas teimosamente pelo campo. Os bois eram animais mansos, como são a maioria dos animais de tração castrados; suas finas caudas trançadas balançavam em sincronia, como hastes de pêndulos.

As mãos do condutor tinham punhos de couro onde ele segurava a rédea. O passageiro sentado a seu lado usava uma comprida bata negra sobre calças pretas. Em torno do pescoço pendiam as longas contas sagradas de um padre polonês.

Entretanto, esse jovem vestido com vestimentas sagradas não era padre. Nem mesmo era católico.

Era um judeu disfarçado.

Um automóvel aproximou-se por trás e emparelhou com o carro de bois na estrada cheia de sulcos. Era um veículo militar transportando soldados russos, que logo ultrapassou pela esquerda. O condutor não acenou nem mesmo virou a cabeça em reconhecimento, usando sua longa vara para tocar os vagarosos bois, que seguiam sob a fumaça do escapamento do motor a diesel.

– Não interessa a que velocidade você viaja – disse ele, uma vez que a fumaça clareou. – No final todos nós chegamos ao mesmo destino, não é, padre?

Abraham Setrakian não respondeu. Porque não tinha mais certeza se o que o homem dizia era verdade.

A grossa atadura que Setrakian tinha em torno do pescoço era um estratagema. Ele aprendera a entender bastante da língua polonesa, mas não falava suficientemente bem para eliminar desconfianças.

– Padre, machucaram o senhor – disse o condutor do carro de bois.

– Quebraram suas mãos.

Setrakian olhou para suas jovens mãos mutiladas. Os nós dos dedos esmagados haviam sarado inadequadamente durante o tempo que ele passara fugindo. Um cirurgião local tivera pena dele: quebrara novamente e reajustara as juntas do meio dos dedos, o que aliviara um pouco o roçar dos ossos. Agora ele já adquirira alguma mobilidade nas mãos, até mais do que poderia ter almejado. O cirurgião lhe dissera que suas juntas ficariam progressivamente piores com a idade. Setrakian flexionava-as o dia todo, a ponto de começar a sentir dor e até depois disso, num esforço para aumentar a flexibilidade. A guerra lançara uma sombra escura sobre a esperança de qualquer homem quanto a uma vida longa e produtiva, mas Setrakian decidira que, fosse qual fosse o tempo que lhe restasse, nunca seria considerado um aleijado.

Ao voltar ele não reconheceu aquela parte do campo, mas como poderia? Chegara ali dentro de um trem fechado, sem janelas. Nunca deixara o campo de concentração antes da revolta e depois, fugindo, mergulhara fundo na mata. Agora procurava os trilhos do trem, que aparentemente haviam sido arrancados. Entretanto, o leito onde repousavam os trilhos ainda existia: era uma cicatriz reveladora que percorria as fazendas. Um ano não bastava para a natureza apagar aquela trilha de infâmia.

Setrakian apeou do carro perto da curva final, com uma bênção para o camponês condutor.

– Não se demore muito por aqui, padre – respondeu ele, antes de pôr os bois em movimento com uma lambada. – Há uma maldição sobre este lugar.

Setrakian ficou observando os animais se afastarem lentamente, depois saiu percorrendo a trilha bem batida. Chegou a uma modesta casa de fazenda feita de tijolos, ao lado de um campo de vegetação exuberante onde trabalhavam alguns colonos. O campo de extermínio conhecido como Treblinka fora construído para ser temporário. Fora concebido para ser um matadouro humano provisório, erguido para funcionar com a máxima eficiência e desaparecer completamente uma vez alcançado seu propósito. Nada de braços tatuados como em Auschwitz; muito pouca burocracia de qualquer tipo. O campo era disfarçado como uma estação ferroviária, com até um guichê falso para venda de bilhetes, um nome falso ("Obermajdan"), e uma lista fictícia de estações de conexão. Os arquitetos dos campos de extermínio da Operação Reinhard haviam planejado um crime perfeito em escala genocida.

Logo após o levante dos prisioneiros, Treblinka fora realmente desativado, e demolido no outono de 1943. A terra fora arroteada e no local criada uma fazenda, com a intenção de impedir os habitantes locais de invadir e saquear o campo. A casa da fazenda fora construída com os tijolos recuperados das antigas câmaras de gás, e um ex-guarda ucraniano chamado Strebel e sua família haviam sido instalados ali como ocupantes. Os trabalhadores ucranianos do campo eram ex-prisioneiros de guerra soviéticos recrutados para o serviço. O trabalho em Treblinka, assassinato em massa, afetara cada um e a todos. Setrakian vira com os próprios olhos como os próprios ex-prisioneiros, especialmente os ucranianos de origem germânica, que exerciam funções de maior responsabilidade, tais como comandar pelotões e esquadras, haviam sucumbido à depravação do campo de extermínio e às oportunidades de praticar sadismo ou de enriquecimento pessoal.

Aquele homem... Strebel. Setrakian não conseguia se lembrar do rosto dele apenas pelo nome, mas recordava bem os uniformes negros dos ucranianos, bem como suas carabinas... e sua crueldade. Chegara aos seus ouvidos que Strebel e a família haviam abandonado as terras da fazenda apenas recentemente, fugindo do Exército Vermelho que avançava. Na sua posição de padre interiorano a meros cem quilômetros de distância, porém, Setrakian também ouvira histórias que descreviam a propagação de uma praga que se assentara sobre a região ao redor do antigo campo de extermínio. Dizia-se entre sussurros que a família de Strebel desaparecera certa noite sem uma palavra, e sem levar pertence algum.

Era essa última história que mais intrigava Setrakian.

Ele começara a suspeitar que ficara, ao menos parcialmente e talvez completamente, insano dentro do campo de extermínio. Ele vira mesmo o que pensara que vira? Ou aquele grande vampiro devorando os prisioneiros judeus era produto da sua imaginação, um mecanismo para lidar com a situação, uma aparição para substituir as atrocidades nazistas que sua mente se recusava a aceitar?

Somente agora ele se sentia realmente forte para procurar uma resposta. Ultrapassou a casa de tijolos, caminhando entre os homens que trabalhavam a terra, apenas para descobrir que não eram camponeses, em absoluto, mas gente do local com ferramentas de excavação revirando o solo à procura de ouro ou joias dos judeus perdidas no massacre. Mas tudo que conseguiam desencavar era arame farpado e um ocasional pedaço de osso.

Eles olharam para ele desconfiados, como se houvesse um código de conduta estabelecido para saqueadores, além de áreas de domínio vagamente definidas. Nem mesmo as vestimentas de Setrakian fizeram com que diminuíssem o trabalho de excavação ou afrouxassem a determinação. Uns poucos talvez tenham diminuído o trabalho e baixado os olhos, não exatamente de vergonha, mas à maneira de gente que sabe que algo não é correto, e depois esperaram que ele passasse, antes de retomar o saque de sepulturas.

Setrakian foi se afastando do antigo local do campo, deixando o contorno e retomando seu velho percurso de fuga floresta adentro. Depois de muitas voltas erradas, chegou à antiga ruína romana, que lhe pareceu inalterada. Entrou na caverna onde se defrontara com o nazista Zimmer, a quem derrotara, com mãos quebradas e tudo, levando o ser para a luz do dia e vendo-o cozinhar ao sol.

Ao olhar em torno, percebeu as estrias no chão e a trilha gasta logo na entrada: a caverna mostrava sinais de ter sido habitada recentemente.

Setrakian se retirou rápido e sentiu seu peito se contrair ao parar fora da ruína sinistra. Ele de fato sentia o mal naquele lugar. O sol estava baixo no poente, e a escuridão logo tomaria conta da área.

Ele fechou os olhos à maneira de um padre rezando, mas não estava apelando para um ser superior. Estava concentrado em si mesmo, expulsando seu medo e aceitando a tarefa que se apresentava diante dele.

Quando retornou à casa da fazenda, todos os habitantes locais já tinham ido para casa. Os campos pareciam tão silenciosos e cinzentos quanto o cemitério que eram.

Entrou na casa da fazenda. Remexeu aqui e ali, apenas o bastante para se certificar que estava realmente sozinho. Na sala de estar, levou um susto. Na pequena mesa de leitura próxima à melhor cadeira do aposento, estava emborcado um cachimbo de madeira com entalhes ornamentais. Setrakian estendeu a mão, pegou o cachimbo nos dedos retorcidos e instantaneamente percebeu tudo.

Aquele entalhe era, na verdade, obra sua. Ele entalhara quatro cachimbos, conforme ordenado pelo capitão ucraniano no Natal de 1942, para serem presenteados.

O cachimbo tremia na mão de Setrakian, enquanto ele imaginava o guarda Strebel sentado naquele aposento com a família, cercado pelos tijolos do antro da morte, apreciando seu fumo, com a fina coluna de fumaça se elevando para o teto, no próprio lugar onde os poços infernais rugiam e o fedor da imolação humana se levantava como gritos para os céus surdos.

Ele quebrou o cachimbo nas mãos, partindo-o em dois, e depois deixou-o cair no chão, esmagando-o com o calcanhar, estremecendo com uma fúria que não experimentava havia muitos meses.

E então, tão subitamente quanto chegara, o surto passou. Ele se acalmou de novo.

Setrakian voltou à modesta cozinha. Acendeu uma única vela e colocou-a na janela que dava para a mata. Depois sentou-se à mesa.

Sozinho na casa, flexionando as mãos quebradas enquanto esperava, relembrou o dia em que chegara à igreja do vilarejo. Estava procurando comida, um homem em fuga, e descobrira que o templo estava vazio. Todos os padres católicos haviam sido presos e levados embora. Ele descobrira vestimentas grossas na pequena reitoria anexa à igreja. Suas roupas estavam rasgadas além de qualquer conserto, denotando-o como um refugiado de certa classe, e as noites andavam muito frias; mais por necessidade do que como parte de um plano, logo vestira as novas roupas. Inventara o estratagema da atadura, coisa que ninguém questionava em tempos de guerra. Até mesmo em silêncio, e talvez pela ânsia de religião naquele ano sombrio, os habitantes do vilarejo haviam se afeiçoado a ele, fazendo suas confissões para aquele jovem em vestes sagradas que só poderia lhes oferecer uma bênção com suas mãos desfiguradas.

Setrakian não era o rabino que sua família pretendera que ele se tornasse. Era algo muito diferente, e contudo estranhamente semelhante.

Foi ali, naquela igreja abandonada, que ele enfrentara o que vira, às vezes tentando imaginar como tudo aquilo – desde o sadismo dos nazistas ao absurdo do grande Vampiro –, poderia ter sido real. Tinha apenas as mãos quebradas como prova. Naquela época, o campo de extermínio, como haviam lhe contado outros refugiados – camponeses que fugiam do Exército do País, desertores da Wehrmacht ou da Gestapo –, para quem ele oferecia "sua" igreja como santuário, já fora obliterado da face da terra.

Depois do crepúsculo, quando a noite escura havia se estendido pelos campos, um silêncio estranho desceu sobre a fazenda. À noite, o campo pode vir a ser tudo menos silencioso, embora a área em torno do antigo complexo de extermínio parecesse soturna e solene. Era como se a noite estivesse prendendo a respiração.

Logo chegou um visitante. Apareceu na janela, com o rosto de verme branco iluminado pela chama da vela que tremeluzia contra o vidro fino, de má qualidade. Setrakian deixara a porta destrancada, e o visitante entrou, movendo o corpo rigidamente, como que se recobrando de uma grande e debilitadora doença.

Setrakian se voltou para encarar o homem, tremendo em sua descrença: era Hauptmann, o líder das tropas de assalto, o homem que lhe dava as tarefas dentro do campo. O responsável pela carpintaria e por todos os chamados "judeus da corte", que forneciam mão de obra especializada para serviços pessoais das tropas de assalto e do quadro de pessoal ucraniano. O uniforme familiar das SS, todo preto e sempre impecável, estava agora em pedaços; os farrapos mostravam a tatuagem com os dois SS nos antebraços, agora sem pelos. Faltavam os botões reluzentes, e ele também não tinha o cinturão e o boné preto. Na gola surrada e preta ainda se via a caveira, símbolo das unidades de extermínio das SS. As botas pretas de couro, sempre engraxadas a ponto de reluzirem, estavam agora gastas e imundas. Mãos, boca e pescoço estavam manchados com o sangue escuro de antigas vítimas, e um halo de moscas enchia o ar em torno da cabeça dele.

O homem levava sacos de estopa nas mãos compridas. Por qual razão, pensou Setrakian, um antigo oficial graduado das SS teria vindo coletar terra no local do ex-campo de extermínio de Treblinka? Aquele barro era fertilizado com o gás e a cinza do genocídio.

O vampiro baixou o olhar vermelho desfocado para ele, com uma expressão remota.

Abraham Setrakian.

A voz vinha de algum lugar, mas não da boca do vampiro. Aqueles lábios sanguinolentos não se moviam.

Você escapou.

A voz dentro de Setrakian era profunda e ampla, reverberando como se a espinha dele fosse um diapasão. Aquela mesma voz falando em muitas línguas.

O grande vampiro. O mesmo que ele encontrara dentro do campo de Treblinka agora falava através de Hauptmann.

– Sardu – disse Setrakian, dirigindo-se a ele pelo nome da forma humana que ele assumira, a do gentil gigante lendário, Jusef Sardu.

Vejo que você está vestido como um homem santo. Você uma vez falou do seu Deus. Acredita que Ele o salvou do buraco em chamas?

– Não – disse Setrakian.

Você ainda deseja me destruir?

Setrakian ficou em silêncio. Mas a resposta era positiva.

Sardu parecia ler os pensamentos dele, pois sua voz borbulhava com o que só poderia ser descrito como prazer.

Você é resistente, Abraham Setrakian. Como a folha que se recusa a cair.

– O que é isso agora? Por que você ainda está aqui?

Você fala de Hauptmann. Ele facilitou meu envolvimento no campo. No final eu o converti em vampiro, e então ele se alimentou dos jovens oficiais aos quais antes favorecia. Ele tinha um gosto por puro sangue ariano.

– Então... há outros.

O administrador-chefe. E o médico do campo.
Eichhorst, pensou Setrakian. E o dr. Dreverhaven. Sim, era verdade. Setrakian se lembrava de ambos muito bem.

– E Strebel e sua família?

Strebel não me interessava em absoluto, exceto como uma refeição. Esses corpos nós destruímos depois de nos alimentarmos, antes que comecem a se transformar em vampiros. Sabe, o alimento aqui ficou escasso. Essa sua guerra é um incômodo. Por que criar mais bocas para alimentar?

– Então... o que você quer aqui?

A cabeça de Hauptmann inclinou-se de maneira pouco natural, e sua garganta cheia coaxou uma vez, como a de uma rã.

Por que não chamamos isso de nostalgia? Eu sinto falta da eficiência do campo. Fiquei mal acostumado com a comodidade de um bufê humano. E agora... estou cansado de responder a suas perguntas.

– Mais uma então. – Setrakian olhou de novo para os sacos cheios de terra na mão de Hauptmann. – Um mês antes do levante, Hauptmann me mandou fazer um caixote bem grande. Inclusive me forneceu a madeira, fibra de ébano muito grossa, importada. Recebi um desenho para copiar, com entalhes nas portas superiores.

É verdade. Você trabalha bem, judeu.

Um "projeto especial", era como Hauptmann chamara aquilo. Na época, Setrakian não tivera escolha, e temera estar construindo uma peça de mobília para um oficial da SS em Berlim. Talvez para o próprio Hitler.

Mas não. Era muito pior.

A história me indicava que o campo não duraria. Nenhuma das grandes experiências dura muito. Sabia que o festim iria terminar, e que me mudaria em breve. Uma das bombas dos Aliados atingira um alvo não pretendido: minha cama. De modo que eu precisava de uma nova. Agora estou decidido a mantê-la comigo sempre.

A raiva, e não medo, era a causa do tremor de Setrakian.

Ele construíra o caixão do grande vampiro.

E agora, Hauptmann precisa se alimentar. Não estou nem um pouco surpreendido que você tenha retornado aqui, Abraham Setrakian. Parece que nós dois estamos ligados sentimentalmente a este lugar.

Hauptmann deixou cair os sacos de terra. Setrakian ficou parado junto à parede, enquanto o vampiro avançava para a mesa.

Não se preocupe, Abraham Setrakian. Não darei você para os animais depois. Acho que você deveria se juntar a nós. Seu caráter é forte. Seus ossos irão sarar, e suas mãos de novo nos servirão.

Já perto, Setrakian sentiu o calor sobrenatural que emanava de Hauptmann. O vampiro irradiava sua febre, e fedia devido à terra que andara apanhando. Sua boca destituída de lábios se abriu, e Setrakian conseguiu ver a ponta do ferrão lá dentro, pronto para golpeá-lo.

Ele encarou os olhos vermelhos do vampiro Hauptmann, na esperança de que a Coisa-Sardu realmente olhasse de volta.

A mão suja de Hauptmann se fechou em torno da atadura que cobria o pescoço de Setrakian. O vampiro arrancou a gaze e, ao fazer isso, revelou uma brilhante gargantilha de prata que cobria o esôfago e as principais artérias. A criatura arregalou os olhos e cambaleou para trás, repelido pela placa de prata protetora que Setrakian encomendara ao ferreiro do seu vilarejo.

Hauptmann sentiu a parede oposta nas suas costas. Rosnou, enfraquecido e confuso. Mas Setrakian percebeu que ele estava apenas preparando um novo ataque.

Resistente até o fim.

Hauptmann correu para Setrakian, que tirou das dobras da bata um crucifixo de prata, cuja extremidade mais longa fora afilada numa ponta, e foi de encontro ao vampiro no meio do caminho.

A morte do vampiro nazista significou, enfim, um ato de pura liberdade. Para Setrakian, representou uma oportunidade de vingança sobre o solo de Treblinka, bem como um golpe assestado contra o grande vampiro e seus misteriosos métodos. Mais do que qualquer outra coisa, porém, serviu para confirmar sua sanidade.

Sim, ele vira mesmo o que vira no campo de extermínio.

Sim, o mito era verdadeiro.

E sim, a verdade era terrível.

A morte do vampiro selou o destino de Setrakian. Dali em diante ele dedicou sua vida a se instruir sobre os *strigoi*, e a caçá-los.

Naquela noite abandonou suas vestes sacerdotais, trocando-as pelas vestimentas de um simples fazendeiro, e com fogo limpou a extremidade esbranquiçada do crucifixo-adaga. Ao sair da casa, derrubou a vela em cima da bata e de alguns trapos, indo embora com o brilho das chamas da casa de fazenda amaldiçoada brilhando às suas costas.

UM SOPRO
DE VENTO
FRIO

Loja de penhores Knickerbocker, rua 118 Leste, Harlem espanhol

Setrakian destrancou a porta da loja de penhores e levantou a grade; esperando do lado de fora como se fosse um freguês. Vasiliy imaginou o velho repetindo aquela rotina todo dia, durante os últimos trinta e cinco anos. O dono da loja saiu à luz do sol, e por um momento tudo pareceu estar normal: um velho piscando para o sol numa rua de Nova York. O momento inspirou em Vasiliy uma onda de nostalgia, em vez de encorajamento. Não lhe parecia que tivessem sobrado muitos momentos "normais".

Metido num colete xadrezado, sem paletó, com as mangas da camisa branca enroladas pouco acima dos punhos, Setrakian olhou para a van, onde estava escrito na porta e na lateral: DEPARTAMENTO DE OBRAS PÚBLICAS DE MANHATTAN.

– Peguei isso emprestado – disse-lhe Vasiliy.

O velho professor fez uma expressão satisfeita e intrigada.

– Fico pensando... você pode conseguir outra?

– Por quê? Para onde vamos?

– Não podemos permanecer aqui mais tempo.

Eph sentou-se no tapete de exercício físico dentro do depósito de formato bizarro no último andar da casa de Setrakian. Zack também estava sentado ali, com uma perna dobrada e o joelho à altura do rosto, os braços abraçando a coxa. Ele parecia perturbado, como um garoto enviado para um acampamento de férias e que voltara mudado, mas não no melhor sentido. Espelhos de prata os cercavam, dando a Eph a sensação de estar sendo vigiado por muitos olhos antigos. O caixilho da janela dentro das barras de ferro fora apressadamente fechado com tábuas, mas a atadura era mais feia do que o ferimento que cobria.

Eph estudava o rosto do filho, tentando ler a expressão dele. Estava preocupado com a sanidade do garoto, e também com a sua própria. Quando esfregou a boca, preparando-se para falar, sentiu uma aspereza em torno das bordas dos lábios e do queixo, percebendo que não se barbeava havia dias.

– Já conferi o manual relativo a pais – começou ele. – Infelizmente não havia capítulo algum sobre vampiros.

Tentou sorrir, mas não teve certeza se a coisa funcionou. Não tinha certeza se seu sorriso ainda era persuasivo. Não tinha certeza se alguém ainda deveria estar sorrindo.

– Tá legal, então, isso vai parecer esquisito, e *é* mesmo esquisito, mas eu preciso falar. Você sabe que sua mãe amava você, Z. Mais ainda do que você pensa, tanto quanto uma mãe pode amar um filho. É por isso que eu e ela passamos por tudo que passamos, o que às vezes parecia para você um cabo de guerra. Nenhum de nós aguentaria ficar longe de você. Porque você é a questão principal. Sei que as crianças às vezes se queixam da separação dos pais. Mas você era a única coisa que nos mantinha juntos. E lutar por você nos deixava malucos.

– Papai, você não precisa...

– Eu sei, sei. Direto ao ponto, certo? Mas não. Isso é uma coisa que você precisa ouvir, e ouvir agora. Talvez eu precise ouvir isso também, está bem? Nós precisamos nos acertar um com o outro. Pôr as coisas em pratos limpos. Um amor de mãe é... é como uma força. Está além da simples afeição humana. É uma coisa do fundo da alma. Um amor de pai... meu amor por você, Z, é a coisa mais forte na minha vida, com toda a certeza. Mas esse negócio me fez perceber que há algo no amor materno... que talvez seja simplesmente a ligação espiritual humana mais forte que há.

Ele fez uma pausa para ver como Zack estava absorvendo tudo. Não conseguiu perceber.

– E agora essa coisa, essa praga terrível... se apossou de quem ela era e queimou tudo que havia de bom nela. Tudo que era correto e verdadeiro. Tudo que era humano, tal como entendemos isso. Sua mãe... era linda, preocupava-se com os outros, ela era... ela também era maluca, do jeito que são todas as mães devotadas. Mas você era a grande dádiva dela para o mundo. Era assim que ela olhava para você. É isso que você ainda é. Essa parte dela continua viva. Mas agora... ela não é mais a mesma. Não é mais Kelly Goodweather, nem sua mãe... e é difícil para nós dois aceitar isso. Tudo que resta do que ela era, pelo que eu percebo, é a ligação com você. Porque essa ligação é sagrada e nunca morre. Isso que os seres humanos chamam de amor, de um jeito açucarado e meloso, é evidentemente algo muito mais profundo do que imaginávamos. O amor dela por você... parece ter se deslocado e assumido a forma de uma espécie de carência ou necessidade. Onde ela está agora, esse lugar ruim... ela quer que você esteja com ela. Não é ruim para ela, nem mau, nem perigoso. Ela simplesmente quer você com ela lá. E o que você precisa saber é que tudo isso acontece porque sua mãe amava você de modo tão completo.

Zack assentiu. Não conseguia, ou não queria, falar.

– Agora, dito isso, nós temos que manter você em segurança longe dela. Ela não parece diferente agora? É porque ela *está* diferente, fundamentalmente diferente, e não é fácil encarar isso. Não posso endireitar as coisas para você, exceto proteger você dela. Daquilo que ela virou. Essa é a minha nova tarefa agora, como seu pai. Se você pensar na sua mãe, como originalmente ela era, e no que ela faria para salvar você de qualquer ameaça à sua saúde, à sua segurança... bem, você me diz. O que ela faria?

Zack assentiu, respondendo imediatamente.

– Ela me esconderia.

– Ela levaria você embora. Afastaria você da ameaça, levaria você para um lugar seguro. – Eph ouviu o que ele próprio estava dizendo. – Simplesmente pegaria você e... fugiria. Estou certo, não é?

– Você está certo – disse Zack.

– Tá legal, então... bancar a mãe superprotetora é o meu papel agora.

Brooklyn

Eric Jackson fotografou a janela queimada de três ângulos diferentes. Sempre levava uma pequena câmera digital Canon quando estava a serviço, junto com a arma e o distintivo.

A onda agora era gravação feita com ácido. Um produto comprado numa loja de artesanato, geralmente misturado com graxa de sapato, marcando vidro ou Plexiglas. A gravura não aparecia imediatamente, corroía o vidro durante horas. Quanto mais tempo ficasse ali a etiqueta molhada em ácido, mais permanente era a impressão.

Recuou para apreciar melhor a forma; seis apêndices pretos se irradiavam de uma massa central vermelha. Clicou na câmera para ver as imagens já armazenadas. Havia outra, tirada na véspera em Bay Ridge, porém não tão bem definida. E uma terceira, em Canarsie, que mais parecia um asterisco gigantesco, mostrando as mesmas linhas apertadas.

Jackson reconhecia a obra de Phade em qualquer lugar. Para dizer a verdade, aquilo não parecia uma grafitagem dele; era coisa de amador comparado com o profissionalismo de Phade, mas os arcos delicados e a perfeita proporção à mão livre eram inconfundíveis.

O cara estava percorrendo toda a cidade, às vezes numa única noite. Como era possível?

Eric Jackson fazia parte da Força-Tarefa contra Vândalos do Departamento de Polícia de Nova York; seu trabalho era rastrear e prevenir o vandalismo. Acreditava no evangelho da polícia no que dizia respeito a grafitagens. Até mesmo as mais lindamente coloridas e detalhadas representavam uma afronta à ordem pública. Um convite para todos considerarem o ambiente urbano como coisa particular, onde podiam fazer o que quisessem. Liberdade de expressão era sempre a alegação dos deliquentes, mas jogar lixo na rua também era um ato de expressão, e você era multado se fizesse isso. A ordem se definia como uma coisa frágil, sempre a poucos passos do caos.

A cidade estava vendo isso agora, em primeira mão.

Na área sul do Bronx, quarteirões inteiros haviam sido tomados por distúrbios. O pior era à noite. Jackson continuava esperando o chamado de um capitão que lhe devolvesse o antigo uniforme e o mandasse policiar as ruas novamente. Até aquele momento, porém, nada. Não havia muita tagarelice quando ele ligava o rádio dentro do carro, e assim continuava fazendo aquilo para o qual era pago.

O governador resistira aos apelos para convocar a Guarda Nacional, mas ele era simplesmente um cara em Albany, de olho no seu próprio futuro político. Com tantas tropas ainda no Iraque e no Afeganistão, era de se supor que a guarda não tivesse muitos efetivos e nem equipamentos; olhando para a fumaça negra no céu distante, porém, Jackson acolheria de bom grado qualquer ajuda.

Já lidara com vândalos nas cinco zonas da cidade, mas ninguém grafitava tanto as fachadas quanto Phade. O cara estava por toda parte. Devia dormir o dia inteiro e grafitar a noite inteira. Tinha agora quinze ou dezesseis anos, mas vinha no ofício desde os doze. É a idade em que a maioria dos grafiteiros começa, brincando nas escolas, bancas de jornais etc. Nas fotos das câmeras de vigilância o rosto de Phade sempre aparecia oculto, geralmente por um boné dos Yankees metido dentro do capuz de um suéter, às vezes até mesmo com uma máscara contra aerossóis. Usava a vestimenta típica dos grafiteiros: calça de operário com muitos bolsos, uma mochila para as latas de spray e tênis de cano alto.

A maioria dos vândalos age em equipes de grafitagem, mas Phade não. Era um jovem lendário, que se movimentava com aparente impunidade por diversas áreas da cidade. Diziam que sempre carregava um conjunto de chaves furtadas das autoridades do trânsito, inclusive uma chave mestra que destrancava os vagões do metrô. Seus grafites impunham respeito. O perfil típico de um jovem grafiteiro é de baixa autoestima, desejo de ser reconhecido por seus pares e uma visão distorcida da fama. Phade não tinha qualquer uma dessas características. Sua assinatura não era um grafite – geralmente um apelido ou um desenho repetitivo –, mas seu próprio estilo. Suas obras gritavam nos muros. Segundo uma suspeita de Jackson – que há muito tempo deixara de ser um palpite e passara a uma certeza –, Phade era provavelmente um obsessivo-compulsivo, talvez com sinais da síndrome de Asperger ou até mesmo de total autismo.

Em parte Jackson compreendia isso, porque ele próprio era um obsessivo. Tinha um catálogo completo de Phade, bem semelhante na aparência aos "catálogos de peças" que os próprios grafiteiros levavam, com cópias de esboços de suas grafitagens num caderno Cachet de capa preta. Como um dos cinco policiais da unidade GCGH, dentro da Força-Tarefa contra Vândalos – o Grupo de Combate aos Grafiteiros Habituais –, era responsável por manter um banco de dados de referências cruzadas com desenhos preferidos e endereços. As pessoas que consideram a grafitagem uma "arte da rua" pensam em figuras de cores brilhantes, bombas de bolhas ao Estilo Selvagem em tapumes de obras e vagões de metrô. Não pensam em grupos de grafiteiros sujando vitrines ou competindo por locais de alta visibilidade e muitas vezes perigosos. Ou, mais frequentemente, marcando seu território, firmando o reconhecimento do nome e a intimidação.

Os outros quatro membros da equipe haviam deixado de se apresentar para os turnos de serviço. Alguns noticiários radiofônicos diziam que policiais nova-iorquinos haviam desertado, tal como acontecera em Nova Orleans depois do furacão *Katrina*, mas Jackson não acreditava nisso. Alguma outra coisa estava acontecendo, além daquela doença que se espalhava pelas zonas da cidade. Você fica doente, você avisa. Você faz seu turno ser coberto, para não deixar furo com os parceiros. Aquelas alegações de abandono e covardia ofendiam Jackson como a assinatura malfeita de um grafiteiro incompetente num muro recentemente pintado. Preferia acreditar naquela merda maluca de vampiros de que as pessoas andavam falando, do que achar que seus parceiros estavam metendo o rabo entre as pernas e se escafedendo para Nova Jersey.

Entrou no seu carro, que não tinha emblema policial, e foi descendo a rua silenciosa na direção de Coney Island. Fazia isso três vezes por semana, pelo menos. Aquele era seu lugar favorito quando criança, mas seus pais não o levaram lá com tanta frequência quanto ele gostaria. Embora tivesse abandonado sua promessa de ir lá todo dia quando crescesse, ainda ia almoçar na área com habitualidade suficiente para satisfazer seu desejo.

O calçadão de tábuas de madeira estava vazio, como esperava. Era um dia de outono bastante quente, mas com aquela gripe maluca, diversão era a última coisa em que as pessoas andavam pensando. Foi até o Nathan's Famous e viu que o local estava deserto, mas com a porta destrancada. Abandonado. Trabalhara naquele quiosque de cachorro-quente durante o ensino médio, e sabia como passar para trás do balcão e ir até a cozinha. Espantou dois ratos e limpou a chapa. O interior da geladeira ainda estava frio, e pegou duas salsichas de carne de vaca. Encontrou os pães e um papel-celofane cobrindo uma lata de cebolas vermelhas. Jackson gostava de cebolas, principalmente ao ver como os vândalos se encolhiam quando ele bafejava nos rostos deles depois do almoço.

As salsichas cozinharam rápido, e ele saiu do restaurante para comer. O ciclone e a roda-gigante do parque de diversões estavam parados e silenciosos, com gaivotas pousadas nas grades mais altas. Outra gaivota passou voando por perto e embicou rapidamente para o alto da roda-gigante no último momento. Jackson aguçou o olhar e percebeu que as criaturas acomodadas no alto da estrutura não eram gaivotas, em absoluto.

Eram ratos. Um monte de ratos, enxameando nas bordas mais altas da estrutura. Tentando agarrar os pássaros. Que diabo era aquilo?

Continuou a percorrer o calçadão de madeira, passando pelo tiro ao palhaço, uma das marcas registradas daquele parque de diversões. De um promontório gradeado, baixou o olhar para uma galeria de tiro que parecia um beco, onde se apinhavam pedaços de cerca, barricas manchadas, cabeças variadas de manequins e pinos de boliche arrumados em cima de cremalheiras enferrujadas para servirem de alvo. Ao longo da cerca havia seis armas de paint-ball acorrentadas a uma mesa. O letreiro listava os preços, prometendo um ALVO HUMANO VIVO.

As paredes laterais de tijolo estavam ornamentadas com grafites, para dar mais clima ao local. Entre os falsos motivos brancos feitos com spray Krylon e os grafites de bolhas, porém, Jackson notou outro desenho de Phade. Mais uma figura de seis membros, agora em preto e laranja. E, perto da figura, nas mesmas cores, um desenho de linhas e pontos semelhante a um código que vinha observando por toda a cidade.

Então enxergou o maluco. Ele estava metido numa pesada armadura negra, como o equipamento antidistúrbios, que lhe cobria todo o corpo. Um capacete e uma máscara com óculos protetores escondiam-lhe o rosto. O escudo alaranjado que normalmente carregava a fim de desviar projéteis de "paint-ball" estava encostado numa seção baixa do alambrado.

O maluco estava parado no canto mais afastado da viela de tiro, com uma lata de spray na mão enluvada, grafitando a parede.

– Ei! – chamou Jackson olhando para baixo.

O maluco não respondeu. Simplesmente continuou grafitando.

– Ei! – gritou Jackson, dessa vez mais alto. – Polícia de Nova York! Eu quero falar com você.

Ainda nenhuma resposta ou reação.

Jackson examinou cada uma das carabinas do paint-ball, na esperança de dar um tiro grátis. Encontrou uma com um punhado de bolas alaranjadas ainda dentro do carregador de plástico opaco. Pôs a arma no ombro e deu um tiro baixo. A carabina deu um coice, e a bola de tinta explodiu no chão junto da bota do maluco.

A criatura não reagiu. Terminou a grafitagem e depois deixou cair a lata de spray vazia, partindo na direção da parte baixa da cerca onde Jackson estava.

– Ei, babaca, disse que queria falar com você.

O maluco não parou. Jackson descarregou no peito dele três petardos que explodiram em vermelho. Então ele passou debaixo do ângulo de tiro de Jackson, caminhando por baixo do lugar onde ele estava.

Jackson foi até a cerca, passou por cima e balançou um pouco antes de se soltar. Dali tinha uma visão melhor do trabalho do maluco.

Era Phade. Na mente de Jackson não havia dúvida. Seu pulso acelerou e ele foi na direção da única porta.

O recinto era um pequeno vestiário, com o chão todo manchado de tinta. Depois, havia um estreito corredor, e ao longo dele Jackson viu o capacete, as luvas, o macacão-armadura e outros equipamentos descartados pelo maluco. Percebeu então o que antes apenas começara a compreender. Phade não era só um oportunista que usava os distúrbios como disfarce para cobrir a cidade com suas grafitagens. Não, Phade estava ligado, de alguma forma, aos distúrbios. Suas marcas, suas grafitagens: fazia parte daquilo.

Ao final do corredor Jackson entrou num pequeno escritório com balcão, telefone, pilhas de cargas de bolas de tinta em invólucros de transportar ovos e carabinas quebradas.

Numa cadeira giratória havia uma mochila aberta, cheia de latas de spray e marcadores soltos. O equipamento de Phade.

Então Jackson ouviu um ruído atrás das costas e se virou. Lá estava o grafiteiro, mais baixo do que imaginara, usando um capuz manchado de paint-ball, um boné dos Yankees, prata sobre preto, e uma máscara antiaerossol.

– Ei – disse Jackson. Foi tudo que ele conseguiu pensar em dizer. Aquela caçada tinha sido tão longa, nunca esperara encontrar seu homem tão abruptamente. – Quero falar com você.

Phade ficou calado, encarando Jackson com os olhos escuros e baixos debaixo da aba do boné de beisebol. Jackson se moveu para o lado, caso Phade estivesse pensando em dar um bote na direção da mochila e fugir.

– Você é um cara bem escorregadio – disse Jackson, com a câmera pronta no bolso do casaco, como sempre. – Primeiro de tudo, tire a máscara do rosto e o boné. Quero você sorrindo para a câmera.

Phade se mexeu vagarosamente, quase imperceptivelmente a princípio, mas depois suas mãos manchadas de tinta se levantaram, empurrando para trás o capuz, retirando o boné e puxando para baixo a máscara antiaerossol.

A câmera continuou na altura do olho de Jackson, mas não apertou o botão. O que viu através das lentes surpreendeu-o a princípio, e logo o deixou transfixado.

Aquela criatura não era Phade, em absoluto. Não podia ser. Era uma garota porto-riquenha.

Tinha tinta vermelha em torno da boca, como se estivesse cheirando aquilo para ficar chapada. Mas nenhuma aspiração deixa uma camada de tinta tão fina em torno da boca. Havia grandes gotas vermelhas, algumas já secas, debaixo de seu queixo. Então a mandíbula da criatura se abriu e o ferrão golpeou. A vampira-artista saltou sobre o peito e os ombros de Jackson, empurrando-o para trás contra o balcão, sugando-o até secá-lo.

Flatlands

FLATLANDS ERA UM PEQUENO bairro perto da margem sul do Brooklyn, entre Canarsie e o parque Marine no litoral. Assim como a maioria dos bairros de Nova York, a área sofrera mudanças significativas demográficas no decorrer do século XX. Atualmente, a biblioteca oferecia livros em francês crioulo para residentes haitianos e imigrantes de outras nações do Caribe, bem como programas de leitura, em coordenação com escolas locais especializadas no estudo do Torá para crianças de famílias de judeus ortodoxos.

A pequena loja de Vasiliy ficava num centro comercial térreo na esquina da avenida Flatlands. Já não havia eletricidade, mas o velho telefone ainda dava sinal de discar. A frente da loja era usada principalmente para armazenagem, e não era projetada para atender fregueses que passassem; na realidade, o letreiro com um rato desenhado em cima da porta visava especificamente a desencorajar os fregueses. A oficina e a garagem ficavam no fundo; foi lá que eles descarregaram os itens mais essenciais do arsenal do porão da loja de Setrakian: livros, armas e outros equipamentos.

A semelhança entre o arsenal do porão de Setrakian e a oficina de Vasiliy não passou despercebida a Eph. Os inimigos de Vasiliy eram roedores e insetos, e, por essa razão, o espaço era entupido de engradados, seringas com varas telescópicas, bastões de luz negra e capacetes de mineiro para caçadas noturnas. Tenazes para pegar cobras, varas para controlar animais, supressores de odores, pistolas de dardos e até mesmo redes. Pós químicos, luvas de captura e uma área de laboratório sobre uma pequena pia, com equipamento rudimentar de veterinária para colher amostras de sangue ou tecidos de presas capturadas.

A única característica curiosa era uma pilha grande de exemplares da revista *Real Estate* perto de uma poltrona reclinável deformada. Enquanto outros talvez tivessem um estoque de revistas pornô nas suas oficinas, Vasiliy tinha aquilo.

– Gosto das figuras – disse. – As casas com luzes acolhedoras acesas, contra o crepúsculo azul. Tão lindo. Eu gosto de tentar imaginar as vidas das pessoas que talvez morem dentro dessas casas. Pessoas felizes.

Nora entrou, interrompendo o trabalho de descarregar o equipamento, e bebeu água de uma garrafa, com uma das mãos na cintura.

Vasiliy entregou a Eph um pesado molho de chaves.

– Três ferrolhos para a porta da frente, três para a dos fundos. – Mostrou a ordem das chaves conforme eram dispostas na argola. – Essas aqui abrem os armários, da esquerda para a direita.

– Aonde você vai? – perguntou Eph, enquanto Vasiliy se encaminhava para a porta.

– O velho quer que eu faça uma coisa.

– No caminho de volta traga uma quentinha para nós – disse Nora.

– Isso é passado – disse Vasiliy, indo para a segunda van.

Setrakian levou para Vasiliy o item que trouxera no colo lá de Manhattan. Era um pequeno amontoado de trapos, com algo embrulhado dentro, que entregou a Vasiliy.

– Você vai voltar ao subsolo – disse Setrakian. – Encontre os dutos de ligação com o continente e feche tudo.

Vasiliy assentiu, vendo o pedido do velho como uma ordem.

– Por que sozinho?

– Você conhece esses túneis melhor do que ninguém. E Zachary precisa passar mais tempo com o pai dele.

Vasiliy assentiu.

– Como está o garoto?

Setrakian suspirou.

– Para ele, há que encarar primeiro o abjeto horror das circunstâncias, o terror da sua nova realidade. E depois, o *Unheimlich*. O sobrenatural. Eu me refiro à mãe. O familiar e o estranho juntos, e a sensação de ansiedade que isso inspira. Atraindo e repelindo o garoto.

– Você poderia estar falando do doutor, também.

– É mesmo. Agora, sobre esta tarefa... você precisa ser rápido. – Apontou para o pacote. – O contador de tempo lhe dará três minutos. Somente três.

Vasiliy deu uma olhadela nos trapos manchados de óleo: três bananas de dinamite e um pequeno contador de tempo.

— Jesus, isso parece um contador para cozinhar ovos.
— E é. Um modelo analógico da década de 1950. Dispositivos analógicos evitam erros, entende? Dê toda a corda para a direita e depois corra. Essa caixinha aqui embaixo soltará a faísca necessária para detonar as bananas. Três minutos. Um ovo quente mole. Você acha que consegue encontrar um lugar para se esconder em tão pouco tempo, lá embaixo?

Vasiliy assentiu.

— Não vejo por que não. Há quanto tempo você montou essa geringonça?

— Há algum tempo – disse Setrakian. – Ainda funciona.

— Você guardava isso lá no porão?

— As armas voláteis eu guardava no fundo do porão. Um pequeno cofre, isolado com parede de concreto e amianto. Escondido de inspetores. Ou de exterminadores bisbilhoteiros.

Vasiliy assentiu, embrulhando cuidadosamente o explosivo e metendo o pacote debaixo do braço. Depois se aproximou de Setrakian, falando em particular.

— Seja franco comigo, professor. Quer dizer, o que estamos fazendo? A menos que eu não tenha entendido alguma coisa, não vejo maneira de deter isso. Retardar o ritmo, certo. Mas destruir todos um por um... é como tentar matar cada rato da cidade com a mão. A coisa está se propagando depressa demais.

— Tem muito de verdade nisso – disse Setrakian. – Precisamos de um meio de destruição mais eficiente. Mas, da mesma forma, não acredito que o Mestre se satisfaça com a exposição exponencial.

Vasiliy digeriu aquelas palavras complicadas, e depois assentiu. – Porque as doenças contagiosas se extinguem sozinhas. Foi isso que o doutor falou. Acaba faltando hospedeiros.

— É verdade – disse Setrakian, com uma expressão cansada. – Há um plano maior em execução. Que plano é esse, espero que nunca tenhamos de descobrir.

Vasiliy apalpou o embrulho sob o braço e disse:

— Seja o que for, pode contar comigo bem ao seu lado.

Setrakian ficou observando Vasiliy subir na van e partir. Ele gostava do russo, mesmo suspeitando de que o exterminador gostava demais de matar. Há homens que vicejam no caos. São chamados de heróis ou canalhas, dependendo do lado que vencer a guerra, mas até a chamada para a batalha são homens normais que anseiam por ação, ambicionando a oportunidade de se livrarem da rotina da vida normal como um casulo e se realizarem. Pressentem um destino maior do que eles mesmos, mas só viram realmente guerreiros quando as estruturas desmoronam em torno.

Vasiliy era um deles. Diferentemente de Eph, não questionava seu chamado ou suas ações. Também não era estúpido ou insensível, bem pelo contrário. Tinha uma aguda inteligência instintiva, e era um tático natural. E, uma vez estabelecida uma direção, nunca hesitava, nunca parava.

Um grande aliado para se ter diante do chamado final do Mestre.

Setrakian entrou de novo e abriu um pequeno engradado cheio de jornais amarelados. Dali, tirou cuidadosamente alguns vidros de manipulação de produtos químicos, que mais pareciam uma cozinha de alquimista do que um laboratório científico. Zack estava por perto, mascando a última barra de granola deles. Encontrou uma espada de prata e sopesou-a, manuseando a arma com cuidado apropriado, achando-a surpreendentemente pesada. Depois tocou a bainha já esfiapada de um peitoral feito de espesso couro animal e crina de cavalo.

– Século XIV. Data do início do Império Otomano, e da época da Peste Negra. Está vendo a proteção do pescoço? – disse Setrakian ao garoto, apontando para o alto escudo dianteiro que chegava ao queixo do usuário. – De um caçador do século XIV, cujo nome se perdeu na história. Uma peça de museu, sem uso moderno para nós. Mas eu não podia deixar isso por lá.

– Sete séculos atrás? – disse Zack, correndo as pontas dos dedos pela concha frágil. – Tão antigo? Se eles já estão por aí há tanto tempo e se têm tanto poder, por que permaneceram escondidos?

– Poder revelado é poder sacrificado – disse Setrakian. – Os verdadeiros poderosos exercem sua influência de maneiras invisíveis e imperceptíveis. Alguns dizem que uma coisa visível é uma coisa vulnerável.

Zack examinou o lado do peitoral, onde havia uma cruz marcada no couro.

– Eles são demônios?

Setrakian não sabia a resposta a essa pergunta.

– O que você acha?

– Acho que depende.

– Do quê?

– Se você acredita em Deus.

Setrakian assentiu.

– Acho que isso está bastante certo.

– E então? – perguntou Zack. – Você acredita? Acredita em Deus?

Setrakian fez uma careta e depois torceu para que o garoto não houvesse visto seu gesto.

– A crença de um velho não importa muito. Eu sou o passado. Você, o futuro. No que você acredita?

Zack foi até um espelho de mão, com fundo de prata verdadeira.

– Minha mãe dizia que Deus nos fez à sua imagem. E que Ele criou tudo.

Setrakian assentiu, compreendendo a pergunta implícita na resposta do garoto.

– Isso se chama um paradoxo. Quando duas premissas válidas parecem contraditórias. Geralmente significa que uma delas é falsa.

– Mas por que Ele nos faria assim... de modo que pudéssemos nos converter em vampiros?

– Você deve perguntar a Ele.

– Já fiz isso – disse Zack calmamente.

Setrakian assentiu, dando um tapinha no ombro do garoto.

– Ele também não me respondeu. Às vezes nos cabe descobrir as respostas por nós mesmos. E às vezes nunca chegamos a fazer isso.

Era uma situação constrangedora, mas Zack atraía Setrakian. O garoto tinha uma curiosidade brilhante e uma seriedade acima da média para a sua geração.

– Ouvi dizer que os garotos da sua idade gostam de canivetes – disse Setrakian, localizando e oferecendo um a Zack. Tinha dez centímetros de comprimento, lâmina de prata retrátil e cabo de osso marrom.

– Uau. – Zack acionou o mecanismo retrátil para fechar o canivete, e depois abriu-o de novo. – Provavelmente eu deveria ver se meu pai concorda.

– Acho que isso se encaixa perfeitamente no seu bolso. Por que não experimenta? – Ele ficou observando Zack fechar o canivete e metê-lo no bolso da calça. – Ótimo. Todo garoto deve ter um canivete. Dê um nome a esse, que será seu para sempre.

– Um nome? – perguntou Zack.

– Sempre se deve dar um nome a uma arma. Você não pode confiar naquilo que não pode chamar pelo nome.

Zack apalpou o bolso com olhar distante.

– Vou ter que pensar um pouco.

Eph apareceu, vendo Zack e Setrakian juntos e sentindo que algo pessoal se passara entre os dois.

A mão de Zack entrou mais fundo no bolso do canivete, mas ele ficou calado.

– Tem um saco de papel no banco dianteiro da van – disse Setrakian. – Com um sanduíche dentro. Você precisa se manter forte.

– Mortadela de novo, não.

– Peço desculpas, mas estava em promoção na última vez que fui ao mercado – disse Setrakian. – Esse é o último. Passei uma mostarda gostosa. Também tem dois bolos bons na sacola. Você pode comer um e trazer o outro para mim.

Zack assentiu, e o pai despenteou seu cabelo quando ele foi para a saída dos fundos.

– Tranque as portas da van quando você entrar de novo, está bem?

– Eu sei...

Eph ficou observando o filho entrar pela porta de passageiros na van estacionada lá fora. Disse então para Setrakian:

– Você está bem?

– Estou muito bem. Venha cá, tenho uma coisa para você.

Eph recebeu uma caixa de madeira laqueada. Abriu a tampa, revelando uma pistola Glock em muito bom estado, a não ser pelo número de série, que fora raspado. Na mesma caixa, havia cinco carregadores de munição encaixados em espuma cinzenta.

– Isso parece altamente ilegal – disse Eph.

– E altamente útil. Veja que essas são balas de prata. Feitas especialmente.

Eph levantou a arma, tirando-a da caixa e virando o corpo para que Zack não pudesse vê-la. – Eu me sinto como o Cavaleiro Solitário.

– Ele tinha a ideia certa, não tinha? O que ele não tinha era essas pontas expansíveis aí. Essas balas se fragmentam dentro do corpo, explodindo. Um tiro em qualquer parte do tronco de um *strigoi* produz um bom efeito.

Toda aquela apresentação tinha um quê de cerimônia, e Eph disse:

– Talvez Vasiliy devesse ter uma.

– Vasiliy gosta da arma de pregos. Ele prefere coisas manuais.

– E você gosta da espada.

– É melhor ficar com aquilo a que estamos acostumados, em tempos perturbados como estes – disse Setrakian, vendo Nora se aproximar, atraída pela estranha aparência da arma.

– Eu tenho outra arma, uma adaga de prata de comprimento médio que acho bem adequada para você, doutora.

Ela assentiu, com as duas mãos nos bolsos.

– É o único tipo de joia que eu quero no momento.

Eph devolveu a arma à caixa, fechando a tampa. A próxima pergunta ficaria mais fácil com Nora ali.

– O que você acha que aconteceu no terraço? – perguntou Setrakian. – Com o Mestre sobrevivendo ao sol? Isso significa que ele é diferente dos outros?

– Sem dúvida, é diferente. É o progenitor dos outros.

– Certo. Está bem – disse Nora. – Agora nós sabemos, dolorosamente bem, como as gerações subsequentes de vampiros são criadas. Por meio da infecção causada pelo ferrão e assim por diante. Mas quem criou o primeiro? E como?

– Certo – disse Eph. – Como a galinha pode vir antes do ovo?

– É verdade – disse Setrakian, tirando da parede a bengala com o cabo de cabeça de lobo e se apoiando. – Eu acredito que o segredo de tudo isso reside na criação do Mestre.

– Que segredo? – perguntou Nora.

– A chave para a sua destruição.

Ficaram em silêncio por um instante, absorvendo o que o velho dissera, até Eph concluir:

– Então... você sabe de alguma coisa.

– Tenho uma teoria – disse Setrakian –, baseada em parte pelo que testemunhamos naquele terraço. Mas não quero estar enganado, pois isso nos desviaria do caminho, e como todos sabem, o tempo agora é areia, e a ampulheta não está mais sendo virada por mãos humanas.

– Se a luz solar não destruiu o Mestre, então provavelmente a prata também não terá efeito – disse Nora.

– O corpo hospedeiro dele pode ser ferido e até mesmo morto – disse Setrakian. – Ephraim conseguiu produzir um corte. Mas, não, você tem razão. Não podemos presumir que a prata bastará.

– Você tem falado em outros. Os Sete Antigos Originais, você disse. O Mestre e seis outros, três do Velho Mundo, três do Novo Mundo. Onde estão em tudo isso?

– Isso é algo em que venho meditando.

– Nós ao menos sabemos se eles estão com o Mestre nesse negócio? Suponho que sim.

– Pelo contrário – disse Setrakian. – Contra ele, de todo o coração. Disso eu tenho certeza.

– E como foram criados? Esses seres surgiram mais ou menos ao mesmo tempo ou da mesma maneira?

– Não posso imaginar outra resposta além de sim.

– O que dizem as lendas sobre os primeiros vampiros? – indagou Nora.

– Na verdade muito pouco. Alguns tentaram ligar essas criaturas a Judas ou à história de Lilith, mas isso é ficção popular revisionista. Entretanto, há um livro. Uma fonte.

Eph olhou em torno.

– Mostre a caixa para mim. Eu pego.

– É um livro que eu não possuo. Um livro que passei boa parte da minha vida tentando adquirir.

– Posso adivinhar? – disse Eph. – *Guia do caçador de vampiros para salvar o mundo*.

– Chegou perto. Chama-se o *Occido Lumen*. Traduzido ao pé da letra, significa *Eu mato a luz*, ou, na tradução literal, *A luz caída*.

Setrakian mostrou o catálogo do leilão da Sotheby's, abrindo-o numa página dobrada.

O livro estava relacionado entre os itens do leilão, mas onde deveria haver uma figura, um letreiro dizendo IMAGEM INDISPONÍVEL surpreendia.

– De que se trata? – perguntou Eph.

– É difícil de explicar. E ainda mais difícil de aceitar. Durante minha estada em Viena como professor, eu me tornei, por necessidade, fluente em muitos sistemas ocultos: tarô, cabala, magia enoquiana... qualquer um que me ajudasse a compreender as questões fundamentais com as quais me defrontava. Eram todos assuntos difíceis de se enquadrar num currículo, mas, por motivos que não divulgarei agora, a universidade encontrou um abundante patrocínio para a minha pesquisa. Foi durante aqueles anos que eu ouvi falar do *Lumen* pela primeira vez. Um livreiro de Leipzig veio até mim com um conjunto de fotografias em preto e branco. Eram imagens granuladas de algumas páginas do livro. As exigências dele eram absurdas. Eu adquirira diversos *grimoires* desse vendedor, e por alguns ele pedira um boa soma, mas aquilo... era ridículo. Então pesquisei e descobri que, até mesmo entre acadêmicos, o livro era considerado um mito, um ardil, uma falsificação. O equivalente literário de uma lenda urbana. Dizia-se que o volume continha a natureza exata e a origem de todos os *strigoi*, mas, o que é mais importante, relacionava todos os Sete Antigos Originais... Três semanas mais tarde eu viajei até a livraria do homem, uma modesta loja na rua Nalewski. Estava fechada. Nunca mais ouvi falar dele.

– Os sete nomes... eles incluiriam o de Sardu? – perguntou Nora.

– Precisamente – respondeu Setrakian. – E aprender seu nome, seu nome verdadeiro, daria a nós certo domínio sobre ele.

– Você está me dizendo que tudo que estamos procurando são as *Páginas Amarelas* mais caras do mundo? – perguntou Eph.

Setrakian deu um sorriso suave e entregou o catálogo a Eph.

– Compreendo seu ceticismo. Compreendo mesmo. Para um homem moderno, um homem da ciência, mesmo um que já viu tudo que você viu, o conhecimento antigo parece arcaico. Desconjuntado. Uma curiosidade. Eu sei disso. Os nomes contêm a essência das coisas. E, sim, até mesmo nomes listados num catálogo. Nomes, letras, números, quando conhecidos em profundidade, possuem enorme poder. Tudo no nosso universo é cifrado. Conhecer a chave do segredo é conhecer a coisa, e conhecer a coisa é ter comando sobre ela. Certa vez encontrei um homem, um homem muito sábio, que podia causar morte instantânea apenas pronunciando uma palavra de seis sílabas. Uma só palavra, Eph, mas muito poucos homens conhecem essa palavra. Agora, imagine o que aquele livro contém...

Nora estava lendo o catálogo por cima do ombro de Eph.

– E isso vai a leilão dentro de dois dias?

– É uma coincidência um tanto inacreditável, não acham? – disse Setrakian.

– Duvido que seja – disse Eph.

– Certo. Acredito que isso tudo faz parte de um enigma. Esse livro tem uma procedência muito obscura e complicada. Quando digo que se acredita que seja amaldiçoado, não estou querendo dizer que alguém cai doente depois de ler o que está escrito lá. Refiro-me às terríveis consequências que cercam sua aparição, sempre que vem à superfície. Duas casas de leilões que o colocaram na lista foram completamente incendiadas antes do leilão começar. Uma terceira retirou o livro do catálogo e fechou as portas permanentemente. A estimativa atual é um valor que vai de quinze a vinte e cinco milhões de dólares.

– Quinze a vinte e cinco... – disse Nora, enchendo as bochechas. – É de um livro que estamos falando?

– Não de um livro qualquer. – Setrakian pegou o catálogo de volta. – Nós precisamos adquirir esse livro. Não há outra alternativa.

– Aceitam cheques pessoais? – perguntou Nora.

– Esse é o problema. Com um preço assim, há muito poucas chances de conseguirmos o livro por meios legítimos.

– Isso é dinheiro de Eldritch Palmer – disse Eph, taciturno.

– Exatamente – disse Setrakian, assentindo de modo quase imperceptível. – E por meio dele, Sardu... o Mestre.

O blog de Vasiliy Fet

ESTOU DE VOLTA. AINDA tentando entender as coisas.

Acho que o problema das pessoas é que elas estão paralisadas pela descrença, entende?

Um vampiro é um cara com capa de cetim. Cabelo liso esticado para trás, maquiagem branca, sotaque esquisito. Dois buracos no pescoço, e quando se transforma num morcego, vai embora voando.

Eu já vi esse filme, certo? Seja qual for.

Tudo bem. Agora pesquise aí o que é Saculina.

Que diabo, você já está na internet, mesmo.

Vá em frente. Eu fui.

Já de volta? Que bom.

Agora você sabe que Saculina é um gênero de craca parasítica que ataca os caranguejos.

E quem liga para isso, certo? Por que estou desperdiçando o seu tempo?

Quando entra na muda, a larva da fêmea da Saculina se injeta dentro do corpo do caranguejo através de uma junta vulnerável na carapaça. A larva da craca entra ali e começa a criar apêndices feito raízes, que se espalham por todo o corpo do caranguejo, até mesmo em torno das hastes oculares.

Uma vez escravizado o corpo do caranguejo, a fêmea emerge como um saco. A Saculina macho, então, se junta a ela, e adivinha o quê? Hora de acasalar.

Os ovos incubam e maturam dentro do caranguejo hospedeiro, que é forçado a devotar toda a sua energia a cuidar dessa família de parasitas que o controla.

O caranguejo é um hospedeiro. Um zangão. Inteiramente possuído por essa espécie diferente, e obrigado a cuidar dos ovos do invasor como se fossem seus.

Quem liga para isso, certo? Cracas e caranguejos?

O que quero dizer é o seguinte: há muitos exemplos disso na natureza.

De criaturas que invadem corpos de espécies completamente diferentes da sua e modificam a função essencial deles.

Está provado. É coisa sabida.

Mas nós acreditamos que estamos acima de tudo isso. Somos humanos, certo? No alto da cadeia alimentar. Nós comemos, não somos comidos. Nós possuímos, não somos possuídos.

Dizem que Copérnico (eu não posso ser o único a pensar que foi Galileu) tirou a Terra do centro do universo.

E que Darwin tirou os humanos do centro do mundo vivo.

Então, por que ainda insistimos em acreditar que somos algo mais do que animais?

Olhe para nós. Essencialmente, uma coleção de células coordenadas por sinais químicos.

E se algum organismo invasor assumisse o controle desses sinais? Começasse a se apossar de nós, um por um? Reescrevendo nossa própria natureza e nos convertendo para seus próprios propósitos?

Impossível, diz você?

Por quê? Você acha que a raça humana é "grande demais para fracassar"?

Tá legal. Agora pare de ler isso. Pare de navegar na internet procurando respostas. Vá pegar algo feito de prata e se rebele contra essas coisas, antes que seja tarde demais.

Instalações da Black Forest Solutions

GABRIEL BOLIVAR, O ÚNICO membro remanescente dos quatro "sobreviventes" originais do voo 753 da Regis Air, esperava em um buraco de terra encravado sob o piso de drenagem do Matadouro número 3, dois andares abaixo da processadora de carne Black Forest Solutions.

O caixão do Mestre, de tamanho desproporcional, estava sobre uma viga de rocha e terra, na absoluta escuridão da câmara subterrânea, contudo sua assinatura de calor era forte e distinta, o caixão brilhava na visão de Bolivar, como iluminado intensamente por dentro. O bastante para que Bolivar pudesse perceber o detalhe da borda entalhada perto das portas superiores, com dobradiças duplas.

Tal era a intensidade da temperatura ambiente do corpo do Mestre, irradiando sua glória.

Bolivar já estava bem avançado no segundo estágio da evolução vampiresca. A dor da transformação já quase desaparecera, aliviada em grande parte pela alimentação diária, a refeição com sangue verdadeiro, que nutria seu corpo tal como as proteínas e a água fazem com o músculo humano.

Seu novo sistema circulatório estava completo, as artérias agora levavam alimento às câmaras do torso. O sistema digestivo se simplificara, com os dejetos saindo do corpo através de um único orifício. A carne se tornara inteiramente desprovida de pelos e lisa como vidro. Os dedos médios, mais compridos, haviam engrossado, à semelhança de garras, com unhas da dureza de uma rocha, enquanto o restante das unhas haviam encolhido, desnecessárias para sua condição atual, bem como o cabelo e os genitais. Os olhos só tinham a pupila, salvo por um anel vermelho que eclipsara o branco humano. Percebia o calor numa escala cinzenta, e a função auditiva, um órgão interno, distinto da cartilagem inútil agarrada aos lados de sua cabeça lisa, fora grandemente amplificada: podia ouvir os insetos contorcendo-se nas paredes de terra.

Agora se baseava mais nos instintos animais do que nos precários sentidos humanos. Tinha uma consciência aguda do ciclo solar, até mesmo quando bem abaixo da superfície do planeta: sabia que a noite estava chegando lá em cima. Seu corpo funcionava a uma temperatura de 323 graus Kelvin, ou 50 graus Celsius, ou 120 graus Fahrenheit. Ele sentia, abaixo da superfície terrestre, claustrofobia, um anseio por escuridão e umidade, e afinidade com espaços apertados, fechados. Sentia-se confortável e seguro no subsolo, puxando a terra fria para cima de si mesmo durante o dia como um humano faria com um cobertor quente.

Fora isso, experimentava um nível de camaradagem com o Mestre que ia além da ligação psíquica normal gozada por todos os filhos do Mestre. Bolivar sentia que estava sendo preparado para um propósito maior dentro do clã em crescimento. Por exemplo, somente ele conhecia a localização do ninho do Mestre. Percebia que sua consciência era mais ampla e mais profunda do que a dos outros. Compreendia isso sem qualquer reação emocional ou opinião independente.

Simplesmente era assim.

Ao chegar a hora de levantar, foi chamado para o lado do Mestre.

As portas superiores do grande caixote se abriram para os lados. Primeiro surgiram mãos imensas, e um de cada vez, os dedos foram agarrando os lados do caixão aberto, com a graciosa coordenação das pernas de uma aranha. O Mestre pôs-se ereto até a cintura, enquanto nacos de solo velho caíam de suas costas gigantescas no leito de terra.

Seus olhos estavam abertos. O Mestre já via muitas coisas, e enxergava além dos limites daquele buraco subterrâneo.

A exposição ao sol, seguida de seu encontro com o caçador de vampiros Setrakian, o doutor Goodweather e o exterminador Vasiliy, haviam obscurecido o Mestre, tanto de maneira física quanto mentalmente. Sua carne, antes transparente, estava agora áspera como couro. A pele rangia quando vinha a se mover, rachando e começando a descascar, arrancando pedacinhos da carne do corpo, como se fossem penas negras. O Mestre já perdera quarenta por cento de sua carne, o que lhe dava a aparência de uma coisa horrível emergindo de um molde de gesso preto rachado em pedaços. Pois sua carne não estava se regenerando; simplesmente a epiderme exterior descamava, revelando um nível de pele mais interna, crua e vascular: a derme e, em alguns pontos, a subcutis abaixo, expondo a aponevrose superficial. A cor ia do vermelho sangrento ao amarelo gorduroso, como uma reluzente pasta de beterraba e creme. Os vermes capilares do Mestre estavam mais proeminentes por todo o corpo, especialmente no rosto, nadando logo abaixo da superfície da derme exposta, ondulando e correndo por todo aquele corpo gigantesco.

O Mestre sentiu a proximidade de seu acólito Bolivar. Balançou as pernas maciças por cima das paredes laterais do velho caixote, baixando o corpo farfalhante até o chão de terra. Pedaços de solo saídos da cama ainda estavam agarrados ao corpo do Mestre, e faziam nacos de terra e flocos de carne caírem ao chão quando ele se movimentava. Normalmente, um vampiro de pele lisa saía do seu leito de terra tão limpo quanto um humano se levanta de um banho com água.

O Mestre arrancou alguns pedaços maiores de carne de seu torso. Descobriu que não podia se movimentar rápida e livremente sem deixar cair pedaços de seu desgraçado exterior. Aquele veículo hospedeiro não duraria muito tempo. Bolivar, pronto, parado ali perto do túnel baixo que era a saída da câmara, era uma opção disponível e a curto prazo um aceitável candidato físico para aquela grande honra. Pois Bolivar não tinha Entes Queridos a que se ligar, o que era uma condição prévia para servir de hospedeiro. Porém, ainda mal começara o segundo estágio de sua evolução. Não estava completamente maduro.

Podia esperar; iria esperar. O Mestre tinha muito a fazer no momento.

Seguiu na frente, curvando e torcendo o corpo para sair da câmara, e percorreu rapidamente os túneis baixos e sinuosos, seguido bem de perto por Bolivar. Eles emergiram numa câmara maior, mais perto da superfície: o chão largo era constituído de um leito macio de solo úmido, como o de um perfeito jardim vazio. Ali o teto era alto o bastante, até mesmo para o Mestre se manter de pé.

Conforme o sol invisível se punha acima, e a escuridão estabelecia o seu domínio noturno, o solo em torno do Mestre começou a se agitar. Surgiram membros: uma pequena mão aqui e uma perna fina ali, como brotos vegetais saindo do solo. Cabeças jovens, ainda cobertas de cabelos, levantavam-se lentamente. Alguns rostos eram sem expressão, outros retorcidos de dor pelo renascimento noturno.

Eram as crianças cegas do ônibus, eclodindo sem visão e famintas como larvas recém-nascidas. Duplamente castigadas pelo sol, a princípio cegadas pelos raios ocultos, e agora banidos pelos fatais raios do espectro ultravioleta, elas se tornariam "tateadores" na crescente milícia do Mestre: seres abençoados com uma percepção mais avançada do que o restante do clã. Sua acuidade especial os tornava indispensáveis tanto como caçadores quanto como assassinos.

Veja isso.

Assim o Mestre ordenou a Bolivar, colocando na mente dele o ponto de vista de Kelly Goodweather ao se defrontar com o velho professor no terraço no Harlem espanhol, no passado recente.

A assinatura de calor do velho tinha um brilho cinzento e frio, enquanto a espada na sua mão brilhava tanto que as pálpebras nictitantes de Bolivar se abaixaram, num desvio defensivo.

Kelly escapou pelos terraços, levando Bolivar a compartilhar sua perspectiva, enquanto ela saltava e corria, até começar a descer a lateral de um prédio.

O Mestre então pôs na cabeça de Bolivar uma percepção animalesca da localização do prédio dentro do atlas sempre crescente que o clã formava sobre o trânsito subterrâneo.

O velho. Ele é todo seu.

Estação South Ferry

VASILIY CHEGOU AO ACAMPAMENTO dos sem-teto antes do cair da noite, carregando na mochila o explosivo com o cronômetro de ovos cozidos e a pistola de pregos. Desceu ao subsolo na estação de Bowling Green, e foi seguindo os trilhos na direção do acampamento da estação South Ferry.

Chegando lá, custou a localizar o refúgio de Cray-Z. Poucas coisas restavam ali: algumas lascas da madeira dos engradados e o rosto sorridente do prefeito Koch. Mas aquilo bastava para dar a Vasiliy um sinalizador. Virou-se e seguiu na direção geral dos dutos.

Ouviu o eco de uma comoção no túnel, o consílio de um forte clangor metálico e o rumor de vozes distantes. Puxou sua pistola de pregos e caminhou na direção de uma curva. Ali encontrou Cray-Z, já sem roupas, só com uma cueca suja. Sua pele marrom brilhava devido à umidade do túnel e ao suor. A trança desgrenhada balançava atrás, enquanto se esforçava para levantar o sofá desconjuntado.

O barraco que era seu lar estava desmontado ali, com os destroços empilhados junto a restos de outros barracos abandonados, formando uma obstrução que atravessava os trilhos. O monte de lixo tinha um metro e meio de altura no ponto mais alto, onde ainda acrescentara alguns dormentes quebrados.

– Ei, irmão! – gritou Vasiliy. – Que diabo você está fazendo?

Cray-Z se voltou, de pé sobre a pilha de destroços, como um artista possuído pela loucura. Brandia um pedaço de cano de aço na mão.

– Chegou a hora! – gritou, como que do alto de uma montanha. – Alguém precisava fazer alguma coisa!

Vasiliy levou um momento para recuperar a voz.

– Você vai descarrilhar o trem, caceta!

– Agora você quer estragar o plano! – respondeu Cray-Z.

Nesse momento alguns outros moradores subterrâneos remanescentes se aproximaram, testemunhando a criação de Cray-Z.

– O que você fez? – perguntou um, chamado Caver Carl. Era um antigo trabalhador ferroviário, que descobrira não poder abandonar sua familiaridade com os túneis depois de aposentado, e assim voltara ali como um marinheiro que sumia nos mares. Usava um capacete acoplado a uma lanterna, e balançava o facho de luz ao mexer a cabeça.

Cray-Z, perturbado por aquela luz, soltou um brado de combate lá do alto da barricada.

– Sou o tolo de Deus, mas eles não vão me pegar tão cedo!

Caver Carl e os outros avançaram, tentando derrubar a pilha de destroços.

– Se um dos trens bater, vão nos expulsar daqui para sempre!

Num instante Cray-Z pulou da pilha, caindo junto a Vasiliy, que avançou com os braços estendidos, tentando acalmar a situação, na esperança de fazer aquele pessoal trabalhar para ele.

– Esperem aí, todos vocês...

Cray-Z não estava a fim de conversa, e girou a barra de aço na direção de Vasiliy, que instintivamente bloqueou o golpe com o antebraço esquerdo. O cano rachou o osso.

Vasiliy soltou um uivo e, usando a pesada pistola de pregos como um porrete, acertou Cray-Z na têmpora. O golpe fez o louco cambalear, mas ele continuou avançando. Vasiliy acertou outro golpe nas costelas dele e deu-lhe um chute na canela direita. O pontapé deslocou a perna de Cray-Z na altura do joelho e finalmente o derrubou.

– Escutem! – gritou Caver Carl.

Vasiliy parou e obedeceu.

Era um estrondo revelador. Virou-se e viu, no final daquele trecho da linha, uma luz varrendo a curva da parede do túnel.

O trem 5 já se aproximava para fazer o retorno ali.

Os outros moradores continuaram a tirar os destroços da pilha, mas não adiantaria. Cray-Z usou seu pedaço de cano para se erguer sobre a perna boa, pulando para cima e para baixo.

– Seus pecadores da porra – bradou. – São umas toupeiras cegas! Aí vêm eles! Agora vocês não têm escolha, além de lutar contra eles. Lutar pela vida!

O trem avançou contra eles, e Vasiliy viu que não havia mais tempo. Recuou, fugindo da catástrofe iminente, enquanto a luz do trem, cada vez mais brilhante, iluminava Cray-Z dançando alucinadamente sobre a perna torta.

Quando o trem passou celeremente, Vasiliy teve um vislumbre do rosto da condutora, que olhava fixamente para a frente, sem expressão. Ela devia ter visto os destroços, mas não aplicara os freios. Não fizera coisa alguma.

Tinha aquele "olhar a mil metros de distância" de uma vampira recentemente transformada.

Bum! O trem colidiu com a obstrução, com as rodas girando e forçando. O vagão da frente mergulhou nos destroços, fazendo o monte explodir, esmigalhando e empurrando os objetos maiores cerca de dez metros, antes de saltar dos trilhos. Os carros tombaram para a direita, atingindo a lateral da plataforma na cabeça do anel de retorno, ainda derrapando, deixando um rastro de fagulhas semelhante a um cometa. O carro-motor depois oscilou para o outro lado, puxando os vagões traseiros, enquanto o trem angulava-se feito um canivete no estreito espaço da linha férrea.

O rascante guincho metálico era quase humano na sua violência e dor. Devido aos túneis e a sua propensão a reverberar os ecos feito uma garganta, os vagões pararam bem antes que aquele som terrível cessasse.

O trem tinha muitos outros corpos viajando no lado externo. Alguns foram mortos instantaneamente, moídos e esmigalhados ao longo da borda da plataforma. O restante seguiu a bordo até o final daquela colisão espetacular. Quando os vagões pararam, os corpos se separaram do trem como sanguessugas se destacando da carne, caindo no chão e procurando se orientar.

Lentamente, voltaram se para as toupeiras ainda paradas ali, que olhavam fixamente, sem acreditar.

Os viajantes saíram caminhando da poeira e da fumaça daquela calamidade; pareciam imperturbáveis, mas tinham um estranho passo sorrateiro. Suas juntas emitiam estalidos enquanto avançavam.

Vasiliy meteu depressa a mão na mochila e pegou a improvisada bomba-relógio de Setrakian. Sentiu uma ardência intensa na panturrilha direita e olhou para baixo. De alguma maneira um pedaço dos destroços, comprido e fino como uma agulha, atravessara sua perna de um lado a outro. Se retirasse aquilo a hemorragia seria enorme, e naquele momento cheiro de sangue era a última coisa que desejaria sentir. Então deixou a lasca dolorosamente alojada na sua massa muscular.

Mais perto dos trilhos, Cray-Z olhava espantado. Como tantos podiam ter sobrevivido?

Conforme os viajantes se aproximavam, até mesmo ele percebeu que algo faltava naquelas pessoas. Era possível ver traços de humanidade nos rostos, mas tratava-se apenas de traços. Como os vislumbres de gananciosa inteligência humanoide que se vê nos olhos de um cão faminto.

Cray-Z reconheceu algumas daquelas pessoas, mulheres e homens do subsolo. Eram colegas toupeiras, exceto por uma figura: uma criatura esguia e pálida, com o tórax desnudo, esculpida como uma estatueta de marfim. Umas poucas mechas de cabelo emolduravam um rosto angular e bonito, mas totalmente possuído.

Era Gabriel Bolivar. Sua música não chegara ao povo do subsolo, mas todos os olhos se concentraram nele, que tanto se destacava do restante, permanecendo na morte-vida o showman que sempre fora. Ele usava uma calça de couro preto e botas de caubói, sem camisa. Cada veia, músculo ou tendão do seu torso era visível debaixo da pele delicada e transparente.

Flanqueando Bolivar havia duas mulheres feridas. O braço de uma tinha um corte profundo que atravessava carne, músculo e osso, quase decepando o membro. O corte não sangrava, e sim exsudava, não sangue vermelho, mas uma substância branca, de consistência mais viscosa do que leite e mais rala do que creme.

Caver Carl começou a rezar. Sua voz soluçava suavemente, tão aguda e cheia de medo que Vasiliy a princípio pensou tratar-se de um menino.

Bolivar apontou para as toupeiras que olhavam transfixadas, e logo os viajantes estavam em cima delas.

A coisa-mulher foi direto para Caver Carl, derrubando-o, aterrissando sobre o peito dele e imobilizando-o no chão. Fedia a casca de laranja mofada e carne estragada. Carl tentou afastá-la, mas ela agarrou o braço dele e torceu, arrebentando imediatamente a articulação.

A mão quente da vampira empurrou o queixo dele com enorme força. A cabeça de Carl foi forçada para trás até o ponto de ruptura, com o pescoço estendido e totalmente exposto. Daquela perspectiva invertida, à luz do capacete de mineiro, tudo que ele conseguia ver eram pernas, sapatos desamarrados e pés descalços passando correndo. Uma horda de criaturas, ou reforços para a tropa, chegavam vindas dos túneis: era uma invasão completa atropelando o acampamento, com seres se amontoando sobre corpos que se contorciam.

Uma segunda criatura se juntou à mulher em cima de Carl, rasgando sua camisa de maneira frenética. Sentiu uma mordida forte no pescoço. Não uma mordida articulada dada por dentes, mas uma perfuração, seguida imediatamente por um engate sugador. A outra criatura meteu as garras na costura da calça, rasgando-a até a altura da virilha e agarrando a parte interna da coxa.

Dor a princípio, com uma ardência aguda. Depois, em instantes... dormência. Carl sentiu que havia algo semelhante a um pistão latejando junto a seus músculos e sua carne.

Estava sendo drenado. Tentou gritar, mas sua boca aberta não encontrou voz, apenas quatro dedos compridos e quentes. A criatura agarrou sua bochecha pelo lado de dentro, cortando com a unha semelhante a uma garra toda a extensão da gengiva, até o maxilar. Para Carl, a carne da vampira tinha um gosto salgado e picante, que acabou sobrepujado pelo sabor acobreado do seu próprio sangue.

* * *

Vasiliy recuara imediatamente depois da colisão, sabendo reconhecer quando uma batalha estava perdida. A gritaria era quase insuportável, e contudo ele tinha uma missão a realizar, e esse foi seu foco de atenção.

Recuou para um dos dutos, vendo que ali não havia quase lugar para acomodar seu corpo. Uma das vantagens do medo era que a adrenalina em suas veias tinha o efeito de dilatar as pupilas, e ele descobriu que podia enxergar em torno com clareza pouco natural.

Desembrulhou os trapos e deu uma volta completa no cronômetro improvisado. Três minutos. Cento e oitenta segundos. Um ovo quente.

Amaldiçoou a sorte, percebendo que, com a batalha dos vampiros no túnel, teria que penetrar mais nos dutos usados pelas criaturas para atravessar o rio, porém precisaria se deslocar de costas, com o braço muito machucado e a perna sangrando.

Antes de disparar o cronômetro, viu os corpos dos moradores no solo se contorcendo ao serem consumidos pelos enxames de vampiros. Todos já estavam infectados e perdidos, exceto Cray-Z: ele estava parado junto a uma pilastra de concreto, assistindo a tudo como um tolo feliz, sem ser molestado ou tocado por aquelas coisas escuras, que passavam por ele em alvoroço.

Então Vasiliy viu a figura esguia de Gabriel Bolivar se aproximar de Cray-Z, que caiu de joelhos diante do cantor. As silhuetas dos dois eram realçadas pela fumaça e pela luz poeirenta, como figuras de uma estampa bíblica.

Bolivar colocou a mão sobre a cabeça do louco, que se inclinou e beijou a mão do vampiro, rezando.

Vasiliy já vira o bastante. Colocou o dispositivo dentro de um desvão e tirou a mão do mostrador... um... dois... três... contando o tempo com o tique-taque enquanto pegava a mochila e recuava.

Moveu-se para trás, sentindo o corpo deslizar com facilidade depois de certo tempo, lubrificado pelo próprio sangue que escorria.

Quarenta... quarenta e um... quarenta e dois...

Um punhado de criaturas avançou na direção da entrada do duto, atraídas pelo cheiro de ambrosia de Vasiliy, que viu as silhuetas na pequena abertura e perdeu toda a esperança.

Setenta e três... setenta e quatro... setenta e cinco...

Deslizou o mais depressa que podia, abrindo a mochila e retirando a pistola de pregos. Disparou os pregos de prata enquanto recuava, a gritar, como um soldado que descarrega uma metralhadora num ninho inimigo.

Os pregos se encravaram profundamente no osso do rosto e na testa do primeiro vampiro que avançava, um sessentão metido num terno elegante. Vasiliy atirou de novo, acertando o olho do homem e sufocando-o com prata, quando os pregos penetraram na carne macia da garganta.

A coisa soltou um guincho e recuou. Outros passaram atabalhoadamente por cima dos camaradas caídos, entrando rápido no duto. Vasiliy viu um deles se aproximando, dessa vez, uma mulher esguia metida num agasalho esportivo, com o ombro exposto, mostrando a clavícula e raspando o osso nas paredes do duto.

Cento e cinquenta... cento e cinquenta e um... cento e cinquenta e dois...

Vasiliy disparou contra a criatura que se aproximava. Ela continuou se arrastando na direção dele, mesmo com o rosto crivado de prata. O maldito ferrão saltou do rosto, agora uma almofada de alfinetes, totalmente distendido, e quase tocou em Vasiliy. Ele foi forçado a se mover atabalhoadamente, escorregando no próprio sangue e errando o disparo seguinte: o prego ricocheteou ao lado do vampiro líder, e enterrou-se na garganta da criatura atrás dele.

A que distância da explosão estava ele... dezessete metros? Trinta metros?

Não era o bastante.

Três bananas de dinamite e a porra de um ovo quente mais tarde, ele descobriria.

Vasiliy lembrava-se das fotos das casas com janelas iluminadas por dentro, enquanto continuava a atirar e gritar. Casas que nunca precisavam de exterminadores. Ele prometeu a si mesmo que, se conseguisse sobreviver àquilo, iluminaria todas as janelas no seu apartamento e sairia à rua somente para dar uma olhadela.

Cento e setenta e seis... cento e setenta e sete... cento e setenta...

Quando a explosão se tornou visível atrás da criatura, a onda de calor atingiu Vasiliy, que se sentiu empurrado pelo pistão escaldante do deslocamento de ar, mas o corpo do vampiro chamuscado atingiu-o em cheio, pondo o a nocaute.

Enquanto esmaecia num vazio sereno, uma palavra saída do fundo de sua mente substituiu a cadência da contagem na sua cabeça:
CRO... CRO...
CROATA.

Parque Arlington, Jersey City

DEZ E MEIA DA noite.
Alfonso Creem já estava no parque havia uma hora, selecionando um ponto estratégico.
Era muito exigente nesse particular.
A única coisa de que ele não gostava naquele local era a luz de segurança ali em cima, com seu brilho alaranjado. Por isso fez seu lugar-tenente Royal arrebentar o cadeado na base, arrancar a placa e enfiar uma chave de roda lá dentro. Problema resolvido. A luz acima deles bruxuleou se apagando, e Creem assentiu com aprovação.
Depois tomou posição nas sombras. Seus braços musculosos pendiam ao lado do corpo, grandes demais para serem cruzados sobre o peito. O meio do corpo era largo e quase quadrado. O líder dos Safiras de Jersey era um negro colombiano, filho de pai britânico e mãe colombiana. Sua gangue dominava todos os quarteirões em torno do parque Arlington. Eles também poderiam ter o parque, se quisessem, mas não valia a pena. O parque era um bazar de criminosos à noite, e limpá-lo era serviço para tiras e cidadãos de boa conduta, não para os Safiras. Na verdade, era vantajoso para Creem ter aquela zona morta no meio de Jersey City: um banheiro público que atraía os marginais para longe dos quarteirões dele.
Conquistara cada esquina de rua com força bruta. Entrava atropelando tudo pela frente, feito um tanque Sherman, até subjugar os

adversários. Toda vez que conquistava uma esquina, celebrava o feito mandando cobrir de prata um dente. Tinha um sorriso fulgurante e intimidador. Seus dedos também eram cobertos de enfeites de prata. Além disso tinha correntes, mas naquela noite deixara lá na toca os enfeites de pescoço, pois essa é a primeira coisa que as pessoas desesperadas agarram quando sabem que estão prestes a serem assassinadas.

Royal parou perto de Creem, suando dentro de uma parca forrada de pele, com um ás de espadas costurado na frente do gorro de tricô.

– Ele num falou que queria encontrar sozinho com você?

– Só que queria parlamentar – disse Creem.

– Hum. Então qual é o plano?

– O plano dele? Não tenho a menor ideia, porra. Meu plano? Uma puta cicatriz. – Creem usou o polegar grosso para imitar um profundo corte de navalha ao longo do rosto de Royal. – Eu odeio a maioria dos mexicanos, porra, mas principalmente esse.

– Só queria saber por que neste parque.

Os assassinatos no parque nunca eram esclarecidos. Porque não havia clamor público. Se você era corajoso o suficiente para entrar no parque Arlington depois de escurecer, era burro o suficiente para morrer. Por medida de segurança, Creem recobrira as pontas dos dedos com cola a fim de obscurecer as impressões digitais; preparara o cabo de uma navalha chata com vaselina e detergente, exatamente como faria com o cabo de uma arma, para evitar deixar qualquer resíduo de DNA.

Um carro preto e comprido desceu a rua. Não era bem uma limusine, mas um veículo mais sofisticado que um Cadillac enfeitado. O carro diminuiu a marcha junto ao meio-fio e parou. Os vidros escurecidos continuaram fechados. O motorista não saltou.

Royal olhou para Creem. Creem olhou para Royal.

A porta traseira abriu na direção do meio-fio. O ocupante saltou, de óculos escuros, camisa xadrez desabotoada sobre uma camiseta sem mangas branca, calças folgadas e botas pretas novas. Tirou o chapéu de caubói com abas largas, revelando um pano vermelho apertado na cabeça, e atirou o chapéu de volta no assento do carro.

– Que porra é essa? – murmurou Royal entre os dentes.

O *puto* cruzou a calçada, passando por uma abertura na cerca. A camiseta branca luzia com o que brilhava à noite, enquanto caminhava sobre a relva e a terra.

Creem não conseguia acreditar nos próprios olhos, até que o cara chegou perto o bastante para que a tatuagem na clavícula ficasse bem visível.

SOY COMO SOY. Sou o que sou.

– Isso é para me impressionar? – perguntou Creem.

Gus Elizalde, da gangue La Mugre do Harlem espanhol, sorriu, mas ficou calado.

O carro continuava de motor ligado, junto ao meio-fio.

– O que foi? – disse Creem. – Tu veio até aqui só pra me contar que ganhou na porra da loteria?

– Mais ou menos.

Creem lançou-lhe um olhar desdenhoso de alto a baixo.

– Na verdade – disse Gus –, vim te oferecer uma porcentagem do bilhete premiado.

Creem rosnou, tentando adivinhar o jogo do mexicano.

– O que tu tá pensando, parceiro? Entrando com essa coisa no meu território?

– Contigo tudo é falta de respeito, Creem – disse Gus. – É por isso que tu continua preso a Jersey City.

– Tu tá falando com o rei de JC. Agora, quem mais tu trouxe nesse calhambeque?

– Engraçado tu perguntar. – Gus olhou de volta com um aceno do queixo, e a porta do motorista se abriu. Em vez de um chofer com quepe, saiu um grandalhão de capuz, com o rosto obscurecido na sombra. Ele avançou e parou diante da roda dianteira, com a cabeça baixa, esperando.

– Então tu pegou uma carona no aeroporto. Grande ideia! – disse Creem.

– Os velhos tempos já eram, Creem. Saquei o lance, cara. Saquei a porra do fim. Batalhas por territórios? Essa porra de quarteirão por quarteirão está dois mil anos atrasada. Não quer dizer nada. A única batalha por território que importa agora é tudo ou nada. Nós ou eles.

– Eles quem?

– Tu deve saber que alguma coisa está acontecendo. E não é só na grande ilha do outro lado do rio.

– Grande ilha? Esse problema é seu.

– Olhe para este parque. Cadê os drogados? As putas que fumam crack? Cadê a ação? Isso aqui tá morto. Porque eles pegam as pessoas noturnas primeiro.

Creem rosnou. Não estava gostando da lógica de Gus.

– O que eu sei é que os negócios estão indo mal.

– Os negócios vão acabar, parceiro. Tem uma droga nova na rua. Pode conferir. Chama-se sangue humano, porra. E é gratuita, se for do seu gosto.

– Você é um desses malucos vampiros. *Loco* – disse Royal.

– Eles pegaram minha *madre* e meu irmão, cara. Lembra do Crispin?

O irmão drogado de Gus.

– Lembro – disse Creem.

– Bom, tu não vai ver mais o Crispin aí pelo parque. Mas eu não tenho ressentimento, Creem. Não mais. São novos tempos. Preciso deixar os sentimentos pessoais de lado. Porque neste exato momento estou reunindo todos os putos da pesada que consigo encontrar.

– Se tu veio aqui falar duma porra de plano para assaltar um banco ou merda assim, capitalizando em cima desse caos todo, isso já foi...

– Saquear é coisa para amadores. É o ganho diário deles. Eu tenho alinhado um serviço de verdade, pagando bem. Chame os seus garotos para ouvir isso.

– Que garotos?

– Creem. Os escalados para me apagarem hoje... chame todos aqui.

Creem encarou Gus bem nos olhos por uns momentos. Depois deu um assobio. Ele era um campeão no assobio. A prata em seus dentes produzia um sinal agudo.

Três outros Safiras saíram das árvores, com as mãos nos bolsos. Gus manteve as mãos fora dos bolsos, abertas para que eles pudessem ver.

– Muito bem – disse Creem. – Fale rápido, cucaracha.

– Vou falar devagar. Escutem bem.

Ele apresentou o plano aos outros. A batalha por território entre os Antigos e o Mestre cruel.

– Tu andou fumando um baseado – disse Creem.

Mas Gus viu o fogo nos olhos do outro. Viu o pavio da excitação já queimando.

– O que estou oferecendo é mais dinheiro do que você pode ganhar no negócio do pó. A oportunidade de matar e ferir à vontade, e nunca ir para a cadeia por causa disso. Estou te oferecendo uma chance única na vida... a de botar pra foder sem limites nas cinco zonas da cidade. E se a gente fizer o serviço direito, está arrumado pro resto da vida.

– E se a gente não fizer o serviço direito?

– Então, o dinheiro vai perder importância. Mas pelo menos, tu vai ter se divertido pra caralho. No mínimo vai ter um fim espetacular, tá me entendendo?

– Porra, teu papo é bom demais para ser verdade. Preciso ver umas verdinhas primeiro – respondeu Creem.

Gus deu uma risadinha.

– Vou fazer o seguinte... mostrar a você três cores, Creem. Prata, verde e branco.

Ele levantou a mão, fazendo sinal para o motorista de capuz, que foi até a mala da limusine, abriu-a e retirou duas bolsas. Levou-as pela abertura na cerca e colocou-as no chão.

Uma era uma grande bolsa preta de lona, a outra uma bolsa de mulher de couro, com duas alças, de tamanho médio.

– Quem é o teu cupincha aí? – perguntou Creem. O motorista era um grandalhão, com pesadas botas inglesas e jeans. Creem não conseguia ver a cara dele, oculta pelo capuz, mas era óbvio que aquele cara era todo errado.

– Ele se chama Quinlan – disse Gus.

Um grito partiu do outro lado do parque – um grito de homem, mais terrível para os ouvidos do que um grito de mulher. Os outros se viraram.

– Vamos logo. Primeiro, a prata – disse Gus, ajoelhando e abrindo o zíper da bolsa de lona.

Não havia muita luz ali. Gus tirou a arma comprida e sentiu os Safiras estenderem as mãos para as deles. Ligou o botão da lanterna montada no cano, pensando que a lâmpada era comum, incandescente, mas era ultravioleta. É claro.

Usou a luz arroxeada para mostrar o restante das armas. Uma balestra, com a ponta da flecha munida de uma carga de prata de impacto. Uma lâmina chata, em forma de leque, com um cabo de madeira curvo. Uma espada semelhante a uma cimitarra de lâmina larga, com curva generosa e cabo áspero, forrado de couro.

– Você gosta de prata, Creem, não é? – disse Gus.

A aparência exótica do armamento aguçou o interesse de Creem. Mas ele ainda estava desconfiado do motorista, Quinlan.

– Muito bem. E o verde?

Quinlan abriu as alças da bolsa de couro, que estava cheia de maços de dinheiro. Os fios antifalsificação brilhavam debaixo do feixe de luz ultravioleta de Gus.

Creem estendeu a mão para a bolsa e depois parou, notando as mãos de Quinlan agarradas às alças. A maioria das unhas desaparecera, e a carne parecia totalmente lisa. Mas as coisas mais fodidas eram os dedos médios. Duas vezes mais compridos que os outros dedos, e tortos nas pontas, tanto que a ponta se curvava em torno da palma até o lado da mão.

Outro grito cortou a noite, seguido de uma espécie de rosnado. Quinlan fechou a bolsa, olhando na direção das árvores. Entregou a bolsa de dinheiro a Gus, trocando-a pela arma comprida. Depois, com inacreditável força e velocidade, saiu correndo no meio das árvores.

– Que porra é essa? – perguntou Creem.

Se havia uma trilha, foi ignorada por Quinlan. Os gângsteres ouviram galhos se quebrando.

Gus colocou a bolsa de armas no ombro.

– Vamos. Você não vai querer perder isso.

Era fácil seguir Quinlan, porque ele abrira uma trilha de galhos derrubados, apontando o caminho diretamente, e só desviando dos troncos de árvores. Eles seguiram depressa, alcançando o motorista numa clareira do outro lado do parque. Estava parado em silêncio, com a arma aninhada contra o peito.

O capuz caíra de sua cabeça. Praguejando, Creem viu por trás a cabeça lisa e calva do motorista. No escuro, parecia que Quinlan não tinha orelhas. Creem deu a volta para ter uma visão melhor do rosto dele... e embora fosse um tanque humano, tremeu como uma florzinha na tempestade.

A coisa chamada Quinlan não tinha orelhas e quase nenhum nariz. Uma garganta grossa. Pele transparente, quase iridescente. E olhos vermelho-sangue, os olhos mais brilhantes que Creem já vira, metidos fundo na cabeça pálida e lisa.

Exatamente nesse momento um vulto partiu dos galhos superiores; caiu no solo com facilidade e saiu trotando pela clareira. Quinlan partiu a toda a velocidade para interceptá-lo, como um puma perseguindo uma gazela. Eles se chocaram, Quinlan abaixou o ombro para atingir o outro diretamente.

O vulto se esparramou no solo com um guincho, rolando muito antes de parar de barriga para cima.

Num instante, Quinlan virou a luz do cano para o vulto, que sibilou e se encolheu. A tortura em seu rosto era evidente, até mesmo a distância. Depois Quinlan puxou o gatilho. Um cone de brilhantes estilhaços de prata obliterou a cabeça do vulto.

Mas... ele não morreu como morre um homem. Uma substância branca esguichou do pescoço cortado, enquanto o vulto encolhia os braços e desabava no chão.

Quinlan virou a cabeça rapidamente, até mesmo antes de o vulto seguinte saltar das árvores. Dessa vez era uma mulher, fugindo do motorista na direção dos outros. Quando ela chegou perto, Gus puxou da bolsa a cimitarra. A mulher era esfarrapada como a mais suja prostituta viciada em crack que já se vira, mas também era ágil, e seus olhos brilhavam com uma luz vermelha. Ela recuou ao ver a arma, mas já era tarde. Com um só movimento simples, Gus atingiu-a na junção dos ombros com o pescoço, a cabeça caiu para um lado e o corpo para o outro. Quando a coisa ficou imóvel no chão, um líquido branco e pastoso exsudou dos ferimentos.

– E aí está o branco – disse Gus.

Quinlan virou-se para eles, engatilhando a arma comprida e levantando o grosso capuz de algodão sobre a cabeça.

— Tá legal — disse Creem, andando de um lado para outro como uma criança que precisa ir ao banheiro numa manhã de Natal. — É, diria que estamos cem por cento acertados, porra.

Flatlands

COM UMA NAVALHA RETA tirada da loja de penhores, Eph barbeou metade do rosto antes de perder o interesse. Ficou desconcentrado, olhando para o espelho sobre a pia de água leitosa, com a metade esquerda do rosto ainda coberta de espuma.

Estava pensando no livro, o *Occido Lumen*, e como tudo trabalhava contra ele. Palmer e sua fortuna. Bloqueando cada movimento que pudessem fazer. O que seria deles... de Zack... se ele falhasse?

O gume da navalha tirou sangue. Um corte pequeno foi se avermelhando e escorrendo. Eph olhou para o aço da lâmina manchada de sangue, e retornou ao momento do nascimento de Zack, onze anos antes.

Depois de sofrer um aborto involuntário e parir um natimorto de vinte e nove semanas, Kelly passara os dois últimos meses da gravidez de Zack em repouso na cama, até entrar em trabalho de parto. Ela tinha um plano específico para o nascimento: nada de anestesia peridural ou drogas de qualquer tipo, e também nada de cesariana. Dez horas mais tarde, via-se pouco progresso. O médico sugeriu Pitocin, a fim de apressar as coisas, mas Kelly recusou, mantendo seu plano. Oito horas de trabalho de parto depois, ela cedeu, e a introdução da droga via intravenosa começou. Duas horas depois, tendo aturado quase um dia inteiro de dolorosas contrações, ela finalmente consentiu na injeção peridural. A dose de Pitocin foi sendo gradualmente aumentada até chegar ao ponto máximo que o ritmo do coração de um bebê poderia suportar.

Na vigésima sétima hora o médico lhe ofereceu a opção de fazer uma cesariana, mas Kelly recusou. Tendo cedido em todos os outros aspectos, queria se ater ao parto natural. O monitor do coração do feto mostrava que ele estava se portando bem; com o colo de seu útero dilatado em oito centímetros, Kelly queria empurrá-lo para o mundo lá fora.

Cinco horas mais tarde, porém, apesar de uma vigorosa massagem na barriga por parte de uma enfermeira experiente, o bebê continuava teimosamente virado de lado, e o colo do útero parara de se dilatar. A dor das contrações havia voltado, apesar do sucesso da epidural. O médico de Kelly puxou uma banqueta de rodas para junto da cama, oferecendo de novo a alternativa de uma cesariana. Dessa vez Kelly aceitou.

Eph vestiu uma bata hospitalar e acompanhou a mulher até o centro cirúrgico profusamente iluminado por uma luz branca, passando por portas duplas ao final do corredor. O monitor cardíaco do feto era tranquilizador, com um rápido e metronômico tum-tum-tum. A enfermeira de serviço lavou a barriga inchada de Kelly com um antisséptico marrom-amarelado, e depois o obstetra cortou-a da esquerda para a direita, bem baixo no abdômen com golpes confiantes e amplos; a aponevrose foi separada, seguida pelas duas faixas gêmeas verticais do forte músculo abdominal e por fim, pela delgada membrana do períneo, revelando a parede grossa, cor de ameixa, do útero. O cirurgião passou para tesouras anguladas cegas, de modo a reduzir ao mínimo o risco de lacerar o feto, e então fez a incisão final.

Mãos enluvadas se estenderam e puxaram para fora um ser humano novo em folha, mas Zack ainda não nascera. Ele estava "no casulo", como se diz, isto é, envolto na fina película intacta do saco amniótico: distendida como uma bolha, uma membrana opaca rodeava o bebê como num ovo de náilon. Zack estava imóvel, naquele momento, ainda se alimentava de Kelly, recebendo nutrientes e oxigênio através do cordão umbilical. O obstetra e as enfermeiras que o auxiliavam se esforçavam para manter uma atitude profissional, mas tanto Kelly quanto Eph sentiam que eles estavam alarmados. Somente mais tarde Eph descubriria que bebês nascidos "no casulo" ocorrem em menos de um caso em cada milhar, e que essa proporção sobe para um em dezenas de milhares nos casos de bebês nascidos de partos não prematuros.

Aquele estranho momento perdurou, com o bebê não nascido ainda ligado à sua mãe exausta, parido, mas não nascido. Depois a membrana se rompeu espontaneamente, escorregando da cabeça de Zack e revelando seu rosto brilhante. Outro momento de expectativa... e então o bebê chorou, sendo colocado pingando sobre o peito de Kelly.

A tensão perdurou no centro cirúrgico, misturada com uma clara alegria. Kelly segurou os pés e as mãos de Zack para contar os dedos dele. Examinou o bebê de alto a baixo, procurando alguma deformidade, e só encontrou alegria. Pesava exatamente quatro quilos; era careca como um pedaço de massa de pão, e tão pálido quanto. Seu teste de Apgar acusou oito depois de dois minutos, nove depois de cinco minutos. Um bebê sadio.

Mas Kelly experimentou um grande desânimo pós-parto. Nada tão profundo e debilitante quanto uma verdadeira depressão, mas de qualquer forma, uma melancolia sombria. A maratona do parto foi tão debilitante que o leite não aparecia; junto com o plano de parto que Kelly precisara abandonar, isso fez com que ela se sentisse fracassada. Num certo momento chegou a dizer a Eph que sentia que *o* desapontara, coisa que o deixou intrigado. Sentia-se corrompida por dentro. Tudo na vida de ambos acontecera tão facilmente antes daquilo.

Uma vez melhor, depois de abraçar o menino dourado que era seu filho recém-nascido, Kelly nunca mais se separara de Zack. Ficou, por algum tempo, obcecada com o nascimento "em casulo", pesquisando sua significância. Algumas fontes alegavam que a singularidade era um bom presságio, até mesmo prenunciando grandeza. Outras lendas indicavam que os portadores de casulo, como eram conhecidos, eram videntes, nunca morreriam por afogamento, e haviam sido marcados por anjos com almas blindadas. Kelly procurava significados na literatura, citando diversos portadores de casulo em obras de ficção, tais como David Copperfield e o garotinho do filme *O iluminado*. Também havia homens famosos na vida real, como Sigmund Freud, lorde Byron e Napoleão Bonaparte. Com o tempo, Kelly veio a descartar todas as associações negativas; na realidade, em certos países da Europa, dizia-se que uma criança nascida com um casulo poderia estar amaldiçoada. Ela contrabalançava seus infelizes sentimentos de inadequação com a determinação de que seu garoto, aquela criação sua, era excepcional.

Esses impulsos haviam, com o passar do tempo, envenenado a relação dela com Eph, levando a um divórcio que ele nunca quisera, e à consequente batalha pela guarda de Zack: uma batalha que, desde a conversão de Kelly em vampira, virara uma luta de vida ou morte. Ela decidira que, se não podia ser perfeita para um homem tão exigente, então, nada valia para ele. E assim foi que a derrocada pessoal de Eph, seu alcoolismo, secretamente a emocionava e aterrorizava. O terrível desejo de Kelly se tornara realidade, porque mostrara que até mesmo Ephraim Goodweather não conseguia estar à altura de seus próprios padrões de exigência.

Eph sorriu amargamente para seu rosto meio escanhoado no espelho. Estendeu a mão para seu frasco de gim holandês e fez um brinde à porra de sua própria perfeição, entornando com facilidade dois fortes goles adocicados.

– Você não precisa fazer isso.

Nora entrara, fechando silenciosamente a porta do banheiro. Estava descalça, tendo vestido jeans limpo e uma camiseta folgada, com o cabelo escuro preso atrás da cabeça.

Eph falou para o reflexo dela no espelho.

– Nós estamos fora de moda, você sabe. Nossa época já se foi. No século XX foram os vírus. No século XXI? Vampiros.

Ele bebeu de novo, como prova de que estava com toda a razão, e demonstrando que nenhum argumento racional poderia dissuadi-lo.

– Não entendo como você não bebe. Foi exatamente para isso que inventaram a birita. A única forma de engolir essa nova realidade é misturar nela um troço bom.

Deu outro gole, e depois olhou de novo para o rótulo.

– Se pelo menos eu tivesse um troço bom.

– Não gosto de você assim.

– Sou o que os especialistas chamam de "alcoólatra altamente funcional". Mas também posso ficar escondendo a coisa, se você preferir.

Ela cruzou os braços, encostando o lado do corpo na parede e olhando para as costas dele, sabendo que não estava chegando a lugar nenhum.

– É só uma questão de tempo, você sabe. Antes que a ânsia por sangue de Kelly faça com que ela volte para cá, para o Zack. E isso significa, através dela, o Mestre. Levando direto a Setrakian.

Se a garrafa estivesse vazia, Eph talvez a atirasse contra a parede.

– É insanidade, porra. Mas é *real*. Nunca tive um pesadelo que chegasse nem *perto* disso.
– Estou dizendo que acho que você precisa levar o Zack para longe daqui.
Eph assentiu, com as duas mãos agarradas à borda da pia.
– Eu sei. Venho lentamente chegando a essa conclusão, eu mesmo.
– E acho que você precisa ir com ele.
Eph ficou pensando naquilo um momento, antes de se virar de costas para o espelho e olhar para ela.
– É assim que o primeiro-tenente informa ao capitão que ele não está à altura do dever?
– Não. É assim que alguém gosta tanto de você que tem medo que você se machuque. Isso é melhor para ele, e melhor para você.
Eph ficou desarmado.
– Não posso deixar você aqui no meu lugar, Nora. Nós dois sabemos que a cidade está desabando. Nova York acabou. É melhor que desabe em cima de mim do que em cima de você.
– Isso é papo furado de botequim.
– Você tem razão numa coisa. Com o Zack aqui, não posso me engajar completamente nessa luta. Ele precisa ir embora. Eu preciso saber que ele está fora daqui, que está seguro. Há um lugar, em Vermont...
– Não vou partir.
Eph respirou fundo.
– Simplesmente escute.
– Não vou partir, Eph. Você acha que está sendo cavalheiresco, quando na verdade está me insultando. Esta cidade é minha, mais do que sua. O Zack é um grande garoto, você sabe que eu acho isso, mas não estou aqui para fazer serviço de mulher, cuidar das crianças e arrumar suas roupas. Eu sou uma médica cientista, assim como você.
– Sei disso tudo, pode acreditar. Estava pensando na sua mãe.
Isso deteve Nora. Seus lábios permaneceram entreabertos, prontos para disparar, mas as palavras de Eph haviam lhe roubado o fôlego da boca.
– Eu sei que ela não está bem – continuou ele. – Está na fase inicial da demência, e sei que ela pesa no seu pensamento constantemente,

assim como Zack pesa no meu. É a oportunidade de tirar sua mãe de lá, também. Estou tentando lhe contar que os parentes de Kelly tinham uma casa nas montanhas em Vermont...

– Eu posso ajudar mais aqui.

– Pode mesmo? Quer dizer... será que eu posso? Nem sei mais. O que é mais importante agora? Sobrevivência, diria eu. É isso, com certeza, o melhor que podemos esperar. Pelo menos assim um de nós estaria em segurança. Eu sei que não é isso que você quer. E sei que é abuso lhe pedir isso. Você tem razão; se fosse uma pandemia viral normal, eu e você seríamos as pessoas mais essenciais nesta cidade. Estaríamos no ponto crucial dessa coisa... por todas as razões certas. Da forma como a situação se apresenta agora, essa linhagem ultrapassou completamente nossos conhecimentos especializados. O mundo não precisa mais de nós, Nora. Não precisa de médicos ou cientistas. Precisa de exorcistas. Precisa de Abraham Setrakian. – Eph foi até ela. – Eu só sei o bastante para ser perigoso. E por isso... preciso ser perigoso.

Isso fez Nora desencostar da parede.

– Do que você está falando, exatamente?

– Que eu sou dispensável. Ou, pelo menos, tão dispensável quanto qualquer outro. A menos que esse outro seja um idoso dono de loja de penhores com um coração fraco. Que diabo... no momento o Vasiliy vale muito mais nessa luta do que eu. Ele é mais valioso para o velho do que eu.

– Não estou gostando desse seu modo de falar.

Eph estava impaciente para que ela aceitasse as realidades tal como compreendidas por ele. Queria fazer Nora entender.

– Eu quero lutar. Quero me entregar a essa luta. Mas não posso, se a Kelly vier atrás da pessoa que mais amo. Preciso saber que meus Entes Queridos estão em segurança. Isso significa o Zack. E significa você.

Pegou a mão dela. Seus dedos se entrelaçaram. A sensação foi profunda, e ocorreu a Eph: quantos dias haviam decorrido desde que ele tivera um simples contato físico com outra pessoa?

– Qual é o seu plano de ação? – perguntou Nora.

Ele cruzou mais apertadamente os dedos nos dela, explorando o encaixe enquanto reafirmava o plano que tomava forma na sua mente. Perigoso e desesperado, mas eficaz. Talvez algo para virar o jogo.

– Simplesmente ser útil – respondeu ele.

Então se virou para tentar pegar a garrafa na borda da pia, mas Nora agarrou o braço dele e puxou-o de volta.

– Deixe isso aí. Por favor – disse ela. Seus olhos castanhos cor de chá eram tão lindos, tão tristes... tão humanos. – Você não precisa disso.

– Mas eu quero. E isso me quer.

Eph queria se virar, mas Nora o segurou.

– A Kelly não conseguiu fazer você parar?

Ele pensou sobre o que ela perguntara.

– Sabe, eu não tenho certeza se ela sequer chegou a tentar.

Nora estendeu a mão para o rosto dele, primeiro tocando o áspero lado não barbeado, e depois o lado macio, batendo ali de leve com as costas dos dedos. O contato amoleceu o coração de ambos.

– Eu poderia fazer você parar – disse ela, bem junto ao rosto dele.

Nora beijou o lado áspero primeiro. Depois Eph encontrou os lábios dela, sentindo uma onda de esperança e paixão tão poderosa que mais parecia ser a de um primeiro abraço. Tudo sobre as duas relações sexuais anteriores entre os dois voltou a ele, engolfando-o numa calorosa ânsia de expectativa; contudo, era o contato humano fundamental que sobrecarregava aquela troca. Aquilo que vinha faltando, era agora desejado.

Exaustos, tensos e incrivelmente despreparados, eles se agarraram um ao outro enquanto Eph comprimia Nora contra a parede de azulejos, com as mãos querendo apenas a carne dela. Diante de um terror e uma desumanização tão grandes, a paixão humana era um ato de desafio.

INTERLÚDIO II

OCCIDO LUMEN:
A HISTÓRIA DO LIVRO

Com uma jaqueta de veludo preto estilo Nehru, o agente moreno foi girando um anel de opala azul em torno da base do dedo mínimo enquanto caminhava ao longo do canal.

– Nunca me encontrei com Mynheer Blaak, entende? Ele prefere assim.

Setrakian seguia ao lado do intermediário. Estava viajando com um passaporte belga, sob o nome de Roald Pirk. Sua profissão fora descrita como "vendedor de livros antigos". O documento era uma falsificação de primeira classe.

Corria o ano de 1972. Setrakian tinha quarenta e seis anos.

– Mas posso lhe assegurar que ele é muito rico – continuou o agente. – Gosta muito de dinheiro, monsieur Pirk?

– Gosto.

– Então vai gostar muito de Mynheer Blaak. Pelo volume que procura, ele lhe pagará uma quantia considerável. Estou autorizado a dizer que ele cobrirá o seu preço, que eu caracterizaria como agressivo. Isso é satisfatório?

– É.

– Como deveria. Você é realmente afortunado por ter adquirido um volume tão raro. Estou certo de que tem consciência da procedência disso. Não é um homem supersticioso?

– Na verdade, sou. Devido ao meu ofício.
– Ah. E é por essa razão que resolveu se desfazer do livro? Eu próprio penso nesse volume como uma versão de "O Diabrete da Garrafa". Conhece o conto?
– Stevenson, não é?
– É sim. Ah, eu espero que não pense que estou testando seus conhecimentos de literatura a fim de avaliar sua *bona fides*. Eu me referi a Stevenson apenas porque recentemente intermediei a compra de uma edição extremamente rara de *O Senhor de Ballantrae*. Mas em "Diabrete", como você evidentemente se recorda, a cada vez a garrafa amaldiçoada devia ser vendida por menos do que fora comprada. Não acontece isso com esse livro. Não, não. Ao contrário.

Os olhos do agente faiscaram de interesse diante de uma das vitrines brilhantemente iluminadas pela qual eles passaram. Diferentemente da maioria dos outros mostruários ao longo de De Wallen, o bairro de bordéis em Amsterdã, o ocupante daquela vitrine determinada era um adolescente homossexual, e não a costumeira prostituta.

Alisou o bigode e redirecionou os olhos para a rua calçada de lajotas.

– De qualquer modo – continuou ele –, o livro tem um histórico problemático. Eu mesmo não lidarei com isso. Mynheer Blaak é um colecionador ávido, um *connoisseur* de primeira qualidade. Tem gosto por assuntos obscuros, e seus cheques sempre têm fundos. Mas eu acho que é justo avisar que têm havido algumas tentativas de fraude.

– Percebo.

– É claro que não posso assumir responsabilidade alguma pelo que aconteceu com esses vendedores desonestos. Mas preciso dizer que o interesse de Mynheer Blaak pelo volume é grande, porque ele pagou metade da minha comissão em todas as transações malsucedidas, a fim de que eu continuasse minha busca e mantivesse os interessados em potencial vindo até a porta dele, por assim dizer.

Casualmente o agente tirou um par de finas luvas de algodão branco e colocou-as nas mãos manicuradas.

– Peço perdão – disse Setrakian. – Mas não viajei até Amsterdã para passear por esses lindos canais. Sou um homem supersticioso, conforme afirmei, e gostaria de me livrar do fardo desse valioso livro o mais depressa possível. Para ser franco, estou mesmo mais preocupado com ladrões do que maldições.

– Sim, entendo. É um homem prático.

– Onde e quando Mynheer Blaak estará disponível para efetuar a transação?

– Então já trouxe o livro?

Setrakian assentiu.

– O livro está aqui.

O agente apontou para a maleta com duas alças e dois fechos, de couro preto e rígido, na mão de Setrakian.

– Aí dentro?

– Não, isso seria arriscado demais. – Setrakian passou a maleta de uma mão para a outra, na esperança de emitir um sinal contrário. – Mas está aqui. Em Amsterdã. Aqui perto.

– Por favor, perdoe minha ousadia. Mas, se realmente tomou posse do *Lumen*, então está familiarizado com o seu conteúdo. Sua *raison d'être*, pois não?

Setrakian parou. Pela primeira vez percebeu que os dois haviam se afastado das ruas apinhadas, e estavam agora num beco estreito, com ninguém à vista. O agente cruzou os braços atrás das costas, como se estivesse numa conversa casual.

– Estou – disse Setrakian. – Mas seria idiota da minha parte divulgar muita coisa.

– É verdade – disse o agente. – E não esperamos que faça isso, mas... será que podia efetivamente resumir sua impressão sobre o livro? Em poucas palavras, se fosse possível.

Setrakian percebeu um clarão metálico atrás das costas do intermediário... ou seria uma das mãos enluvadas do homem? De qualquer forma, não sentiu medo. Estava preparado para aquilo.

– Mal'akh Elohim. *Mensageiros de Deus*. Anjos. Arcanjos. Nesse caso, os Decaídos. E sua deturpada linhagem nesta Terra.

Os olhos do agente cintilaram por um momento, e depois ficaram imóveis.

— Maravilhoso. Bem, Mynheer Blaak está muito interessado em conhecê-lo, e entrará em contato em breve.

O homem estendeu uma mão enluvada de branco. Setrakian usava luvas pretas, e o agente certamente sentiu os dedos tortos da mão que apertou, mas não teve reação além de uma descortês contração do corpo.

— Devo lhe dar meu endereço aqui nesta cidade? — perguntou Setrakian.

O agente abanou a mão enluvada bruscamente.

— Não devo saber de nada, Monsieur, e só lhe desejo todo sucesso.

Depois começou a se afastar, voltando por onde viera.

— Mas como ele vai me contatar? — indagou Setrakian, indo atrás dele.

— Só sei que ele o encontrará — respondeu o intermediário por sobre o ombro forrado de veludo. — Muito boa-noite, monsieur Pirk.

Setrakian ficou observando aquele sujeito elegante se afastar, até vê-lo virar na direção da tal janela que servia de vitrine, pela qual eles haviam passado. Lá, bateu à porta com prazer. Então levantou a gola do sobretudo e seguiu para oeste, afastando-se da água escura dos canais na direção da Dam Platz.

Por ser uma cidade de canais, Amsterdã era uma residência inusitada para um *strigoi*, proibido por natureza de cruzar água em movimento. Tantos anos gastos na perseguição de Werner Dreverhaven, o médico nazista no campo de Treblinka, porém, haviam levado Setrakian a uma rede de vendedores de livros antigos que agia na clandestinidade. Isso, por sua vez, desvendara o rastro do objeto obsessivamente desejado por Dreverhaven: a tradução extraordinariamente rara para o latim de um obscuro texto mesopotâmico.

De Wallen era um bairro mais conhecido por sua macabra mistura de drogas, cafés, boates eróticas, bordéis, e garotas e garotos da vitrine. Mas os estreitos becos e canais daquela cidade portuária também eram o refúgio de um pequeno, embora altamente influente, grupo de comerciantes de livros antigos, que negociavam manuscritos por todo o mundo.

Setrakian soubera que Dreverhaven, disfarçado como um bibliófilo chamado Jan-Piet Blaak, fugira para os Países Baixos nos anos posteriores à guerra. Ele viajara por toda a Bélgica até o início da década de 1950, entrando na Holanda e se estabelecendo em Amsterdã em 1955. Podia se movimentar livremente em De Wallen à noite, por itinerários interditos pelos canais, e ficar escondido durante o dia. Os canais desencorajavam sua estada lá, mas aparentemente a atração do comércio de livros antigos, e do *Occido Lumen* em particular, era sedutora demais. Ali ele estabelecera um ninho, e fizera da cidade sua residência permanente.

O centro da cidade era semelhante a uma ilha, radiando-se da Dam Platz, cercada em parte, mas não dividida em dois, por canais. Setrakian foi passando por prédios de trezentos anos com empenas, de cujas janelas emanava a fragrância de fumaça de haxixe, acompanhada de música folclórica americana. Uma jovem passou apressada, capengando num salto quebrado, atrasada para uma noite de trabalho: as pernas com ligas e meias arrastão apareciam debaixo da bainha de um casaco de pele de vison falsa.

Setrakian encontrou nas pedras do calçamento dois pombos que não levantaram voo diante da sua aproximação. Diminuiu o passo e olhou para ver o que capturara o interesse das aves.

Os pombos estavam dilacerando um rato de sarjeta.

– Soube que tem o *Lumen*?

Setrakian se aprumou. A presença parecia muito próxima... na verdade, bem ali atrás. Mas a voz se originava dentro da sua cabeça.

Setrakian deu meia-volta, amedrontado.

– Mynheer Blaak?

Estava enganado. Ninguém estava ali atrás.

– Monsieur Pirk, eu presumo?

Setrakian virou bruscamente para a direita. Na entrada sombria de um beco havia um vulto corpulento vestido com um longo casaco formal e uma cartola, apoiado numa bengala fina, com ponta metálica.

Setrakian engoliu a adrenalina, a expectativa e o medo.

– Como me encontrou?

– O livro. É só isso que interessa. Está em sua posse, Monsieur Pirk?
– Eu... tenho o livro, aqui perto.
– Onde fica o seu hotel?
Aluguei um apartamento perto da estação. Se quiser, será um prazer conduzir nossa transação lá...
– Lamento, mas para mim não é conveniente ir tão longe, pois sofro de gota.
Setrakian se virou mais na direção do vulto sombrio. Havia algumas pessoas ali fora na praça, e ele ousou dar um passo na direção de Dreverhaven, à maneira de um homem sem suspeitas. O sujeito não tinha o costumeiro cheiro de almíscar terroso do *strigoi*, embora à noite a fumaça do haxixe funcionasse como um perfume.
– O que sugeriria, então? Gostaria muito de concluir essa venda hoje à noite.
– Contudo, primeiro precisaria retornar a seu apartamento.
– É, acho que sim.
– Hum. – A figura arriscou um passo à frente, batendo com a ponta metálica da bengala numa pedra. Asas farfalharam, e os pombos alçaram voo atrás de Setrakian. Blaak disse: – Fico imaginando por que um homem que viaja a uma cidade pouco familiar conservaria um artigo tão valioso no seu apartamento, em vez de mantê-lo a salvo consigo mesmo.
Setrakian trocou a maleta de mãos.
– Qual é a sua opinião?
– Não acredito que um verdadeiro colecionador se arriscasse a permitir que um precioso ítem ficasse fora de suas vistas. Ou de suas mãos.
– Há ladrões aqui fora – disse Setrakian.
– E outros lá dentro. Se quer realmente se livrar do fardo desse artefato amaldiçoado por um excelente preço, vai me seguir agora, monsieur Pirk. Minha residência fica a poucos passos de distância.
Dreverhaven se virou e começou a entrar no beco, usando a bengala, mas sem se apoiar. Setrakian se aprumou, lambendo os lábios e sentindo os pelos de sua barba falsa, enquanto acompanhava o criminoso de guerra morto-vivo para dentro do beco calçado de pedras.

* * *

A única vez que Setrakian pôde ultrapassar a camuflada cerca de arame farpado de Treblinka foi para trabalhar na biblioteca de Dreverhaven. Herr Doktor mantinha uma casa a poucos minutos de carro do campo, e trabalhadores eram levados até lá, um de cada vez, por um pelotão de três guardas ucranianos armados. Setrakian teve pouco contato com Dreverhaven na casa, e, muito mais afortunadamente, nenhum contato na cirurgia do campo, onde Dreverhaven procurava satisfazer sua curiosidade médica e científica, tal como um solitário garoto mimado que corta vermes pelo meio e queima asas de moscas.

Dreverhaven já era bibliófilo desde essa época, usava os despojos de guerra e do genocídio, como ouro e diamantes roubados dos condenados à morte, para gastar quantias escandalosas na compra de textos raros da Polônia, França, Grã-Bretanha e Itália, adquiridos com procedência duvidosa durante o caos do mercado negro nos anos da guerra. Setrakian recebera ordens de dar acabamento em uma biblioteca de dois aposentos com estantes de carvalho valioso, que tinha até uma escada de ferro com rodas e uma janela com um vitral retratando o bastão de Asclépio. Frequentemente confundida com o caduceu, a imagem de Asclépio com uma serpente ou um longo verme enrolado em torno de um bastão é o símbolo da medicina e dos médicos. Mas a cabeça do bastão no vitral de Dreverhaven mostrava uma caveira, o símbolo das tropas de assalto nazistas.

Dreverhaven inspecionou pessoalmente uma vez o trabalho de Setrakian; seus olhos azuis pareciam frios como cristal, enquanto ele corria os dedos pela parte inferior das prateleiras, procurando quaisquer pontos ásperos. Fez um leve aceno de aprovação ao jovem judeu e mandou-o embora.

Os dois se encontraram mais uma vez, quando Setrakian ficou diante do "buraco em chamas". O médico supervisionava a matança com os mesmos olhos azuis frios, que não reconheceram Setrakian naquele momento: eram rostos demais, todos indistinguíveis para ele. Ainda assim, parecia um pesquisador atarefado, com um assistente que media o tempo entre o tiro que entrava pela nuca e a última contorção da vítima em agonia.

Os estudos de Setrakian sobre folclore e história oculta dos vampiros haviam casado bem com sua caça pelos nazistas de Treblinka e a busca pelo antigo texto conhecido como *Occido Lumen*.

Setrakian deixou que "Blaak" se afastasse um pouco, seguindo-o a três passos de distância, fora do alcance do ferrão. Dreverhaven caminhava com a bengala, aparentemente despreocupado com a vulnerabilidade que era ter um estranho às costas. Talvez depositasse sua confiança nos muitos transeuntes que percorriam Wallen à noite, achando que a presença deles desencorajava qualquer ataque. Ou talvez simplesmente *quisesse* dar a impressão de inocência.

Em outras palavras, talvez o gato estivesse agindo como um rato.

Girou a chave na fechadura de uma porta entre duas garotas em vitrines iluminadas de vermelho, e foi subindo um lance de escadas com carpete vermelho, seguido por Setrakian. Dreverhaven mantinha os dois andares de cima muito bem decorados, se não com luxo. A iluminação era pouca, com os focos de luz dirigidos para baixo e refletindo fracamente nos tapetes macios. As janelas da frente davam para leste e não tinham venezianas pesadas. Não havia janelas nos fundos, e, avaliando as dimensões da sala, Setrakian achou-a estreita demais. Lembrou-se imediatamente de ter tido a mesma suspeita na casa do médico em Treblinka, suspeita essa levantada pelos boatos no campo de extermínio de que Dreverhaven tinha em casa uma sala secreta para exames, um centro cirúrgico escondido.

Dreverhaven se aproximou de uma mesa iluminada, sobre a qual descansou a bengala. Numa bandeja de porcelana, Setrakian reconheceu os papéis que entregara antes ao agente: documentos de procedência estabelecendo uma ligação plausível com o leilão de 1911 em Marselha, todos caras falsificações.

Dreverhaven tirou o chapéu e colocou-o numa mesa, mas nem assim se virou.

– Posso lhe oferecer um aperitivo?

– Infelizmente não – respondeu Setrakian, abrindo as duas fivelas da maleta, mas deixando o fecho superior fechado. – As viagens perturbam meu aparelho digestivo.

– Já o meu é feito de ferro.
– Por favor, não deixe de servir-se por minha causa.
Dreverhaven virou vagarosamente na semiescuridão.
– Não posso fazer isso, monsieur Pirk. É um hábito meu nunca beber sozinho.

Em vez do *strigoi* gasto pelo tempo que ele esperava, Setrakian estava abismado, embora tentasse ocultar esse sentimento, ao ver que Dreverhaven tinha a mesma aparência de décadas antes. Aqueles mesmos olhos cristalinos. O cabelo negro como um corvo caindo atrás da nuca. Setrakian sentiu um gostinho de ácido, mas tinha pouco motivo para ter medo: Dreverhaven não o reconhecera no poço, e certamente não o reconheceria ali, mais de um quarto de século depois.

– Então – disse Dreverhaven. – Vamos consumir nossa feliz transação.

A maior prova de controle de Setrakian foi mascarar seu espanto diante da fala do vampiro. Ou, mais precisamente, do jeito com que ele brincava com a fala. O vampiro se comunicava com Setrakian pelo modo usual, telepático, "falando" diretamente dentro da cabeça do interlocutor, mas aprendera a manipular seus lábios inúteis numa pantomima da fala humana. Setrakian percebeu como, dessa maneira, "Jan-Piet Blaak" se movimentava em Amsterdã à noite sem medo de ser descoberto.

Setrakian esquadrinhou a sala à procura de outra saída. Precisava saber se o *strigoi* estava encurralado, antes de dar o bote. Viera de muito longe para deixar Dreverhaven escapar de suas mãos.

– Então devo entender que não tem preocupação quanto ao livro – disse Setrakian –, dada a má sorte que parece desabar sobre aqueles que o possuem?

Dreverhaven ficou parado com as mãos atrás das costas.

– Sou um homem que abraça os amaldiçoados, monsieur Pirk. E, além disso, parece que nenhuma infelicidade ainda atingiu sua pessoa.

– Não... ainda não – mentiu Setrakian. – E por que este livro, se é que posso perguntar?

– Um interesse acadêmico, digamos. Pode me ver como mais um intermediário. Na realidade, empreendi essa busca global para outra pessoa interessada. O livro é muito raro, e não vem à tona há mais de meio século. Muitos acreditam que a única edição remanescente foi destruída. Mas, de acordo com os seus documentos, talvez tenha sobrevivido. Ou haja uma segunda edição. Está preparado para mostrá-lo agora?

– Estou. Mas primeiro gostaria de ver o pagamento.

– Ah, naturalmente. No estojo na cadeira de canto, aí atrás.

Setrakian se mexeu lateralmente, com uma descontração que não sentia, procurando o fecho com o dedo e abrindo a tampa. O estojo estava cheio de notas de florim amarradas.

– Muito bem – disse ele.

– Trocando papel por papel, monsieur Pirk. Agora, quer retribuir?

Setrakian deixou o estojo aberto e voltou à maleta. Abriu o fecho, mantendo todo o tempo um olho em Dreverhaven.

– Talvez saiba que o livro tem uma encadernação muito rara.

– Estou ciente, sim.

– Embora tenham me assegurado que isso é apenas parcialmente responsável por seu preço escandaloso.

– Permita que lhe lembre que foi o próprio monsieur que estabeleceu o preço. E não julgue um livro apenas pela capa. Como acontece com muitos clichês, esse é um bom conselho, frequentemente ignorado.

Setrakian levou a maleta para a mesa onde estavam os documentos de procedência. Abriu a tampa debaixo da luz fraca e se afastou.

– Quando quiser.

– Por favor – disse o vampiro –, gostaria que você o retirasse. Insisto nisso.

– Muito bem.

Setrakian voltou para a maleta e meteu as mãos enluvadas de preto ali dentro. Tirou o livro, que era encadernado em prata, forrado na frente e atrás com lâminas de prata.

Ofereceu o livro a Dreverhaven. Os olhos do vampiro se estreitaram, brilhando.

Setrakian deu um passo na direção dele.

– Gostaria de inspecioná-lo, é claro?

– Coloque o volume naquela mesa, monsieur.
– Naquela mesa? Mas a luz é tão melhor aqui.
– Por favor, coloque o livro naquela mesa.
Setrakian não obedeceu imediatamente. Permaneceu parado, com o pesado livro de prata nas mãos.
– Mas você deve querer examiná-lo.
Os olhos de Dreverhaven se elevaram da capa do livro para o rosto de Setrakian.
– Sua barba, monsieur Pirk... obscurece o seu rosto. Dá ao senhor uma aparência hebraica.
– É mesmo? Eu presumo que não goste de judeus.
– Eles não gostam de mim. O seu sotaque, monsieur Pirk, também me é familiar.
– Por que não examina de perto esse livro?
– Não preciso fazer isso. É uma falsificação.
– Talvez. Talvez seja, mesmo. Mas a prata... posso lhe assegurar que essa prata é bem verdadeira.
Setrakian avançou para Dreverhaven, segurando o livro na frente do corpo. Dreverhaven recuou e depois parou.
– Suas mãos... você é aleijado – disse ele, voltando os olhos para o rosto de Setrakian. – O marceneiro. Então *é* você.
Setrakian afastou para trás o casaco, puxando da dobra interior esquerda uma espada com lâmina de prata de tamanho modesto.
– Ficou indolente, Herr Doktor.
Dreverhaven atacou com o ferrão. Não foi um golpe completo, apenas uma finta; o vampiro inchado pulou para trás, de encontro à parede, e depois desceu para o chão de novo.
Setrakian previu o movimento: o médico era consideravelmente menos ágil do que muitos outros que ele já enfrentara. Rapidamente colocou-se de costas para a janela, que era a única rota de fuga do vampiro.
– Está muito lerdo, doutor – disse Setrakian. – A sua caça aqui tem sido fácil demais.
Dreverhaven sibilou, demonstrando preocupação nos olhos; o calor do esforço já começava a derreter a maquiagem facial da fera. Depois

olhou para a porta, mas Setrakian não acompanhou o olhar. Aquelas criaturas sempre criavam uma saída de emergência. Até mesmo um carrapato inchado de sangue como Dreverhaven.

Setrakian fingiu que atacava, mantendo o *strigoi* sem equilíbrio, forçando-o a reagir. O vampiro lançou o ferrão em outro ataque abortado. Setrakian respondeu com um golpe rápido da lâmina, que o teria cortado pela raiz.

Então Dreverhaven tentou fugir, correndo lateralmente ao longo das estantes no fundo da sala, mas Setrakian foi tão rápido quanto ele. Ainda tinha o livro na mão, e atirou-o contra o gordo vampiro, fazendo a criatura se encolher diante da prata tóxica. E então avançou, encostando a ponta da lâmina de prata na parte superior da garganta de Dreverhaven. A cabeça do vampiro inclinou-se para trás, apoiando o topo nas lombadas dos preciosos livros arrumados na prateleira superior, com os olhos fixos em Setrakian.

A prata o enfraquecia, impossibilitando o uso do ferrão. Setrakian meteu a mão no bolso mais fundo do casaco, que era forrado de chumbo, e retirou um amarrado de grossas bugigangas de prata enroladas numa malha de aço fino e penduradas num pedaço de fio.

Os olhos do vampiro se esbugalharam, mas ele estava incapaz de se mover. Setrakian passou o colar sobre a cabeça dele, descendo até os ombros.

A corrente de prata pesava sobre o *strigoi* como uma fieira de pedras de cinquenta quilos. Setrakian puxou uma cadeira bem a tempo de Dreverhaven desabar ali, evitando que o vampiro caísse no chão. A cabeça da criatura inclinou-se para um lado, enquanto as mãos tremiam impotentes no colo.

Setrakian pegou o livro, que era, na realidade, uma cópia da sexta edição de *A origem das espécies*, de Charles Darwin, encadernada em prata inglesa, e colocou-o de novo na maleta. De espada na mão, voltou à estante para a qual o desesperado Dreverhaven correra.

Depois de uma cuidadosa busca, atento a possíveis armadilhas, encontrou o volume que servia de gatilho. Ouviu um clique e sentiu que aquela seção da estante cedia; depois empurrou a parede, que se abriu, montada num eixo giratório.

A primeira coisa que ele sentiu foi o cheiro. Os aposentos dos fundos de Dreverhaven não tinham janelas nem qualquer ventilação, apenas um amontoado de livros descartados, lixo e trapos fedorentos. Mas essa não era a fonte do cheiro mais forte, que vinha do andar de cima, acessível por uma escada respingada de sangue.

Uma sala de operações, com uma mesa de aço inoxidável sobre azulejos pretos, aparentemente coalhados de sangue humano coagulado. Décadas de sujeira cobriam cada superfície, e num dos cantos moscas zumbiam alucinadas em torno de uma geladeira ensanguentada.

Setrakian prendeu a respiração e abriu a geladeira, porque precisava fazer isso. Ali havia apenas itens de perversão, nada de interesse real. Nenhuma informação para auxiliar na busca empreendida por ele, que viu que estava se acostumando com a depravação e a carnificina.

Depois voltou para a criatura que sofria na cadeira. O rosto de Dreverhaven já derretera, revelando o *strigoi* por baixo. Setrakian foi até as janelas, por onde a aurora começava apenas a se infiltrar, antes de penetrar com força no apartamento, limpando-o da escuridão e de vampiros.

– Como eu temia cada aurora no campo – disse Setrakian. – Era o começo de mais um dia na fazenda da morte. Eu não temia a morte, mas também não podia evitá-la. Escolhi sobreviver. E fazendo isso, escolhi o temor.

Eu estou feliz por morrer.

Setrakian olhou para Dreverhaven. O *strigoi* nem se dava mais ao trabalho de mover os lábios.

Todas as minhas ambições há muito foram satisfeitas. Fui tão longe quanto alguém pode ir nesta vida, homem ou animal. Nada mais desejo. A repetição só extingue o prazer.

– O livro – disse Setrakian, ousando chegar mais perto de Dreverhaven. – Não existe mais.

Existe sim. Mas só um idiota teria a coragem de ir atrás dele. Perseguir o Occido Lumen significa perseguir o Mestre. Você pôde vencer um assecla cansado como eu, mas se for atrás dele, as chances certamente estarão contra você. Como estavam contra a sua querida esposa.

Então, na verdade, o vampiro ainda tinha um resto de maldade. Ainda possuía a capacidade, mesquinha e vaidosa que fosse, de sentir prazer doentio. Seu olhar nunca se afastava do olhar de Setrakian.

A manhã já estava sobre eles, com o sol aparecendo num certo ângulo através das janelas. Setrakian levantou-se e subitamente agarrou o espaldar da cadeira de Dreverhaven, inclinando-a sobre as pernas traseiras e arrastando-a através da estante para os aposentos ocultos no fundo, deixando duas marcas no soalho de madeira.

– A luz do sol é boa demais para Herr Doktor – declarou.

O *strigoi* ficou olhando para ele, cheio de expectativa. Ali, finalmente, estava o inesperado. Dreverhaven ansiava participar de qualquer perversão, pouco importando o papel que viesse a desempenhar.

Setrakian manteve um firme controle sobre sua raiva.

– A imortalidade não é amiga dos perversos, você diz? – Setrakian empurrou a estante com o ombro, bloqueando a entrada da luz do sol.

– Então, você gozará da imortalidade.

É isso aí, marceneiro. Essa é a sua paixão, judeu. O que você tem em mente?

A execução do plano levou três dias. Durante setenta e duas horas Setrakian trabalhou sem descanso, num torpor vingativo. Desmembrar o *strigoi* sobre a mesa de operações do próprio Dreverhaven, cortando e cauterizando todos os quatro membros, foi a parte mais perigosa. Depois Setrakian comprou uma jardineira de chumbo para cultivar tulipas, a fim de montar um caixão sem terra para o *strigoi* com colar de prata, visando cortar toda comunicação do vampiro com o Mestre. Nesse sarcófago acondicionou a abominação e seus diversos membros. Depois alugou um bote e pagou uma pequena fortuna a seis marinheiros bêbados para ajudá-lo a carregar o caixão na embarcação. Então saiu navegando pelo mar do Norte. Após muito esforço, conseguiu jogar o caixão por cima da borda sem afundar o bote no processo, e dessa forma deixou o vampiro encalhado entre duas massas de terra, a salvo dos mortíferos raios de sol e, contudo, impotente por toda a eternidade.

Foi somente quando o caixão tocou o fundo do oceano, que a voz sarcástica de Dreverhaven finalmente deixou a mente de Setrakian, como uma loucura sendo curada. Setrakian olhou para seus dedos tortos, doloridos e ensanguentados, ardendo com a água salgada, e cerrou dois punhos disformes.

Estava realmente no caminho da loucura. Era hora de mergulhar no submundo, exatamente como fizera o *strigoi*. Para continuar o trabalho com discrição e esperar sua oportunidade.

Sua oportunidade de pegar o livro. E o Mestre.

Era hora de ir para os Estados Unidos.

O MESTRE – Parte II

O Mestre era, acima de tudo, compulsivo tanto na ação quanto no pensamento. Já considerara cada permutação potencial de seu plano. Sentia-se vagamente ansioso para que tudo aquilo fruísse, mas uma coisa que não lhe faltava era convicção.

Os Antigos seriam exterminados todos de uma vez, e numa questão de horas.

Eles nem mesmo perceberiam o fim se aproximar. Como poderiam? Afinal de contas, o Mestre não orquestrara a morte de um deles, junto com seis servos, alguns anos antes na cidade de Sofia, Bulgária? O próprio Mestre compartilhara a dor da angústia da morte no próprio momento em que aquilo ocorrera, sentindo a turbilhante força da escuridão – o implacável nada – e saboreando a sensação.

No dia 26 de abril de 1986, diversas centenas de metros abaixo do centro da cidade búlgara, um clarão solar – uma fissão próxima da força do sol – ocorreu dentro de um porão abobadado com paredes de concreto de cinco metros de espessura. A cidade acima foi sacudida por um estrondo profundo e um movimento sísmico, cujo epicentro ficava na rua Pirotska, mas não houve feridos, e poucos danos aos imóveis.

O evento fora pouco comentado nos noticiários, mal chegando a ser mencionado. Fora totalmente eclipsado pelo derretimento do reator de Chernobyl, e, contudo, de uma maneira desconhecida pela maioria, os dois eventos estavam intimamente relacionados.

Dos sete originais, o Mestre permanecera o mais ambicioso, o mais faminto e, em certo sentido, o mais moço. Isso era até natural. O Mestre fora o último a surgir, e onde fora criado ficava a boca, a garganta, *a sede*.

Divididos por essa sede, os outros se espalharam e se esconderam. Ocultos, mas conectados.

Essas ideias formigavam na grande consciência do Mestre. Seus pensamentos divagaram para a época em que ele pela primeira vez visitara Armageddon nesta Terra – em cidades havia muito esquecidas, com pilares de alabrasto e pisos de ônix polido.

Para quando, pela primeira vez provara sangue.

Rapidamente o Mestre readquiriu o controle sobre os seus pensamentos. As lembranças eram uma coisa perigosa. Individuavam a mente do Mestre, e quando isso acontecia, até mesmo em ambientes protegidos, os outros Antigos também conseguiam ouvir. Pois nesses momentos de clareza, suas mentes se tornavam uma só. Como haviam sido outrora, e deveriam ser para sempre.

Todos eles haviam sido criados como um, e assim o Mestre não tinha um nome só seu. Todos compartilhavam um único nome, Sariel, tal como compartilhavam uma natureza e um propósito. Suas emoções e pensamentos eram naturalmente conectados, exatamente como o Mestre se conectava com a ninhada que estava chocando, e com tudo que brotaria depois disso. O vínculo entre os Antigos podia ser bloqueado, mas nunca poderia ser quebrado. Os instintos e pensamentos deles ansiavam naturalmente por essa conexão.

A fim de ter êxito, o Mestre precisava subverter tal ocorrência.

FOLHAS CAÍDAS

O esgoto

Quando recobrou a consciência, Vasiliy se viu meio submerso em água suja. Ao seu redor, canos rompidos vomitavam litros e litros de água de esgoto na poça crescente ali embaixo. Tentou se levantar, mas apoiou-se no braço quebrado e gemeu. Lembrou-se do que acontecera: a explosão, os *strigoi*. No ar pesava o aroma perturbador de carne assada, misturado com fumaças tóxicas. Em algum lugar a distância, acima ou abaixo, ele ouviu sirenes e o guincho de rádios policiais. À frente, o fraco brilho do fogo realçava a boca distante de um duto.

Sua perna ferida estava submersa, ainda sangrando, e contribuía para tornar a água mais escura. Seus ouvidos ainda zuniam, ou melhor, apenas um deles zunia. Vasiliy levantou a mão até a orelha, e sangue coagulado se desmanchou nos seus dedos. Temeu ter estourado um tímpano.

Não tinha ideia de onde estava nem de como poderia sair dali, mas a explosão devia tê-lo atirado a uma boa distância, e viu que agora tinha um pequeno espaço livre ao seu redor.

Virou-se e localizou uma grade solta ao lado do corpo. Aço enferrujado e parafusos apodrecidos chacoalhando. Puxou um pouco a grade e já começou a sentir o sopro do ar fresco. Estava próximo da liberdade, mas seus dedos não tinham força suficiente para abrir a grade.

Vasiliy apalpou em torno à procura de algo para usar como alavanca. Localizou uma barra de ferro retorcida, e depois, com o rosto para baixo, o corpo calcinado do *strigoi*.

Ao olhar para os restos queimados, Vasiliy passou por um momento de pânico. Os vermes sanguíneos. Teriam escapado do hospedeiro e procurado cegamente outro corpo naquele buraco úmido? Se fosse isso... já estariam dentro dele? O ferimento na perna? Será que ele se sentiria diferente se estivesse infectado?

Então o corpo se movimentou.

Tremeu.

Muito ligeiramente.

Ainda estava funcionando. Ainda vivo, tão vivo quanto um vampiro pode estar.

Era por isso que os vermes ainda não haviam escapado.

O vampiro se mexeu e sentou ereto na água. As costas estavam queimadas, mas não a parte da frente do corpo. Alguma coisa estava errada com seus olhos, e Vasiliy percebeu instantaneamente que ele não conseguia mais ver. O vampiro movimentava-se com uma determinação lerda, tendo muitos dos ossos completamente deslocados, embora a musculatura permanecesse intacta. A mandíbula não estava mais no lugar, arrancada pela explosão, de modo que o ferrão balançava frouxamente no ar, como um tentáculo.

O ser se distendeu de maneira agressiva, feito um predador cego pronto para atacar. Mas Vasiliy estava transfixado pelo ferrão exposto, porque era a primeira vez que conseguia ver aquilo completamente. O órgão estava ligado a dois pontos, tanto na base da garganta quanto no fundo do palato. A raiz era grossa e tinha uma estrutura muscular ondulante. No fundo da garganta, um orifício semelhante a um esfíncter escancarava-se querendo alimento. Vasiliy achou que já vira uma estrutura muscular assim antes... mas onde?

Na escassa meia-luz, apalpou em torno, procurando a pistola de pregos. A cabeça da criatura se virou devido aos sons produzidos pela água, tentando se orientar. Vasiliy estava a ponto de desistir quando tropeçou na arma, completamente submersa na água. *Diabo*, pensou ele, tentando controlar a raiva.

Mas a coisa já o localizara, de alguma forma, e atacou. Vasiliy se movimentou o mais depressa que pôde, mas a criatura, já cegamente adaptada à forma do duto em torno e aos seus membros danificados, conseguira se pôr de pé, movimentando-se com uma coordenação sobrenatural.

Vasiliy levantou a pistola na esperança de ter sorte. Puxou o gatilho duas vezes, e descobriu que estava sem munição. Esvaziara todo o pente antes de desmaiar, e agora tinha uma ferramenta industrial vazia na mão.

A coisa chegou a ele em questão de segundos, derrubando-o no chão.

Vasiliy tinha todo o peso em cima de si. O que sobrara da boca do vampiro tremia enquanto o ferrão se recolhia, pronto para atacar.

Agindo por reflexo, Vasiliy agarrou o ferrão como agarraria um rato raivoso. Puxou o órgão, curvando-o para fora da estrutura da garganta aberta da criatura, que se contorceu e soltou um ganido. Seus braços deslocados eram incapazes de lidar com a força de Vasiliy. O ferrão parecia uma cobra, extremamente musculosa, viscosa e serpenteante. Resistia e tentava se libertar, mas agora, Vasiliy estava com raiva. Quanto mais a coisa puxava para trás, mais ele puxava para a frente. Não reduzia a intensidade do aperto, e seu braço bom puxava com toda a força.

E a força de Vasiliy era imensa.

Com um puxão final, sobrepujou o *strigoi*, arrancando o ferrão com parte da estrutura glandular e da traqueia do pescoço da coisa.

O órgão se contorcia na mão dele, movendo-se como um animal independente, enquanto o corpo do hospedeiro tremelicava espasmodicamente, caindo para trás.

Um gordo verme sanguíneo emergiu daquela massa convulsa, arrastando-se rapidamente sobre o pulso de Vasiliy, e de repente começou a furar o braço dele. Perfurava direto, na direção das veias do antebraço. Vasiliy atirou longe a estrutura do ferrão, ao ver aquele parasita invadir seu corpo. O verme já estava a meio caminho. Agarrou a extremidade visível que se contorcia e puxou. Arrancou aquilo fora, gritando de dor e nojo. De novo teve um reflexo e cortou o parasita nojento em dois.

Nas mãos de Vasiliy, diante de seus olhos, as duas metades se regeneraram como que por mágica, formando dois parasitas completos de novo.

Vasiliy lançou os dois para longe. Então viu, saindo do corpo do vampiro, dezenas de vermes escapando e deslizando na sua direção pela água fétida.

Sem seu pedaço de aço retorcido, Vasiliy resolveu mandar tudo para o inferno: cheio de adrenalina, agarrou a grade com as mãos nuas, arrancou o troço fora, pegou a pistola de pregos, saltou do duto e correu para a liberdade.

O Anjo de Prata

MORAVA SOZINHO NUM CONJUNTO residencial em Jersey City, a dois quarteirões da praça Journal. Um dos poucos bairros que não se tornara uma área nobre da cidade. Tantos yuppies haviam se apossado do restante... e de onde eles vêm? Como nunca terminam de chegar?

Subiu as escadas até o apartamento no quarto andar, com o joelho direito rangendo, literalmente rangendo a cada passo, e sentindo uma pontada de dor percorrer seu corpo de cada vez.

Seu nome era Angel Guzman Hurtado, e sempre foi grande. Ainda era grande fisicamente, mas com a idade de sessenta e cinco anos, seu joelho recondicionado doía todo o tempo. A gordura do seu corpo – aquilo que seu médico americano chamava de Índice de Massa Corporal, e que qualquer mexicano chamaria de *panza* – sobrepujara sua, não fosse por isso, silhueta poderosa. Seu corpo era curvado onde antes costumava ser rígido, e estava rígido onde antes era flexível, mas... grande? Angel sempre fora grande. Tanto como homem quanto como astro, ou pelo menos o que se assemelhava com isso no seu passado.

Angel fora um lutador, *o* Lutador, lá na Cidade de México. *El Ángel de Plata*. O Anjo de Prata.

Começara a carreira nos anos 1960 como lutador *rudo* (um dos "bandidos"), mas logo se vira abraçado, com a máscara de prata que era sua marca registrada, pelo público que o adorava, de modo que se adaptou e alterara sua persona para *tecnico*, um dos "mocinhos". Ao longo dos anos, convertera-se numa indústria: histórias em quadrinhos, fotonovelas que narravam suas aventuras estranhas e muitas vezes ridículas, além de filmes e aparições rápidas na TV. Abrira duas academias de ginástica e comprara meia dúzia de imóveis por toda a Cidade do México, tornando-se, sem depender de ninguém, uma espécie de super-herói. Seus filmes cobriam todos os gêneros: faroeste, terror, ficção científica, agente secreto, muitas vezes dentro da mesma história. Representava criaturas anfíbias ou espiões soviéticos com o mesmo aprumo, em cenas mal coreografadas e cheias de efeitos de som artificiais. Sempre terminava com sua marca registrada, um golpe que punha o inimigo a nocaute, conhecido como o "Beijo do Anjo".

Mas fora com vampiros que ele descobrira sua verdadeira vocação. O super-herói com máscara de prata combatia todas as formas de vampiro: masculinos, femininos, magros, gordos e, ocasionalmente, até mesmo nus, para versões alternativas só exibidas no exterior.

Mas a queda final igualou a altura de sua ascensão. Quanto mais Angel expandia o império de sua marca registrada, menos frequentemente treinava, e lutar virou um aborrecimento que ele precisava suportar. Quando os filmes eram sucesso de bilheteria e sua popularidade ainda estava alta, realizava exibições de luta apenas uma ou duas vezes por ano. Seu filme *Angel versus a volta dos vampiros* (um título que não fazia sentido sintático e, contudo, resumia bem o tema) encontrou nova vida em reprises na TV, e Angel se viu obrigado, com a fama já em declínio, a produzir um reencontro cinemático com aquelas criaturas de capa e dentes grandes que haviam lhe dado tanto.

E então aconteceu que, numa bela manhã, ele se viu face a face com um grupo de jovens lutadores disfarçados de vampiros, com tinta pastosa barata e dentes de borracha. O próprio Angel marcou uma mudança na coreografia da luta que o faria terminar a cena três horas mais cedo, pois sua atenção estava menos em fazer aquele filme do que em degustar seu martíni à tarde no Hotel Intercontinental.

Na cena, um dos vampiros quase arrancaria a máscara de Angel, mas milagrosamente ele se livraria com um golpe de mão aberta, a marca registrada que era o "Beijo do Anjo".

Conforme a cena progredia, porém, filmada entre técnicos suados num sufocante palco nos estúdios Churubusco, o ator vampiresco mais moço, talvez entusiasmado pela glória de sua estreia cinematográfica, aplicou um pouco mais de força do que a necessária na escaramuça, e jogou ao chão o lutador de meia-idade. Ao caírem, o vampiro adversário aterrissou, tanto desajeitada quanto tragicamente, sobre a perna do venerável mestre.

O joelho de Angel partiu com um ruído úmido e alto, dobrando-se num L quase perfeito, com o grito de angústia do lutador abafado pela máscara de prata meio rasgada.

Acordou horas mais tarde num quarto particular de um dos melhores hospitais do México, cercado por flores e acompanhado por gritos de melhoras na rua lá embaixo.

Mas sua perna se quebrara. Irreparavelmente.

O bom médico explicou isso a ele com benevolente franqueza. Era um homem com quem Angel já passara algumas tardes jogando dados num clube campestre perto dos estúdios de filmagem.

Nos meses e anos que se seguiram, Angel gastou grande parte de sua fortuna tentando consertar o membro quebrado, na esperança de retomar sua carreira fraturada e recobrar sua técnica, mas a pele do joelho endureceu devido às múltiplas cicatrizes entrecruzadas, e os ossos se recusaram a sarar apropriadamente.

Numa humilhação final, um jornal revelou sua identidade para o público; sem a ambiguidade e o mistério da máscara de prata, Angel, o homem comum, tornou-se um objeto de demasiada pena para ser adorado.

O restante aconteceu rápido. Com os investimentos claudicando, trabalhou como treinador, depois guarda-costa, depois leão de chácara, mas seu orgulho permaneceu, e logo se viu como um velho corpulento que não assustava ninguém. Quinze anos antes, seguira uma mulher até Nova York e ultrapassara o prazo de estada no país. Agora, como a maioria das pessoas que terminavam em conjuntos, não sabia direito como chegara ali, só sabia que estava mesmo ali, residindo num prédio bem semelhante aos seis que ele próprio já possuíra.

Mas pensar no passado era perigoso e doloroso.

À noite ele trabalhava como lavador de pratos no Tandoori Palace, no andar térreo do prédio vizinho. Era capaz de passar horas em pé nas noites de movimento, porque enrolava pedaços de fita adesiva em torno de duas talas largas colocadas de cada lado do joelho, por baixo da calça. E havia muitas noites de movimento. De vez em quando, Angel limpava os banheiros e varria as calçadas, dando aos Guptas, seus patrões, uma boa razão para mantê-lo por ali. Ele decaíra ao nível mais baixo daquele sistema de castas, tão baixo que agora seu bem mais valioso era o anonimato. Ninguém precisava saber quem Angel fora. De certa maneira, ele voltara a usar uma máscara.

Nas duas noites anteriores, o Tandoori Palace permanecera fechado, como também a mercearia ao lado, a outra metade do empório neobengalense de propriedade dos Guptas. Não chegara uma palavra da parte deles, nem havia sinal de sua presença; ninguém respondia ao telefone. Angel começara a se preocupar, não por causa deles, na verdade, mas por causa de seu salário. O rádio falava em quarentena, o que era bom para a saúde, mas muito ruim para os negócios. Será que os Guptas haviam fugido da cidade? Talvez houvessem sido envolvidos em algum daqueles atos violentos que vinham aumentando? Naquele caos todo, como ele poderia saber se haviam sido baleados?

Três meses antes, haviam-no mandado fazer duplicatas das chaves de ambas as casas. Ele fizera triplicatas, sem saber o que o possuíra. Certamente aquilo não fora um impulso sinistro de sua parte, mas apenas uma lição aprendida com a vida: esteja preparado para qualquer coisa.

À noite, decidiu, daria uma olhadela. Precisava saber. Pouco antes do crepúsculo, Angel desceu até a loja dos Guptas. A rua estava quieta, exceto por um cachorro, um husky preto que Angel nunca vira nas vizinhanças, latindo para ele na calçada do outro lado. Mas alguma coisa evitava que o animal cruzasse a rua.

A loja dos Guptas já se chamara Taj Mahal, mas depois de gerações de remoção de pichações e panfletos, o logotipo pintado se gastara tanto, que restara apenas a figura rosada da Maravilha do Mundo indiana. Estranhamente, a imagem exibia minaretes demais.

Agora alguém estragara o logotipo ainda mais, pintando um misterioso desenho com linhas e pontos alaranjados fluorescentes. Embora misterioso, o desenho era de tinta fresca que ainda brilhava, com algumas linhas pingando vagorosamente pelos cantos.

Vândalos. Aqui. Contudo as fechaduras continuavam no lugar, e a porta intacta.

Angel girou a chave. Quando ambos os ferrolhos deslizaram para o lado, ele entrou mancando.

Tudo estava silencioso. A força fora cortada, de modo que a geladeira estava desligada, com as carnes e os peixes lá dentro começando a estragar. A luz do sol poente filtrava pelas persianas de aço que cobriam as janelas, como um nevoeiro laranja-ouro. Mais para dentro, a loja estava escura. Ele trouxe dois telefones celulares quebrados. Não serviam mais para telefonar, mas as baterias ainda funcionavam. Angel tinha descoberto que, graças a uma foto de sua parede branca tirada durante o dia, as telas viravam lanternas excelentes, se pendurada no cinto ou amarradas na cabeça para trabalho bem de perto.

A loja estava numa desordem absoluta. Arroz e lentilhas cobriam o chão, com diversos recipientes emborcados. Os Guptas jamais teriam permitido aquilo.

Angel percebeu que algo estava profundamente errado.

Acima de tudo havia no ar um cheiro de amônia. Não aquele lacrimejante odor de detergente encontrado nas lojas que Angel usava para limpar os banheiros, mas algo mais fedorento. Não era um produto químico puro, mas sujo e orgânico. O telefone de Angel iluminou diversos rastros serpenteantes de um fluido alaranjado ao longo do chão, pegajosos e ainda úmidos. Levavam à porta do porão.

O porão debaixo da loja se comunicava com o restaurante, e depois com os andares do subsolo do conjunto onde Angel morava.

Com o ombro, empurrou a porta do escritório dos Guptas. Sabia que mantinham uma velha pistola dentro da escrivaninha. Descobriu a arma, pesada e oleosa, absolutamente diferente das pistolas falsas brilhantes que costumava brandir nos espetáculos. Meteu um dos telefones no cinto apertado e voltou à porta da adega.

Com a perna doendo mais do que nunca, o velho lutador começou a descer os degraus escorregadios. No fundo havia uma porta que fora arrombada, mas pelo lado de dentro. Alguém invadira a loja vindo da adega.

Além da despensa, Angel ouviu um sibilo uniforme e prolongado. Entrou com a arma e o telefone nas mãos.

Havia outro desenho manchando a parede. Parecia uma flor de seis pétalas, ou talvez uma mancha de tinta, com o centro pintado de dourado, e as pétalas de preto. A tinta ainda brilhava, e Angel correu a luz por sobre o que talvez fosse um inseto, não uma flor, antes de passar pela porta que dava para o aposento contíguo.

O teto era baixo, com vigas de madeira espaçadas servindo de suporte. Angel conhecia bem a planta do local. Uma passagem conduzia a um lance de escada estreito que levava à calçada, onde eles recebiam encomendas de alimentos três vezes por semana. A outra passagem levava ao prédio onde Angel residia. Partiu na direção do seu prédio, quando sentiu a ponta do sapato se chocar com algo.

Dirigiu a luz do telefone para o chão. A princípio, não compreendeu. Uma pessoa, dormindo. Depois outra. E mais duas perto de uma pilha de cadeiras.

Não estavam dormindo, porque Angel não conseguia ouvir qualquer ruído de ronco ou respiração profunda. Contudo, não estavam mortas, porque não tinham cheiro de defuntos.

Nesse instante, do lado de fora o último dos raios de sol desapareceu do céu da Costa Leste. A noite cobriu a cidade, e os vampiros transformados havia pouco tempo, aqueles nos seus primeiros dias, reagiram literalmente ao decreto cósmico do nascer e do pôr do sol.

Os vampiros mergulhados no torpor começaram a se agitar. Angel tropeçara involuntariamente, num vasto ninho de mortos-vivos. Não precisava esperar e ver os rostos para saber que aquilo – as pessoas levantando em massa no chão de uma adega escura – não era algo de que quisesse participar, e nem mesmo que quisesse presenciar.

Dirigiu-se para o espaço estreito na parede, na direção do túnel que levava ao seu prédio. Era um trecho do qual ele conhecia ambas as extremidades, mas que nunca tivera ocasião de atravessar. Mas viu outros vultos começarem a se levantar, bloqueando seu caminho.

Angel não gritou nem deu qualquer alarme. Disparou a arma, mas não estava preparado para a intensidade da luz e do som dentro daquele espaço restrito.

Os alvos também não estavam preparados; pareciam mais afetados pelos estampidos e pelo brilhante clarão de fogo, do que pelas balas de chumbo que perfuravam seus corpos. Angel disparou mais três vezes, conseguindo o mesmo efeito, e depois deu dois tiros para trás, percebendo a aproximação dos outros.

A arma fez um clique. Vazia.

Angel jogou o revólver no chão. Só restava uma opção. Havia uma velha porta que nunca abrira, porque nunca conseguira, uma porta sem maçaneta ou puxador, espremida dentro de um apertado vão encaixado numa parede de pedra.

Angel fingiu que era uma porta cenográfica. Disse a si próprio que era uma peça de pau-de-balsa. Precisava fazer isso. Agarrou o telefone na mão fechada, abaixou o ombro e investiu com toda a força.

A madeira velha foi arrancada do portal, soltando poeira e terra quando o fecho quebrou e a porta se abriu. Angel e sua perna obstinada cambalearam lá para dentro, quase caindo sobre uma gangue de marginais que estavam do outro lado.

O bando avançou, apontando as armas e as espadas de prata para ele, espantados com a corpulência de Angel, prontos para matá-lo.

– *Madre Santisima*! – gritou Angel.

Gus, à frente do bando, estava a ponto de liquidar com aquele vampiro filho da puta quando ouviu-o falar, e falar espanhol. Aquelas palavras detiveram Gus e os Safiras caçadores de vampiros atrás dele, no último momento.

– *Me lleva la chingada... que haces tu acá, muchachon?* – disse Gus. Que porra você está fazendo aqui, grandalhão?

Angel ficou calado, deixando sua expressão facial fazer o serviço enquanto se virava e apontava na direção de onde viera.

– Mais sugadores de sangue – disse Gus, entendendo. – É para isso que estamos aqui.

Depois olhou para aquele homem enorme. Havia algo nobre e familiar nele.

– *Te conozco?* – perguntou Gus. Conheço você? A que o lutador respondeu com um breve dar de ombros, sem mais palavras.

Alfonso Creem saiu impetuoso pelo vão da porta, armado com um grosso florete de prata que tinha o punho em forma de sino para protegê-lo dos vermes sanguíneos. Já a outra mão, desnuda, não tinha proteção além de um anel de prata que cobria todos os dedos, formando em diamantes falsos as letras C-R-E-E-M.

Avançou contra os vampiros, desferindo cortadas furiosas e golpes brutais. Gus vinha logo atrás, com uma lâmpada UV numa das mãos e uma espada de prata na outra. Mais Safiras acompanhavam os dois de perto.

Nunca lute num porão, era um princípio tanto de brigas de rua quanto da guerra propriamente dita, mas isso não podia ser evitado numa caça a vampiros. Gus teria preferido explodir uma bomba no lugar, se pudesse garantir que mataria todas aquelas criaturas. Mas aqueles vampiros sempre pareciam ter outra saída para escapar.

Havia mais vampiros no ninho do que eles esperavam, e o sangue branco se derramava como uma espécie de leite azedo lamacento. Mas, aos poucos foram cortando e abrindo caminho. Quando terminaram voltaram para Angel, que ficara parado do outro lado da porta quebrada.

Ele estava em estado de choque. Reconhecera os Guptas entre as vítimas de Creem, e não aguentara a visão daqueles rostos de mortos-vivos, nem os uivos emitidos quando o colombiano golpeara suas gargantas de sangue branco. Aqueles moleques pareciam os que ele costumava esbofetear em seus filmes.

– *Que chingados pasa?* – disse ele. O que significa tudo isso?

– O fim do mundo – disse Gus. – Quem é você?

– Eu... eu não sou ninguém – disse Angel se recobrando. – Só trabalhava aqui.

Ele apontou para um canto do túnel.

– E moro ali.

– Todo o seu prédio está infestado, cara.

– Infestado? Eles são realmente...

– Vampiros? Claro que são, porra.

Angel sentiu-se tonto, desorientado; aquilo não podia estar acontecendo. Não com ele. Um redemoinho de emoções o assaltou, e ele podia distinguir uma, que havia muito tempo o abandonara.

Excitação.

Creem estava flexionando seu punho de prata.

– Deixem o cara aí. Esses tarados estão acordando por todo o lugar, e eu ainda quero matar alguns.

– O que você diz? – perguntou Gus, voltando-se para seu compatriota. – Nada para você aqui.
– Olhe para esse joelho – disse Creem. – Ninguém vai me atrasar o passo, para me converter num desses caras de ferrão.
Gus tirou uma espada pequena da bolsa de equipamentos dos Safiras e entregou-a a Angel.
– Esse é o prédio dele. Vamos ver se ele faz jus ao cachê.

Como se uma espécie de alarme psíquico houvesse soado no prédio de Angel, os vampiros residentes estavam prontos para a batalha. Os mortos-vivos emergiam de cada vão de porta, ultrapassando obstáculos e subindo sem esforço por escadas.

Durante uma batalha nas escadas, Angel viu uma vizinha sua, uma mulher de setenta e três anos que dependia de um andador, usar o corrimão como ponto de apoio para pular por sobre o poço da escada entre os andares. Ela e os outros se movimentavam com a graça estupefaciente de primatas.

Nos filmes de Angel, o inimigo se anunciava com um olhar furioso e facilitava tudo para o herói, avançando lentamente para o golpe de morte. Angel não chegou a "fazer jus ao cachê", embora sua força bruta realmente lhe desse algumas vantagens. Seu conhecimento da luta livre lhe voltava em situações de combate corpo a corpo, a despeito de sua mobilidade limitada. E ele se sentiu, de novo, como um herói de filmes de ação.

Como espíritos malignos, os mortos-vivos continuavam a chegar. Como que convocados dos prédios vizinhos, como onda após onda, as criaturas pálidas, com línguas escorregadias, subiam como enxames dos andares de baixo, e as paredes do conjunto ficaram cobertas de sangue branco. Eles lutavam contra os vampiros tal como bombeiros lutam contra um incêndio, rechaçando-os, abafando novos focos de incêndio e atacando os pontos quentes. Funcionavam como um grupo de extermínio a sangue-frio, e mais tarde Angel se espantaria ao saber que aquele era o primeiro assalto noturno deles. Dois dos colombianos foram ferroados, perdidos para os vampiros; contudo, quando terminaram, os moleques só pareciam querer mais.

Comparado com aquilo, disseram eles, a caça diurna era uma brincadeira.

Uma vez contida a maré, um dos colombianos encontrou um pacote de cigarros, e todos eles foram fumar. Angel não fumava havia anos, mas o gosto e o cheiro bloqueavam o fedor daquelas coisas mortas. Gus observou a fumaça se dissipar e ofereceu uma prece silenciosa pelos mortos. Depois disse:

– Existe um homem – disse Gus –, um velho que é dono de uma loja de penhores em Manhattan. Foi ele que me deu a primeira pista para esses vampiros. Salvou minha alma.

– Nem pensar – disse Creem. – Para que se dar ao trabalho de cruzar o rio, se há tanta gente para matar aqui?

– Quando você encontrar esse cara, vai entender o porquê.

– Como você sabe que ele ainda não empacotou?

– Espero que ainda esteja vivo. Vamos atravessar a ponte assim que clarear.

Angel aproveitou esse instante para voltar ao seu apartamento pela última vez. O joelho doía quando ele olhou em volta: roupa por lavar empilhada num canto, pratos sujos na pia, a decadência geral do lugar. Nunca se orgulhara de suas condições de vida, e agora tinha vergonha daquilo. Pressentia que talvez soubesse todo o tempo que estava destinado a algo melhor, algo que nunca poderia ter previsto, e que só aguardava aquele chamado.

Atirou numa sacola de compras algumas roupas adicionais, inclusive a joelheira, e por último, quase envergonhadamente, agarrou sua máscara de prata, pois levá-la era admitir que aquilo era o seu bem mais precioso, tudo que sobrara do que ele fora antes.

Angel dobrou a máscara e colocou-a no bolso do casaco. Com aquilo perto do coração, percebeu que, pela primeira vez em décadas, ele se sentia bem consigo mesmo.

Flatlands

EPH TERMINOU DE TRATAR os ferimentos de Vasiliy, dando particular atenção à limpeza do buraco feito pelo verme no antebraço. O exterminador de ratos sofrera muitos danos físicos, mas nenhum permanente, exceto talvez uma diminuição da audição e um zumbido no ouvido direito. A lasca de metal foi retirada de sua perna; ficou mancando, mas não reclamou. Ainda estava de pé. Eph sentiu admiração por isso, um pouco como se fosse um universitário filhinho de mamãe ao lado dele. Com todos os seus anos de estudo e galardões acadêmicos, sentia-se infinitamente menos útil à causa do que Vasiliy.

Mas isso logo mudaria.

O exterminador abriu o armário de venenos, mostrando a Setrakian pacotes de iscas, armadilhas, vidros de halotano e alimento tóxico moído. Explicou que os ratos não possuem o mecanismo biológico que faz vomitar. A principal função da êmese é purgar o corpo de substâncias tóxicas, e é por isso que os ratos são particularmente suscetíveis ao envenenamento. E é também por isso que evoluíram e desenvolveram outras características para compensar essa deficiência. Uma dessas características era que podiam ingerir praticamente tudo, inclusive substâncias que não fossem alimentos, tais como argila ou concreto, que ajudavam a diluir os efeitos de uma toxina no corpo dos ratos até que pudessem se livrar do veneno como dejetos. Outra era a inteligência desses roedores, e suas complexas estratégias para evitar alimentos que os ajudavam a sobreviver.

– Achei engraçada uma coisa – disse Vasiliy. – Sabem quando eu cortei a garganta daquela coisa e consegui dar uma boa olhadela lá dentro?

– Sim? – perguntou Setrakian.

– Pelo que vi ali, apostaria tudo que eles também não conseguem vomitar.

Setrakian assentiu, refletindo.

– Acredito que você tenha razão – disse ele. – Posso perguntar qual é a composição química desses raticidas?

– Depende – disse Vasiliy. – Estes aqui usam sulfato de tálio, um pesado sal metálico que ataca o fígado, cérebro e os músculos. Inodoro, incolor e altamente tóxico. Já aqueles ali usam um diluidor de sangue de mamíferos comum.

– Mamíferos? O que... alguma coisa parecida com Coumadin?

– Não parecida. Exatamente igual.

Setrakian olhou para o vidro.

– Então venho tomando veneno para rato há alguns anos.

– Exato. Você e milhões de outras pessoas.

– E isso faz o quê?

– O mesmo que faria com qualquer um que tomasse uma quantidade demasiada. O anticoagulante provoca hemorragia interna. Os ratos se esvaem em sangue. Não é um espetáculo bonito.

Ao pegar o vidro para examinar o rótulo, Setrakian notou algo na prateleira ali atrás.

– Não quero alarmar você, Vasiliy, mas isso aqui não é cocô de rato?

Vasiliy foi até lá para olhar de perto.

– Puta que pariu! Como isso foi acontecer?

– Uma infestação de menor monta, tenho certeza – disse Setrakian.

– Menor, maior, que importa? Isso aqui devia ser que nem o Forte Knox! – Vasiliy derrubou alguns vidros, tentando enxergar melhor. – Isso é o mesmo que vampiros invadirem uma mina de prata.

Enquanto Vasiliy ficava procurando obsessivamente no fundo do armário à procura de mais provas, Eph viu Setrakian meter um dos vidros no bolso do casaco e se afastar. Foi atrás do professor até ficar sozinho com ele.

– O que você vai fazer com isso? – perguntou ele.

Setrakian não demonstrou culpa alguma por ter sido descoberto. As maçãs do rosto do velho estavam fundas, com a carne de uma palidez cinzenta.

– Ele disse que isso é essencialmente um diluidor do sangue. Com todas as farmácias sendo saqueadas, não gostaria de ficar sem meu remédio.

Eph estudou a expressão do velho, tentando ver a verdade atrás de sua mentira.

– Nora e Zack estão prontos para a viagem a Vermont? – perguntou Setrakian.

– Quase. Mas eles não vão para Vermont. Nora tem razão... é a casa dos pais de Kelly, e ela pode ser atraída para lá. Existe um acampamento de meninas que a Nora conhece, pois foi criada na Filadélfia. E agora estamos fora da temporada. São três cabanas numa ilhota no meio de um lago.

– Ótimo – disse Setrakian. – A água conservará os dois em segurança. A que horas vocês vão para a estação ferroviária?

– Logo – disse Eph, conferindo o relógio. – Ainda temos um pouco de tempo.

– Eles podiam ir de carro. Você percebe que agora estamos fora do epicentro. Com a falta de serviço direto do metrô e comparativamente poucos prédios que propiciem uma infestação rápida, este bairro ainda não foi completamente colonizado. Não estamos num lugar ruim, aqui.

Eph abanou a cabeça.

– O trem é o meio mais rápido e seguro para fugir dessa praga.

– Vasiliy me falou de uns policiais de folga que passaram pela loja, e que viraram vigilantes depois de porem as famílias a salvo fora da cidade. Acho que você tem algo semelhante em mente.

Eph ficou atônito. Será que o velho, de alguma forma, adivinhara seu plano? Estava a ponto de contar tudo quando Nora entrou, carregando uma caixa de papelão aberta.

– Para que servem esses troços? – perguntou ela, colocando a caixa no chão perto das gaiolas de guaximins. Ali dentro havia produtos químicos e bandejas. – Você vai montar uma câmara escura?

Setrakian voltou-se para Eph.

– Há certas emulsões de prata que eu quero testar nos vermes sanguíneos. Tenho confiança que uma leve névoa de prata, se obtida, sintetizada e dirigida, será uma arma eficaz para a matança em massa das criaturas.

– Mas como você vai testar isso? Aonde vai conseguir vermes sanguíneos? – perguntou Nora.

Setrakian ergueu a tampa de um invólucro de isopor e mostrou a jarra que continha o coração de vampiro dele, pulsando lentamente.

– Vou segmentar o verme que impulsiona este órgão.

– Isso não é perigoso? – indagou Eph.

– Só se eu cometer um erro. Já segmentei outros parasitas no passado. Cada seção se regenera em um verme plenamente funcional.

– É – disse Vasiliy, voltando do armário de venenos. – Já vi isso antes.

Nora ergueu a jarra, olhando para o coração que o velho vinha alimentando havia mais de trinta anos, mantendo a coisa viva com seu próprio sangue.

– Uau! É como um símbolo, não é?

Setrakian olhou para ela com profundo interesse.

– O que você quer dizer com isso?

– Esse coração doente mantido num vidro. Não sei. Acho que isso exemplifica o que acabará causando a nossa queda.

– O quê? – perguntou Eph.

– O amor – disse ela, olhando para ele com expressão tanto de tristeza quanto de pena.

– Ah – disse Setrakian, confirmando a opinião dela.

– Os mortos-vivos voltando para buscar seus Entes Queridos – disse Nora. – O amor humano corrompido em carência vampiresca.

– Talvez esse seja o mal mais insidioso dessa praga. É por isso que vocês precisam destruir Kelly.

Nora concordou rapidamente.

– Você precisa libertar Kelly do controle do Mestre. Libertar Zack. E, por extensão, todos nós.

Eph estava chocado, mas sabia muito bem que ela tinha razão.

– Eu sei – disse Eph.

– Mas não basta saber qual é a linha de ação correta – disse Setrakian. – Você está sendo convocado a realizar um feito que vai contra todo instinto humano. E, no ato de libertar um ente querido... você sente o que é ser transformado em vampiro. Ir contra tudo que você é. Tal ato muda uma pessoa para sempre.

As palavras de Setrakian eram poderosas, e todos ficaram em silêncio. Então Zack, evidentemente cansado de jogar o videogame portátil que Eph encontrara para ele, ou talvez porque a bateria finalmente se esgotara, voltou da van, encontrando os reunidos em conversa.

– O que está acontecendo?

– Nada, meu jovem, estamos falando de estratégias – disse Setrakian, sentando-se numa das caixas de papelão para descansar as pernas.

– Vasiliy e eu temos um compromisso em Manhattan, de modo que, com a permissão de seu pai, vamos pegar carona com vocês para atravessar a ponte.

– Que tipo de compromisso? – perguntou Eph.

– Na Sotheby's, vamos examinar os itens do próximo leilão.

– Eu achei que eles não estavam permitindo qualquer inspeção prévia daquele item.

– Não estão – disse Setrakian. – Mas precisamos tentar. Essa é minha chance final. No mínimo, isso dará a Vasiliy a oportunidade de observar o esquema de segurança deles.

Zack olhou para o pai.

– Não podemos curtir esses troços de segurança, tipo James Bond, em vez de pegarmos o trem?

– Infelizmente não, meu ninja. Você precisa ir.

– Mas como vocês vão manter contato e se comunicar conosco depois? – perguntou Nora, tirando o celular do bolso. – Agora esta coisa só serve de câmera. Estão derrubando as torres de retransmissão em todos os bairros.

Se a coisa for de mal a pior – disse Setrakian –, nós sempre poderemos nos encontrar aqui. Talvez fosse bom você usar o telefone fixo para contactar sua mãe, avisar a ela que estamos a caminho.

Nora saiu para fazer exatamente isso, e Vasiliy foi ligar o motor da van. Então Eph e Zack ficaram sozinhos, o pai com o braço em torno do filho, diante do velho.

– Sabe, Zachary, no campo de extermínio que mencionei para você, as condições eram tão brutais que muitas vezes eu queria pegar uma pedra, um martelo, uma pá e derrubar um, talvez dois guardas – disse Setrakian. – Eu morreria com eles, com toda a certeza, e, contudo, no calor do momento, pelo menos teria realizado *alguma coisa*. Pelo menos minha vida e minha morte teriam feito sentido.

Setrakian nem uma vez olhou para Eph. Apenas encarava o garoto, embora Eph soubesse que a fala era para ele.

– Era assim que eu pensava. E todo dia eu me desprezava por não levar adiante o plano. Todo momento de inação parece uma covardia diante de uma opressão tão desumana. A sobrevivência muitas vezes parece uma indignidade. Mas, e é essa a lição tal como a vejo agora, como um homem já velho, às vezes a mais difícil das decisões é alguém não morrer como mártir por alguém, mas sim escolher *viver* por alguém. *Por causa* de alguém.

Somente então ele olhou para Eph.

– Realmente espero que você leve isso no seu coração.

Instalações da Black Forest Solutions

A VAN PERSONALIZADA NO meio da carreata de três veículos parou bem em frente à portaria coberta da processadora de carne Black Forest Solutions, no norte do estado de Nova York.

Auxiliares saltaram dos 4x4 que seguiam na frente e atrás, formando grandes guarda-chuvas pretos, enquanto as portas da van se abriam e uma rampa automática era baixada até o chão.

Uma cadeira de rodas foi retirada de costas, sendo seu ocupante imediatamente cercado pelos guarda-chuvas e levado para dentro do prédio.

Os guarda-chuvas só foram fechados quando a cadeira chegou a um recinto sem janelas entre os currais dos animais. O ocupante da cadeira era uma figura que evitava o sol e usava um hábito semelhante a uma burca.

Eldritch Palmer, observando a entrada da lateral, não fez tentativa alguma de cumprimentar o recém-chegado; em vez disso, esperou que ele se descobrisse. Deveria estar se encontrando com o Mestre, e não com um dos seus cupinchas desgraçados do Terceiro Reich. Mas o Mestre não estava ali. Palmer então percebeu que não tinha uma audiência com o Mestre desde que esbarrara com Setrakian.

Um ligeiro sorriso descortês curvou as bordas dos lábios de Palmer. Estaria ele contente com a desonra que o já desonrado professor causara ao Mestre? Não, não exatamente. Palmer tinha zero de afeição por causas perdidas como a de Abraham Setrakian. Mesmo assim, como homem acostumado a ser presidente e diretor-executivo, não achava ruim que o Mestre houvesse recebido uma pequena lição de humildade.

Então ele se recriminou, advertindo a si próprio para nunca deixar que aqueles pensamentos passassem pela sua cabeça na presença do Ser Sombrio.

O vulto na cadeira foi retirando suas coberturas, camada por camada. E, então, Thomas Eichhorst, o nazista que comandava o campo de extermínio de Treblinka, levantou-se da cadeira de rodas, deixando as negras coberturas contra o sol empilhadas a seus pés como camadas de carne descartadas. Seu rosto conservava a arrogância do comandante do campo, embora as décadas já houvessem gasto as bordas feito ácido fino. A pele era lisa como uma máscara de marfim. Diferentemente de qualquer outro Eterno que Palmer conhecera, Eichhorst insistia em usar terno e gravata, mantendo a postura de um cavalheiro morto-vivo.

A ojeriza de Palmer ao nazista nada tinha a ver com os crimes dele contra a humanidade. Ele próprio andava supervisionando um genocídio. Em vez disso, sua aversão a Eichhorst tinha origem na inveja. Palmer se ressentia da bênção de Eternidade recebida pelo nazista; aquela era a grande dádiva do Mestre, tão cobiçada por ele.

Palmer então recordou-se da primeira vez que fora apresentado ao Mestre. O encontro fora facilitado por Eichhorst, após três décadas de pesquisas e mais pesquisas, explorando aquela junção onde o mito e a lenda encontram a realidade histórica. Palmer finalmente rastreara os próprios Antigos, e por meios tortuosos, conseguira uma apresentação. Mas eles haviam rejeitado a sua solicitação para se juntar ao clã Eterno. Fora uma recusa direta, embora Palmer soubesse que eles já haviam aceitado na sua rara linhagem homens cujo valor total era significativamente menor do que o dele. O desprezo ilimitado dos Antigos por ele, depois de tantos anos de esperança, fora uma humilhação que Eldritch

Palmer simplesmente não podia suportar. Aquilo significava sua mortalidade e o abandono de tudo que ele conseguira nesta pré-vida. As cinzas às cinzas, e o pó ao pó: isso era bom para as massas, mas para Palmer só a imortalidade servia. A corrupção de seu corpo, que nunca fora seu amigo, não passava de um pequeno preço a pagar.

E assim ele começara outra década de pesquisas, mas dessa vez em busca da lenda do Antigo renegado, o sétimo imortal, cujo poder diziam ser equivalente a qualquer um dos outros seis. Tal jornada levara Palmer ao covarde Eichhorst, que arranjara o encontro.

Isso ocorreu dentro da Zona de Alienação em torno da Usina Nuclear de Chernobyl, na Ucrânia, pouco mais de uma década depois do desastre com o reator em 1986. Palmer precisou entrar na Zona sem a costumeira carreata de apoio, constituída pela ambulância disfarçada e pela equipe de segurança, porque a movimentação de veículos levanta poeira radiativa cheia de césio-137, de modo que ninguém pode acompanhar quaisquer outros veículos em movimento. Assim Fitzwilliam, guarda-costas e médico de Palmer, foi dirigindo sozinho com seu patrão, em grande velocidade.

O encontro dos dois teve lugar depois do anoitecer, é claro, numa das chamadas "aldeias negras" que cercavam a usina: povoações evacuadas, que pontilhavam a mais empesteada área do planeta, de dez quilômetros quadrados.

Pripyat, a maior das aldeias, fora fundada em 1970 para abrigar os trabalhadores da usina; sua população crescera até atingir cinquenta mil na época do acidente e da exposição dos habitantes à radiação. A povoação fora inteiramente evacuada três dias depois. Um parque de diversões fora construído num grande terreno no centro do vilarejo, com inauguração prevista em 1º de maio de 1986, cinco dias após o desastre, e dois dias depois que a cidade foi evacuada para sempre.

Palmer encontrou o Mestre na base da roda-gigante nunca usada, imóvel como um gigantesco relógio parado. Ali foi estabelecido o pacto, e desencadeado o Plano Decenal, sendo a ocultação da Terra escolhida como a época da travessia.

Em troca, a Palmer foi prometida a Eternidade, e um lugar à direita do Mestre. Não como um dos seus acólitos subalternos, mas como um parceiro no apocalipse, só dependendo de entregar a raça humana como prometido.

Antes do final do encontro, o Mestre agarrou Palmer pelo braço e subiu correndo a lateral da enorme roda-gigante. No alto, foi mostrada ao aterrorizado Palmer a usina de Chernobyl, o facho vermelho do quarto reator brilhava a distância, pulsando ritmicamente no alto do sarcófago de chumbo e aço que isolava cem toneladas de urânio instável.

E agora ali estava Palmer, dez anos depois, prestes a entregar tudo que prometera ao Mestre naquela noite escura em uma terra doente. A praga estava se propagando mais depressa a cada hora, por todo o país e por todo o globo, mas ainda assim ele era forçado a aguentar a indignidade daquele vampiro burocrata.

Eichhorst era perito na construção de currais para animais e na coordenação de abatedouros de máxima eficiência. Palmer financiara o "reaparelhamento" de dezenas de processadoras de carne por toda a nação, todas redesenhadas segundo as exatas especificações de Eichhorst.

Confio que tudo esteja em ordem, disse Eichhorst.

– Naturalmente – disse Palmer, mal conseguindo disfarçar sua aversão pela criatura. – O que eu quero saber é... quando o Mestre cumprirá sua parte no acordo?

Na hora devida. Tudo na hora devida.

– Minha hora chegou *agora* – disse Palmer. – Você conhece as condições de minha saúde. Sabe que cumpri todas as promessas, que observei todos os prazos, que servi com fidelidade completa ao Mestre. Agora o tempo está se esgotando. Eu mereço alguma consideração.

O Senhor Sombrio vê tudo e nada esquece.

– Quero lembrar a você e a ele do assunto inacabado com Setrakian, seu ex-prisioneiro favorito.

A resistência dele está condenada.

– Concordo, é claro. Mas as ações e a perseverança dele representam uma ameaça a alguns indivíduos. Incluindo você. E a mim.

Eichhorst ficou em silêncio por um momento, como que concordando.

O Mestre acertará seus negócios com o judeu em questão de horas. Agora... não me alimento há algum tempo, e uma refeição fresca me foi prometida.

Palmer disfarçou um cenho franzido de aversão. Logo sua repulsa humana se transformaria em fome, em carência. Logo ele veria sua ingenuidade atual como um adulto vê as necessidades de uma criança.

– Tudo já está pronto.

Eichhorst fez sinal para um de seus acólitos, que entrou em um dos maiores currais. Palmer ouviu alguém choramingando e deu uma olhadela para o relógio, querendo terminar logo aquilo.

O acólito de Eichhorst voltou segurando pela nuca, tal como um fazendeiro suspenderia nas mãos um leitão, um garoto de não mais do que onze anos de idade. Vendado, nu e trêmulo, o garoto se debatia no ar diante do acólito, dando pontapés e tentando enxergar por baixo do pano que cobria seus olhos.

Eichhorst virou a cabeça ao sentir o cheiro da vítima, com o queixo inclinado em sinal de apreciação.

Palmer ficou observando o nazista e imaginou por um momento o que ele mesmo sentiria, depois da dor da conversão em vampiro. O que significaria existir como uma criatura que se alimenta de humanos?

Ele se virou e fez sinal para Fitzwilliam ligar o carro.

– Vou deixar você comer em paz – disse, deixando o vampiro com sua refeição.

Estação Espacial Internacional

TREZENTOS E CINQUENTA QUILÔMETROS acima da Terra, os conceitos de dia e noite tinham pouca significação. Orbitar o planeta uma vez a cada hora e meia fornecia todas as auroras e poentes com que alguém podia lidar.

A astronauta Thalia Charles roncava baixinho dentro de um saco de dormir amarrado à parede. A engenheira de voo americana estava entrando no seu 466º dia em órbita baixa sobre a Terra, apenas seis dias antes da atracação do ônibus espacial que a levaria de volta para casa.

O Controle da Missão estabelecia os horários de sono ali, e aquele seria um dia "cedo", aprontando a EEI para receber a *Endeavor* e o próximo módulo de pesquisa que a nave trazia. Thalia ouviu a voz que a chamava e gastou alguns segundos prazerosos transformando o sono em vigília. A flutuante sensação de sonhar é uma constante na gravidade zero. Ficou pensando como sua cabeça reagiria ao descansar sobre um travesseiro na volta. Em como seria se sujeitar de novo à benevolente ditadura da gravidade terrestre.

Thalia retirou a máscara dos olhos e o encosto de pescoço, guardando os dois itens no saco de dormir antes de afrouxar as tiras que a prendiam e se esgueirar para fora do invólucro. Soltou o elástico e abanou a cabeleira escura, metendo os dedos entre as mechas; depois deu um meio salto-mortal para reunir os fios novamente e colocar o elástico de volta num laço duplo.

Lá do Controle da Missão no Centro Espacial Johnson, em Houston, uma voz convocou Thalia ao laptop no módulo Unidade para uma teleconferência com a Terra. Aquilo era inusitado, mas por si só não chegava a ser causa para alarme. No espaço, a faixa de transmissão tem uma demanda muito alta e, portanto, sua alocação é extremamente cuidadosa. Thalia ficou pensando se não teria havido outra colisão orbital de lixo espacial, com os destroços passando pela órbita com a força de um tiro de carabina. Detestava precisar procurar abrigo dentro da astronave *Soyuz-TMA*, acoplada ali como precaução. A *Soyuz* era o módulo de escape emergencial da Estação Espacial Internacional. Uma ameaça semelhante ocorrera dois meses antes, obrigando Thalia a passar oito dias no módulo de tripulação da nave, em formato de sino. Os perigos do lixo espacial representavam a maior ameaça para a visibilidade da Estação e para o bem-estar psicológico da tripulação.

As notícias, como ela viria a descobrir, eram ainda piores.

– Nós estamos suspendendo o lançamento da *Endeavor* no momento – disse a chefe do Controle da Missão, Nicole Fairley.

– Suspendendo? Você quer dizer adiando? – perguntou Thalia, tentando não demonstrar desapontamento demasiado.

– Adiando indefinidamente. Está acontecendo muita coisa por aqui. Uns acontecimentos perturbadores. Precisamos esperar que isso passe.

– O quê? São os propulsores de novo?

– Não, nada mecânico. A *Endeavor* está cem por cento. Não é um problema técnico.

– Tá legal...

– Para ser sincera, eu não sei do que se trata. Talvez vocês já tenham percebido que não vêm recebendo notícias atualizadas nesses últimos dias.

No espaço não havia acesso direto à internet. Os astronautas recebiam dados, vídeos e e-mails através da faixa-K_u, um link de dados.

– Temos outro vírus?

Todos os laptops da EEI operavam numa rede intranet sem fio, separadamente do computador central.

– Não é um vírus de computador, não.

Thalia agarrou a barra de apoio para ficar parada diante da tela.

– Tá legal. Agora vou parar de fazer perguntas e ficar só ouvindo.

– Nós estamos no meio de uma pandemia global bastante misteriosa. Ao que parece começou em Manhattan, mas vem aparecendo em diversas cidades e se propagando desde então. Ao mesmo tempo, e aparentemente com relação direta com a pandemia, vem sendo relatado um grande número de desaparecimentos. A princípio, os sumiços foram atribuídos a doentes que ficavam em casa faltando ao trabalho, e a gente que procurava assistência médica. Agora há distúrbios. Estou falando de quarteirões inteiros de Nova York. A violência já ultrapassou as divisas do estado. O primeiro relato de ataque em Londres chegou há quatro dias, e depois foi a vez do Aeroporto de Narita, no Japão. Cada país está defendendo seus flancos e sua atuação internacional, tentando evitar a redução de viagens e comércio, coisa que na minha opinião é exatamente o que cada país *devia* estar procurando. A Organização Mundial da Saúde realizou uma coletiva de imprensa em Berlim ontem. Metade dos membros não compareceu. Oficialmente, eles elevaram o grau da pandemia de fase cinco para fase seis.

Thalia não conseguia acreditar.
- É o eclipse? – perguntou ela.
- Qual?
- A ocultação. Quando observei o fenômeno daqui de cima... a grande mancha preta que era a sombra da Lua se espalhando sobre o nordeste dos Estados Unidos como um ponto morto... acho que senti uma... eu tive uma espécie de premonição.
- Bem... a coisa realmente parece ter começado nessa ocasião.
- Foi só pelo jeito do troço. Tão sinistro.
- Nós tivemos alguns incidentes graves aqui em Houston, além de outros em Austin e Dallas. O Controle da Missão já está operando com cerca de setenta por cento do efetivo, e nossa equipe diminui a cada dia. Com o nível de pessoal de operações pouco confiável, nossa única escolha é adiar o lançamento de agora.
- Tá legal. Eu entendo.
- O tranporte russo que subiu há dois meses deixou você com alimentos e baterias suficientes para durar até um ano, se for necessário racionar.
- Um *ano*? – perguntou Thalia, com mais veemência do que gostaria.
- Só estamos pensando na pior das hipóteses. Temos esperança de que as coisas tornem a se acalmar aqui, e que possamos trazer você de volta em duas ou três semanas.
- Ótimo. Até então, mais *borscht* desidratado-congelado.
- A mesma mensagem está sendo enviada ao comandante Demidov e à engenheira Maigny por suas respectivas agências. Estamos cientes de sua decepção, Thalia.
- Eu não recebo qualquer e-mail do meu marido há alguns dias. Vocês também estão segurando essas mensagens?
- Não, não estamos. Há alguns dias, você falou?

Thalia assentiu. Como sempre fazia, visualizou Billy trabalhando na cozinha da casa deles em West Hartford, com um pano de pratos no ombro, cozinhando algum banquete ambicioso no fogão.
- Façam contato com ele por mim, está bem? Ele vai querer saber do adiamento.

— Nós já tentamos entrar em contato com ele. Não houve resposta, nem na sua casa, nem no restaurante dele.

Thalia engoliu em seco, mas tratou de se recompor rapidamente.

Ele está bem, pensou ela. *Sou eu que estou orbitando o planeta numa espaçonave. Ele está lá embaixo, com os dois pés no chão. Ele está bem.*

Thalia só mostrou ao Controle da Missão confiança e fortaleza, mas jamais se sentira tão longe do marido como naquele momento.

Loja de penhores Knickerbocker, rua 118 Leste, Harlem espanhol

O QUARTEIRÃO JÁ ESTAVA em chamas, quando Gus chegou com os Safiras e Angel.

Eles viram a fumaça lá da ponte, ainda a caminho: era espessa e negra, elevando-se de diversos pontos no Harlem, no Lower East Side e em trechos intermediários. Era como se a cidade tivesse sofrido um ataque militar coordenado.

O sol matinal ia alto, com a cidade silenciosa. Eles seguiram pela avenida marginal do rio, desviando-se de veículos abandonados. Vendo a fumaça se levantar dos quarteirões da cidade era como observar uma pessoa sangrar. Gus se sentia alternadamente desesperançado e ansioso – a cidade estava virando uma merda à sua volta, e o tempo era um fator essencial.

Creem e os outros moleques de Jersey City olhavam para Manhattan em chamas com certa satisfação. Para eles, aquilo era como assistir a um filme catástrofe. Mas para Gus era como ver seu território se incendiar.

O quarteirão para onde eles iam era o epicentro do maior incêndio: todas as ruas em torno da loja de penhores já estavam obscurecidas pelo espesso véu da fumaça, tornando o dia uma estranha noite de tempestade.

— Aqueles filhos da puta – disse Gus. – Bloquearam a luz do sol.

Todo aquele lado da rua estrondeava em chamas, exceto a loja de penhores na esquina. Suas grandes vitrines da frente estavam estilhaçadas, com as grades de segurança do prédio arrancadas da marquise e tombadas retorcidas na calçada.

O restante da cidade estava mais silencioso do que uma fria manhã natalina, mas naquele lusco-fusco diurno aquele quarteirão da rua 118 enxameava de vampiros fazendo cerco à loja de penhores.

Estavam à procura do velho.

Dentro do apartamento sobre a loja, Gabriel Bolivar avançava de aposento para aposento. Em vez de quadros, espelhos de prata cobriam as paredes, como se algum estranho feitiço houvesse convertido obras de arte em vidro. A imagem imprecisa do ex-roqueiro se movimentava com ele de aposento em aposento, à procura do velho Setrakian e seus cúmplices.

Bolivar parou no quarto que a mãe do garoto tentara invadir, vendo a parede fechada com tábuas atrás de uma jaula de ferro.

Ninguém.

Parecia que haviam se mudado. Bolivar lamentou que a mãe não estivesse com eles ali na loja. O vínculo sanguíneo dela com o garoto teria se mostrado valioso. Mas o Mestre encarregara Bolivar daquela tarefa, que seria cumprida.

Em vez disso, a missão de cães farejadores caíra aos tateadores, aquelas crianças cegas recentemente transformadas. Bolivar saiu da cozinha para ver uma delas ali, um garoto com olhos inteiramente negros, agachado de quatro no chão. Ele estava "olhando" pela janela na direção da rua, usando sua percepção extrassensorial.

O porão?, perguntou Bolivar.

Ninguém, disse o garoto.

Mas Bolivar precisava ver pessoalmente, precisava se certificar, e passou pelo garoto na direção da escada. Desceu deslizando pelo corrimão em espiral apoiado nas mãos e nos pés descalços, até a loja no andar térreo, onde estavam os outros tateadores. Depois continuou a descida até o porão, encontrando uma porta trancada.

Seus soldados já estavam lá, em resposta a um comando telepático. Arrebentaram a porta trancada com mãos poderosas e exageradamente grandes: foram escavando o umbral aferrolhado a ferro com as unhas endurecidas dos dedos médios, transformadas em garras, até conseguir um ponto de apoio, e então juntaram forças para arrancar a porta do caixilho.

Os primeiros a entrar acionaram as lâmpadas ultravioleta que cercavam o interior do portal: os raios elétricos arroxeados cozinharam seus corpos ricos em vermes, fazendo os vampiros se dissiparem com gritos e nuvens de poeira. Os demais foram repelidos pela luz e empurrados para trás contra a escada em espiral, protegendo os olhos. Eles não conseguiam ver coisa alguma do outro lado do portal.

Bolivar foi o primeiro a se içar pelas mãos escada acima, à frente do amontoado de vampiros. O velho ainda poderia estar lá dentro.

Ele precisava encontrar outro meio de entrar.

Então percebeu os tateadores se tensionarem no chão, virados para as vitrines estilhaçadas e a rua lá fora, como cães farejadores reagindo a um cheiro. A primeira figura entre eles, uma garota com uma calcinha suja e uma camiseta, deu um rosnado. Depois pulou para a rua entre os estilhaços de vidro da vitrine.

A garotinha veio direto para Angel, saltitando nas mãos e nos pés com a agilidade de uma corça. O velho lutador recuou para a rua, nada querendo com aquilo. Mas a garota estava concentrada no alvo maior, disposta a derrubá-lo, e saltou do chão com os olhos negros e a boca aberta. Então Angel voltou a ser um lutador, como se ela fosse uma desafiante se lançando sobre ele, das cordas superiores do ringue. Aplicou o Beijo do Anjo, o golpe com a palma da mão aberta, acertando a garota em pleno salto no ar e arremessando seu pequeno corpo ágil de volta à rua a uns dez metros de distância.

Recuou imediatamente. Um dos grandes desapontamentos de sua vida era não conhecer nenhuma das crianças que gerara. Ela era uma vampira, mas parecia tão humana, uma criança ainda, e Angel partiu na direção dela com a mão nua estendida. Ela se virou sibilando, com os olhos cegos como dois ovos de pássaro negros, dardejando na direção dele um ferrão que talvez tivesse um metro de comprimento, consideravelmente mais curto do que o de um vampiro adulto. A ponta serpenteava diante dos olhos de Angel como a cauda de um diabo, e ele ficou paralisado.

Gus interveio rapidamente, dando cabo da garota com um golpe forte da espada que raspou na superfície da rua, levantando faíscas.

Aquela morte fez os outros vampiros partirem para o ataque em frenesi. Uma batalha brutal, com Gus e os Safiras em desvantagem numérica inicial de três para um; isso virou quatro para um, quando os vampiros fugiram da loja de penhores e emergiram dos porões dos prédios vizinhos incendiados ao longo da rua. Ou haviam sido convocados psiquicamente para a batalha, ou simplesmente haviam ouvido tocar a sineta do jantar. Quem destruía um via logo mais dois atacarem.

Então o disparo de uma carabina explodiu perto de Gus e um vampiro saqueador foi cortado em dois. Ele se virou e viu Quinlan, o caçador-chefe dos Antigos, acertando os revoltosos de sangue branco com precisão militar. Ele só podia ter vindo lá debaixo como os outros. A menos que estivesse rastreando de perto Gus e os Safiras todo o tempo, oculto pela escuridão no subsolo.

Nesse momento Gus percebeu, com os sentidos aguçados pela adrenalina da batalha, que não havia vermes sanguíneos se movimentando debaixo da superfície da pele translúcida de Quinlan. Todos os vampiros antigos, inclusive os outros caçadores, fervilhavam de vermes; mas a carne quase iridescente de Quinlan era imóvel e lisa como a pele de um pudim.

Só que a luta continuava, e a revelação passou num instante. A carnificina de Quinlan abriu um espaço muito necessário; já sem correrem o risco de serem cercados, os Safiras levaram a luta do meio da rua para a loja de penhores. As crianças esperavam, todas de quatro, na periferia da batalha, como filhotes de lobo esperando um veado enfraquecido para atacar. Quinlan disparou uma carga na direção delas, fazendo as criaturas cegas se espalharem em várias direções com guinchos agudos, enquanto ele recarregava a arma.

Angel quebrou o pescoço de um vampiro com uma rápida torção das mãos, e depois, com um único e rápido movimento, raro para um homem de sua idade e corpulência, virou e usou o cotovelo maciço para quebrar o crânio de outro contra a parede.

Gus viu a oportunidade e se afastou da refrega, correndo para dentro com a espada, à procura do velho. A loja estava vazia, de modo que ele subiu correndo a escada e entrou num antigo apartamento anterior à guerra.

Os muitos espelhos lhe disseram que estava no lugar certo, mas sem o velho.

Na descida Gus encontrou duas vampiras, e apresentou-lhes o salto de sua bota antes de afugentá-las com a prata. Os uivos delas produziram mais adrenalina em seu sangue, enquanto ele pulava por cima dos corpos, evitando o sangue branco que escorria pelos degraus.

A escada continuava até o subsolo, mas ele precisava retornar aos seus camaradas, que lutavam pelas vidas e almas debaixo do céu nublado de fumaça.

Antes de sair da loja, Gus percebeu uma seção de parede arrebentada perto da escada, expondo velhos canos d'água feitos de cobre que corriam verticalmente. Descansou a espada num mostruário de broches e camafeus, achando um bastão de beisebol Louisville Slugger autografado por Chuck Knoblauch, com o preço de venda a 39,99 dólares. Bateu no velho painel de madeira da parede, abrindo tudo até localizar o encanamento de gás. Um cano velho de ferro fundido. Depois de três bons golpes com o bastão, quebrou uma junta, felizmente sem produzir faíscas.

O cheiro de gás natural encheu o aposento, escapando pelo cano rompido, não com um sibilo frio, mas com um rugido rouco.

Os tateadores vinham como enxame em torno de Bolivar, que sentia a preocupação deles.

O lutador com a carabina. Ele não era humano. Também era vampiro.

Mas era diferente.

Os tateadores não conseguiam avaliar direito o novo ser. Mesmo que o intruso fosse de um clã diferente, e visivelmente era, deveriam ter conseguido transmitir algum conhecimento para Bolivar, caso ele fosse realmente feito de vermes.

Bolivar ficou confuso com aquela estranha presença e partiu para o ataque. Percebendo esse intento, porém, os tateadores pularam a fim de barrar seu caminho. Tentou se livrar das crianças, mas aquela insistência obstinada parecia estranha o bastante para merecer sua atenção.

Alguma coisa estava prestes a acontecer, e ele precisava saber o que era.

Gus pegou a espada de novo e foi golpeando outro vampiro, metido numa bata de médico, até sair à rua e entrar no prédio contíguo. Lá arrancou um pedaço em chamas do peitoril de madeira de uma janela, e voltou correndo com a tábua flamejante para a batalha. Enfiou a parte pontuda nas costas de um vampiro morto, de modo que aquilo ficou parecendo uma tocha.

– Creem! – gritou, precisando da cobertura do matador enfeitado de prata enquanto procurava a balestra na bolsa de equipamentos. Remexeu ali até encontrar uma flecha de prata. Arrancou um pedaço da camisa do vampiro derrubado, enrolou o pano em torno da ponta da flecha, e apertou bem. Depois colocou a flecha na balestra, mergulhou o tecido nas chamas e levantou a arma na direção da loja.

Um vampiro com traje de ginástica ensanguentado se aproximou loucamente, mas Quinlan deteve a criatura com um golpe esmagador na garganta. Gus avançou para o meio-fio, gritando:

– Para trás, *cabrones*!

Depois mirou e soltou a flecha incendiada. Viu o projétil passar pelo caixilho da vidraça estilhaçada e, atravessando a loja, atingir a parede dos fundos. Já estava fugindo a toda quando o prédio se despedaçou numa única explosão. A parede de tijolos da frente desabou, espalhando os destroços pela rua. O telhado e sua estrutura de suporte se desintegraram como o tampo de papel de um rojão.

A onda de choque atirou à rua os vampiros desprevenidos. A sucção de oxigênio após a detonação produziu no quarteirão inteiro um silêncio acompanhado por um zumbido nos ouvidos.

Gus caiu de joelhos, mas depois ficou de pé. O prédio da esquina desaparecera: fora arrasado até o chão, como que pisado por um gigantesco pé. Rolos de poeira se elevavam, com os vampiros sobreviventes começando a se levantar em torno deles. Apenas os poucos atingidos na cabeça por tijolos voadores estavam mortos. Os outros se recuperavam rapidamente da explosão, e mais uma vez voltavam seus olhares famintos para os Safiras.

Com o canto do olho, Gus viu Quinlan fugindo para o lado oposto da rua, descendo aos pulos uma escada curta que levava ao porão de um apartamento. Só compreendeu aquela fuga quando olhou de volta para a destruição que causara.

A força da explosão na atmosfera próxima chegara à cobertura de fumaça, e o impulso do ar em movimento criara uma ruptura. Uma brecha se abrira na escuridão, permitindo que a luz do sol brilhante e límpida se derramasse para baixo.

A fumaça se abriu, e um facho solar foi saindo do local do impacto, espalhando-se num brilhante cone amarelo de poder irradiante. Ainda atordoados, os vampiros sentiram os raios tarde demais.

Gus observou as criaturas se dissiparem ao seu redor com urros fantasmagóricos. Seus corpos caíam, reduzidos instantaneamente a vapor e cinzas. Os poucos que estavam a uma distância segura do sol se viraram e correram para os prédios vizinhos procurando abrigo.

Apenas os tateadores reagiram inteligentemente, pressentindo a propagação da luz solar e agarrando Bolivar. Os pequeninos seres brigaram com ele, trabalhando juntos para afastá-lo da mortífera linha solar que se aproximava. Conseguiram por pouco, arrancando da calçada uma grade de ventilação e puxando Bolivar para o subsolo.

Subitamente os Safiras, Angel e Gus se viram sozinhos numa rua ensolarada. Ainda conservavam as armas nas mãos, mas não havia mais inimigos diante deles.

Apenas outro dia de sol no Harlem espanhol.

Gus foi até a área da explosão, a loja de penhores destruída até os alicerces. Agora se podia ver o porão, cheio de tijolos fumegantes e poeira que assentava. Ele chamou Angel, que se aproximou mancando, para ajudá-lo a remover alguns blocos maiores de alvenaria, limpando o caminho. Desceu em direção ao centro dos destroços, seguido pelo lutador. Então ouviu um chiado, mas eram apenas fios rompidos por onde ainda passava eletricidade. Jogou para o lado uns pedaços de tijolo, buscando corpos no chão, ainda preocupado com a ideia de que o velho poderia ter se escondido ali o tempo todo.

Não havia cadáveres. Na verdade Gus não descobriu muita coisa, apenas várias prateleiras vazias. Quase parecia que o velho se mudara recentemente. A porta do porão fora circundada por lâmpadas ultravioleta que agora soltavam faíscas alaranjadas. Talvez aquilo fosse uma espécie de fortaleza, feito um abrigo antinuclear contra ataques vampirescos, ou então uma espécie de catacumba construída para manter longe aquela laia.

Gus permaneceu ali mais tempo do que deveria: a cobertura de fumaça já se recompunha, bloqueando novamente a luz do sol. Ele escavava os destroços procurando alguma coisa, qualquer coisa que pudesse ajudar sua causa.

Escondido sob uma viga de madeira caída, Angel descobriu emborcada de lado uma pequena caixa de lembranças lacrada, feita inteiramente de prata. Um lindo achado. Ele levantou a peça, mostrando-a para a gangue e principalmente para Gus, que tirou o objeto da mão dele.

– O velho – disse. E sorriu.

Estação Pensilvânia

Ao ser inaugurada em 1910, a antiga Estação Pensilvânia fora considerada um monumento ao exagero. Um templo opulento de transporte de massa, e com a maior área interna em toda Nova York, uma cidade que mesmo há um século já era inclinada a exageros.

A demolição da estação original, iniciada em 1963, e sua substituição pelo atual labirinto de túneis e corredores, é vista em termos históricos como um catalisador do movimento moderno de preservação histórica, no que foi talvez o primeiro (e alguns dizem o maior) fracasso da "renovação urbana".

A Estação Penn continuou sendo o mais movimentado núcleo de transporte dos Estados Unidos, recebendo seiscentos mil passageiros por dia, quatro vezes a quantidade com que lida a Estação Grand Central. Acolhia as linhas de Amtrak, Metropolitan Transportation Authority (MTA) e New Jersey Transit. Havia também uma estação da Port Authority Trans-Hudson (PATH) a apenas um quarteirão de distância, acessível então por uma passagem subterrânea, e fechada havia muitos anos por motivos de segurança.

A moderna Estação Penn usava as mesmas plataformas subterrâneas que a estação original. Eph reservara bilhetes para Zack, Nora e a mãe de Nora no Serviço Keystone, passando direto por Filadélfia até o ponto final, que era a capital do estado, Harrisburg. Normalmente seria uma viagem de quatro horas, embora fossem esperados atrasos significativos. Uma vez lá, Nora faria um levantamento da situação e providenciaria o transporte para o acampamento de meninas.

Eph deixou a van em um ponto de táxis vazio a um quarteirão de distância e conduziu o grupo até a estação, atravessando ruas silenciosas. Uma nuvem escura cobria a cidade, tanto literal quanto figurativamente; a fumaça pairava de forma sinistra, enquanto eles passavam por lojas vazias. As vitrines estavam quebradas, e até mesmo os saqueadores haviam desaparecido, em sua maioria já transformados em saqueadores de sangue humano.

A que ponto e com que rapidez a cidade tombara.

Só depois de chegar à entrada da Sétima Avenida, na praça Joe Louis, debaixo do letreiro do Madison Square Garden, é que Eph reconheceu o espírito da cidade de algumas semanas antes, ou do mês anterior. Policiais e funcionários da Administração Portuária, com coletes alaranjados, dirigiam a multidão de pessoas cabisbaixas, mantendo a ordem enquanto todas entravam na estação.

As pessoas desciam para o saguão andando pelas escadas rolantes paradas. A movimentação incessante de pedestres permitira que a estação permanecesse um dos últimos bastiões humanos numa cidade de vampiros. Eph tinha certeza de que a maioria dos trens, se não todos, estariam atrasados, mas já era muita coisa o fato de que ainda estivessem circulando. A pressa das pessoas em pânico lhe trazia segurança. Se os trens houvessem parado de circular, aquilo já teria virado um pandemônio.

Poucas luzes do teto continuavam acesas, e nenhuma das lojas estava aberta. As prateleiras pareciam vazias, e nas vitrines havia letreiros escritos à mão alertando: FECHADO POR TEMPO INDETERMINADO.

O rangido de um trem chegando a uma plataforma do nível inferior tranquilizou Eph, que carregava a mala de Nora e da sra. Martinez. Nora cuidava para que a mãe não caísse. O saguão estava apinhado, mas ele gostou da pressão da multidão; sentia falta da sensação de ser um organismo cercado por uma multidão de humanidade.

Soldados da guarda nacional esperavam na frente, parecendo abatidos e exaustos. Ainda assim, esquadrinhavam os rostos das pessoas que passavam, e Eph continuava sendo um homem procurado.

Somando a isso o fato de ter a pistola carregada de balas de prata metida na cintura atrás das costas, Eph acompanhou os outros somente até as grandes pilastras azuis, apontando para o portão do saguão da Amtrak depois da curva.

Mariela Martinez parecia assustada, e até um pouco irritada. A multidão a incomodava. A mãe de Nora, uma antiga assistente de saúde domiciliar, fora diagnosticada dois anos antes como portadora precoce do mal de Alzheimer. Às vezes ela pensava que Nora tinha dezesseis anos de idade, o que ocasionalmente causava encrencas sobre quem tomava conta de quem. Ali na estação, entretanto, estava quieta, acabrunhada, voltada para si mesma, fora de seu ambiente, e ansiosa pelo fato de estar fora de casa. Não tinha palavras ásperas para seu falecido marido, não insistia em se vestir para ir a uma festa. Usava uma capa de chuva comprida sobre um roupão simples, cor de açafrão, com o cabelo pendendo pesadamente atrás numa grossa trança grisalha. Já começara a gostar de Zack, e segurara a mão dele durante o percurso, coisa que agradara a Eph, mesmo que lhe doesse o coração.

Ele se ajoelhou diante do filho. O garoto olhou para o lado, como se não quisesse que o pai fizesse aquilo, não quisesse dizer adeus.

– Você ajuda Nora com a mãe dela, está bem?

Zack assentiu.

– Por que precisa ser num acampamento de mulher?

– Porque Nora é mulher, e ela já esteve lá. Só vai ter vocês três lá.
– E você? – perguntou Zack rapidamente. – Quando vai chegar?
– Dentro de pouco tempo, espero.

Eph tinha as mãos nos ombros de Zack, que segurou com força os antebraços do pai.

– Promete?
– Logo que eu puder.
– Isso não é uma promessa.

Eph apertou os ombros do filho, vendendo a mentira.

– Prometo.

Zack não estava acreditando. Eph sabia, e sentiu o olhar de Nora sobre eles.

– Me dê um abraço – disse ao filho.
– Por quê? – perguntou Zack se afastando um pouco. – Só dou o abraço quando avistar você na Pensilvânia.

Eph deu um sorriso rápido.

– Então me dê um para que eu aguente até lá.
– Eu não vejo por que...

Eph puxou o filho para si, segurando-o firmemente enquanto a multidão passava por eles. O garoto se debateu, mas não com muita vontade. Eph beijou o rosto do filho e o soltou.

Depois se levantou, e Nora se colocou diante dele, empurrando suavemente Eph uns dois passos para trás. Os olhos castanhos dela tinham uma expressão feroz, olhando bem direto nos dele.

– Conte agora. O que você está planejando?
– Estou planejando me despedir de vocês.

Ela parou perto de Eph como uma amante que se despede, mas tinha a junta dos dedos pressionando a parte mais baixa do esterno dele, e torceu a mão ali como um parafuso.

– Depois que nós partirmos... o que você vai fazer? Eu quero saber.

Eph lançou o olhar em direção a Zack, parado perto da mãe de Nora, segurando obedientemente a mão dela.

– Vou tentar deter essa coisa. O que você acha?
– Acho que é tarde demais, e você sabe disso. Venha conosco. Se está fazendo isso pelo velho... eu sinto a mesma coisa que você em

relação a ele. Mas está tudo acabado, nós dois sabemos disso. Venha conosco. Nós nos reagruparemos lá e decidiremos o que fazer em seguida. Setrakian vai entender.

Eph sentiu o apelo de Nora mais forte do que a dor da mão dela no seu esterno.

– Ainda temos uma chance aqui – disse ele. – Eu acredito que temos.

Fazendo questão que Eph percebesse que ela se referia aos dois, Nora disse:

– Nós também ainda temos uma chance... se sairmos daqui juntos agora.

Eph tirou a última bolsa do ombro, pendurou-a no ombro dela:

– Bolsa de armamento. Caso você enfrente alguma dificuldade.

Lágrimas raivosas umedeceram os olhos de Nora.

– Você precisa saber que eu decidi uma coisa... se acabar fazendo alguma estupidez aqui, vou odiar você para sempre.

Ele assentiu uma vez.

Nora beijou Eph nos lábios, envolvendo-o num abraço. Sua mão encontrou o cabo da pistola enfiada na cintura nas costas dele, e seus olhos se turvaram. Ela inclinou a cabeça para trás, estudando o rosto dele. Por um momento Eph pensou que Nora ia lhe tirar a arma com um puxão, mas em vez disso ela se aproximou novamente, bem junto do ouvido dele, com o rosto molhado de lágrimas, e sussurrou:

– Já estou odiando você.

Depois ela se afastou sem olhar para trás, indo apressadamente com Zack e a mãe em direção ao quadro de embarque.

Eph esperou, vendo Zack partir. O garoto foi olhando para trás, à procura dele, até chegarem ao canto. Eph acenou, com a mão alta... mas Zack não o viu. Subitamente, a Glock metida na cintura de Eph ficou mais pesada.

Na antiga sede do projeto Canário, na esquina da Décima Primeira Avenida com a rua 27, o diretor dos Centros de Controle e Prevenção de Doenças, dr. Everett Barnes, tirava uma soneca numa cadeira no escritório que já fora de Ephraim Goodweather. O ruído da campainha do telefone penetrou na sua consciência, mas não chegou a acordá-lo. Foi preciso a mão de um agente especial do FBI no seu ombro para fazer isso.

Barnes se sentou, afastando o sono, já sentindo-se renovado, e tentou adivinhar.

— Washington?

O agente abanou a cabeça.

— Goodweather.

Barnes apertou o botão que piscava no telefone da mesa e pegou o receptor.

— Ephraim? Onde você está?

— Na Estação Pensilvânia. Num telefone público.

— Está tudo bem?

— Acabei de colocar meu filho num trem que partiu da cidade.

— Sim?

— Estou pronto para me entregar.

Barnes olhou para o agente e assentiu.

— Fico muito aliviado por ouvir isso.

— Eu gostaria de ver você pessoalmente.

— Fique aí mesmo, que eu estou a caminho.

Ele desligou e o agente entregou-lhe o casaco. Barnes trajava um uniforme completo da Marinha. Eles saíram do escritório principal e desceram os degraus até o meio-fio, onde o 4x4 preto do diretor estava estacionado. Barnes sentou no banco do carona e o agente girou a chave na ignição.

O golpe veio tão de repente que Barnes não entendeu o que acontecera. Não com ele... mas com o agente do FBI. O homem caiu para a frente, acionando a buzina com o queixo. Tentou levantar as mãos, mas recebeu um segundo golpe... lá do banco traseiro. Era uma mão brandindo uma pistola. Foi preciso mais um golpe para pôr o agente a nocaute, deixando-o arriado junto à porta.

O agressor já estava fora do veículo, abrindo a porta do motorista. Puxou o homem inconsciente e jogou-o na calçada como uma trouxa grande de roupa suja.

Ephraim Goodweather pulou no assento do motorista e bateu a porta. Barnes abriu a porta do seu lado, mas Eph puxou-o para dentro, encostando a arma na parte interna da coxa do diretor, em vez de fazê-lo na cabeça. Só um médico ou talvez um soldado sabe que é possível sobreviver a um ferimento na cabeça ou no pescoço, mas um tiro na artéria femural significa morte certa.

– Feche a porta – disse Eph.

Barnes obedeceu. Eph já engatara a marcha do veículo e descia velozmente a rua 27.

Barnes se contorceu, tentando se afastar daquela pistola no seu colo.

– Por favor, Ephraim. Por favor, vamos conversar...

– Muito bem. Você começa.

– Posso pelo menos pôr o cinto de segurança?

Eph fez uma curva fechada na esquina, e disse:

– Não.

Barnes percebeu que Ephraim largara algo no descanso de copos entre os dois assentos dianteiros: o emblema do agente do FBI. A pistola continuava encostada na sua perna, com a mão esquerda de Eph segurando firmemente o volante.

– Por favor, Ephraim, tome cuidado, muito cuidado...

– Comece a falar, Everett. – Eph pressionou com mais força a arma contra a perna de Barnes. – Por que diabos você ainda está aqui? Ainda na cidade? Queria uma cadeira na primeira fila, hein?

– Eu não sei do que você está falando, Ephraim. É aqui que estão os doentes.

– Os doentes – disse Eph, em tom depreciativo.

– Os infectados.

– Everett... se você continuar falando assim, essa pistola vai disparar.

– Você andou bebendo.

– E você andou mentindo. Quero saber por que *não foi declarada uma maldita quarentena!* – A fúria de Eph encheu o interior do carro. Ele se desviou bruscamente para a direita a fim de evitar uma van de entregas, enguiçada e saqueada. Depois continuou:

– Nenhuma tentativa competente de conter a praga. Por que permitiram que isso continuasse a arder? Responda!

Barnes estava encostado na porta, soluçando como um garoto.

– Já está completamente fora das minhas mãos!

– Posso adivinhar? Você está simplesmente seguindo ordens.

– Eu... eu aceito meu papel, Ephraim. Chegou a hora em que uma escolha precisava ser feita, e eu fiz. O mundo, aquele que nós pensávamos que conhecíamos, Ephraim... está à beira da extinção.

– Não diga.

O tom de Barnes esfriou.

– A aposta inteligente é com eles. Nunca aposte com o coração, Ephraim. Todas as grandes instituições estão comprometidas, direta ou indiretamente. Com isso, quero dizer ou corrompidas ou subvertidas. Isso está ocorrendo nos níveis mais elevados.

Eph assentiu com força.

– Eldritch Palmer?

– A essa altura, o que importa?

– Para mim importa.

– Quando um paciente está morrendo, Ephraim, quando toda esperança de recuperação já se foi... o que um bom médico faz?

– Continua lutando.

– Você prolonga o sofrimento? Mesmo? Quando o fim é certo e próximo? Quando as pessoas estão além da salvação... você oferece cuidados paliativos e prolonga o inevitável? Ou deixa a natureza seguir seu curso?

– Natureza! Jesus, Everett.

– Não sei que outro nome dar a isso.

– Eu dou a isso o nome de eutanásia. De toda a raça humana. Você se afasta com seu uniforme da Marinha e fica vendo a humanidade morrer na mesa.

– Pelo visto você quer transformar a coisa num caso pessoal, Ephraim, mas eu não causei nada disso. Culpe a doença, não o médico. Até certo ponto, estou tão horrorizado quanto você. Mas sou realista, e algumas coisas simplesmente não desaparecem só porque desejamos. Fiz o que fiz porque não havia escolha.

– *Sempre* há uma escolha, Everett. Sempre. Porra... sei disso. Mas você... você é um covarde, um traidor e, pior, a porra de um idiota.
– Você vai perder essa briga, Ephraim. Na verdade, se não estou enganado... já perdeu.
– Isso veremos – disse Eph, que já cruzara metade da cidade. – Você e eu. Nós vamos ver isso juntos.

Sotheby's

SOTHEBY'S, A CASA DE leilões fundada em 1744, agenciava objetos de arte, diamantes e imóveis internacionais em quarenta países, com as principais salas de venda em Londres, Hong-Kong, Paris, Moscou e Nova York. A filial de Nova York ocupava toda a avenida York entre as ruas 71 e 72, a um quarteirão da alameda FDR e do rio East. Era um prédio de dez andares, todo envidraçado, que abrigava departamentos especializados, galerias e espaços para leilões. Parte disso normalmente ficava aberta ao público.

Mas não naquele dia. Uma equipe de segurança particular, com máscaras para proteger nariz e boca, estava postada na calçada lá fora, e também dentro, atrás das portas giratórias. O lado superior leste continuava tentando manter uma aparência de civilidade, enquanto bolsões da cidade mergulhavam no caos.

Quando Setrakian expressou o desejo de se registrar como um licitante aprovado para o próximo leilão, ele e Vasiliy receberam máscaras, junto com a permissão para entrar.

O saguão frontal do prédio era aberto e se erguia até o topo: eram dez andares de corredores avarandados. Um acompanhante designado para Setrakian e Vasiliy levou os dois de escada rolante até o escritório de uma funcionária no quinto andar.

A mulher colocou uma máscara de papel quando eles entraram, sem fazer menção alguma de sair de trás da escrivaninha. Apertar a mão era uma coisa pouco sanitária. Quando Setrakian reiterou sua pretensão, ela assentiu e pegou alguns formulários.

– Eu preciso do nome e do número do seu corretor, e por favor relacione os seus ativos. A prova da intenção de dar lances, sob a forma de uma autorização de um milhão de dólares, é o depósito padrão para esse nível de leilão.

Setrakian olhou para Vasiliy, girando a caneta entre os dedos retorcidos.

– Infelizmente, estou sem corretor no momento. Entretanto, eu mesmo possuo algumas antiguidades interessantes. E gostaria de apresentá-las como garantia.

– Sinto muito. – Ela já estava recolhendo os formulários da mão dele, e metendo-os novamente nas gavetas da escrivaninha.

– Se me permite – disse Setrakian, devolvendo à mulher a caneta, que ela preferiu não tocar. – O que eu gostaria realmente de fazer é examinar os itens do catálogo antes de tomar uma decisão.

– Infelizmente isso é privilégio apenas dos licitantes. A segurança está muito rigorosa, como vocês provavelmente sabem, já que alguns dos itens oferecidos...

– O *Occido Lumen*.

Ela engoliu em seco.

– Justamente. Há muito... muito mistério em torno desse item, como vocês devem saber, e naturalmente, dado o atual estado de coisas aqui em Manhattan... e o fato de nenhuma casa de leilões ter conseguido colocar o *Lumen* à venda nos últimos dois séculos... bem, não é preciso ser especialmente supersticioso para ligar as duas coisas.

– Tenho certeza de que também há um forte componente financeiro. Por que mais fazer o leilão, afinal de contas? – disse Setrakian. – Evidentemente a Sotheby's acredita que a comissão pela venda compensa os riscos associados ao fato de levar o *Lumen* a leilão.

– Bem, eu não posso comentar assuntos empresariais.

– Por favor – disse Setrakian, pondo suavemente a mão na borda superior da mesa, como se fosse no braço da funcionária. – Não seria possível de jeito algum? Um velho simplesmente dar uma olhadela?

Os olhos da moça continuaram impassíveis acima da máscara.

– Não posso.

Setrakian olhou para Vasiliy. O exterminador levantou-se, baixou a máscara e apresentou o emblema de funcionário municipal.
— Odeio fazer isso, mas... preciso ver o supervisor do prédio imediatamente. A pessoa responsável por essa propriedade.

O diretor da filial norte-americana da Sotheby's levantou-se atrás da escrivaninha ao ver o supervisor do prédio entrar acompanhado de Setrakian e Vasiliy.
— O que significa isso?
— Esse cavalheiro falou que precisamos evacuar o prédio — disse o supervisor, bufando atrás da máscara.
— Evacuar... o quê?
— Ele tem autoridade para fechar o prédio durante setenta e duas horas, enquanto o município faz uma inspeção.
— Setenta e duas horas... e o leilão?
— Cancelado — disse Vasiliy, dando de ombros para pontuar a frase.
— A não ser que...
A expressão do diretor se atenuou atrás da máscara, como se houvesse entendido de repente.
— Esta cidade está desmoronando em torno de nós, e você escolhe agora, hoje, para vir procurar uma propina?
— Não é propina que estou procurando — disse Vasiliy. — A verdade é a seguinte... e você provavelmente pode perceber isso só de olhar para mim... eu sou meio fanático por arte.
Permitiram que eles tivessem acesso restrito ao *Occido Lumen*: o exame ocorreu em uma câmara privada envidraçada, dentro de outra câmara de observação maior, localizada atrás de duas portas trancadas no nono andar. O estojo à prova de balas foi destrancado e retirado, e Vasiliy ficou observando Setrakian se preparar para inspecionar o volume, o qual havia tanto tempo procurado, com luvas de algodão branco cobrindo as mãos aleijadas.

O velho livro descansava num ornamentado suporte de carvalho branco, e tinha 30 x 20 x 5 centímetros. Havia 489 folhas manuscritas em pergaminho, e vinte páginas com iluminuras. Era encadernado em couro, com capas e lombada recobertas por placas de prata pura. Também as bordas das páginas eram banhadas a prata.

Vasiliy começou a entender por que o livro nunca caíra nas mãos dos Antigos, ou por que o Mestre simplesmente não vinha e tomava aquilo deles, naquele exato momento.

O envoltório de prata. O livro estava literalmente além do alcance deles.

Duas câmeras em caules arqueados brotando da mesa capturavam imagens das páginas abertas, que eram mostradas ampliadas em telões verticais de plasma na parede diante deles. A primeira página com iluminuras na frente mostrava o desenho detalhado de uma figura com seis apêndices feito numa fina folha de prata brilhante. O estilo e a caligrafia minuciosa que cercavam a figura falavam de outro tempo, de outro mundo. Vasiliy ficou espantado ao ver a reverência com que Setrakian tratava o livro. A qualidade do trabalho artesanal era impressionante, mas em relação ao trabalho artístico propriamente dito, Vasiliy não entendia o que estava vendo. Simplesmente esperava que o velho desse uma explicação. Só sabia que havia claras semelhanças entre aquele trabalho e as marcas que ele descobrira com Eph no metrô. Até mesmo as três luas crescentes estavam representadas ali.

Setrakian concentrou seu interesse em duas páginas: uma de puro texto, e a outra uma bela iluminura. Além do excelente trabalho artístico da página, Vasiliy não entendia o que cativara tanto o velho naquela imagem, a ponto de fazer brotar lágrimas em seus olhos.

Ficaram ali por mais tempo do que os quinze minutos permitidos, com Setrakian apressando-se a copiar cerca de vinte e oito símbolos. Só que Vasiliy não conseguia encontrar esses símbolos nas imagens desenhadas na página. Mas ficou calado, esperando, enquanto Setrakian, obviamente frustrado pela rigidez de seus dedos tortos, enchia duas folhas de papel com os tais símbolos.

O velho ficou silencioso enquanto eles desciam pelo elevador até o saguão. Só falou quando saíram do prédio e já estavam a uma distância bastante grande dos seguranças armados.

– As páginas têm marcas-d'água. Mas só olhos treinados podem ver isso. Os meus podem – disse ele.

– Marcas-d'água? Feito papel-moeda?

Setrakian assentiu.

– Todas as páginas do livro. Era uma prática comum em alguns almanaques de magia e tratados de alquimia. Até mesmo nos primeiros baralhos de cartas de tarô. Entendeu? Há um texto impresso nas páginas, mas há uma segunda camada por baixo, usando marca-d'água, feita diretamente no papel no momento da prensagem. Esse é o verdadeiro conhecimento. O Sigil. O símbolo oculto, a chave...

– Aqueles símbolos que você copiou...

Setrakian bateu de leve no bolso, para se assegurar de que trouxera os esboços. E então parou de falar, com a atenção atraída por algo. Vasiliy cruzou a rua atrás dele, até um grande edifício diante da fachada de vidro da Sotheby's. O lar Mary Manning Walsh era uma casa de repouso dirigida pelas irmãs carmelitas para a arquidiocese de Nova York.

A atenção de Setrakian foi atraída para a fachada de tijolos, à esquerda do toldo da portaria. Havia ali um desenho, pichado com tinta alaranjada e preta. Vasiliy só levou um momento para perceber que se tratava de outra variação altamente estilizada, embora mais grosseira, da iluminura na frente daquele livro trancafiado no último andar do prédio fronteiriço, um livro que ninguém tocava havia décadas.

– Mas que diabo é isso? – disse Vasiliy.

– É ele... seu nome. Seu verdadeiro nome. Está marcando a cidade com seu nome. Chamando de sua – disse Setrakian. Depois se virou, olhando para os rolos de fumaça negra que subiam ao céu, obscurecendo o sol. – Agora preciso descobrir um jeito de pegar aquele livro.

Trecho do diário de
Ephraim Goodweather

Meu querido Zack,

    O que você deve saber é que eu precisava fazer isso, não por arrogância (não sou herói, filho), mas por convicção. Deixar você naquela estação de trem... a dor que sinto agora é a pior que já experimentei. Saiba que não escolhi a raça humana em vez de você. O que vou fazer agora é pelo seu futuro, somente o seu. Que o resto da humanidade possa se beneficiar é só uma questão secundária. Isso é para que as coisas fiquem de tal jeito que você nunca, jamais precise fazer o que acabei de fazer: escolher entre o seu filho e o seu dever.

Desde o momento em que segurei você pela primeira vez nos braços, percebi que você seria o único amor genuíno da minha vida. O único ser humano para quem eu me poderia dar por inteiro, sem esperar coisa alguma em troca. Por favor, entenda que não posso confiar em ninguém mais para tentar o que estou prestes a fazer. Grande parte da história do século anterior foi escrita com uma arma. Escrita por homens impelidos para o assassinato por suas convicções e seus demônios. Eu tenho ambos. A insanidade é real, meu filho, é a nossa existência agora. Não mais uma desordem da mente, mas uma realidade externa. Talvez eu possa mudar isso.

Serei taxado de criminoso, talvez chamado de louco, mas minha esperança é que, com o tempo, a verdade reabilite meu nome, e que você, Zachary, mais uma vez me tenha no seu coração.

Nenhuma quantidade de palavras conseguirá fazer justiça ao que sinto por você e ao alívio de saber que agora você está seguro com Nora. Pense no seu pai não como um homem que abandonou você, que quebrou uma promessa feita a você, mas como um homem que quis ter certeza de que você sobreviverá a esse golpe à nossa espécie. Como um homem com escolhas difíceis a fazer, exatamente como o homem que você virá a ser um dia.

Por favor, pense também na sua mãe como ela era. Nosso amor por você nunca morrerá enquanto você viver. Em você, nós demos a este mundo uma grande dádiva, e disso eu não tenho dúvida alguma.

Seu velho,

Pai

Escritório de Administração de Emergências, Brooklyn

O PRÉDIO DO ESCRITÓRIO de Administração de Emergências ficava num quarteirão escurecido no Brooklyn. As instalações do EAE haviam custado cinquenta milhões de dólares quatro anos antes, e serviam como ponto central de coordenação durante grandes emergências em Nova York. Abrigavam o Centro de Operações de Emergência, com cento e trinta agências coordenadas, contendo sistemas audiovisuais e tecnologia de informação de última geração, além de geradores de reserva completos. A sede fora construída para substituir as antigas instalações da agência no World Trade Center, destruídas no 11 de setembro. Fora erigida para promover a coordenação entre agências públicas no caso de um desastre em grande escala. Com essa finalidade, sistemas redundantes eletromecânicos asseguravam a operação contínua durante as falhas de energia.

O prédio fora projetado para funcionar vinte e quatro horas por dia, e estava fazendo exatamente isso. O problema é que muitas das tais agências que deveriam agir coordenadamente (locais, estaduais, federais e sem fins lucrativos) ou estavam inoperantes, com efetivo reduzido, ou aparentemente abandonadas.

O coração da rede municipal de combate a desastres ainda batia forte, mas pouco do precioso sangue informativo estava chegando às extremidades... era como se a cidade houvesse sofrido um ataque cardíaco maciço.

Eph temia perder aquela estreita janela de oportunidade. Atravessar a ponte de volta levou muito mais tempo do que ele esperava: a maioria das pessoas que podia e queria abandonar Manhattan já fizera isso; os destroços e carros abandonados na estrada tornavam a travessia difícil. Alguém amarrara dois cantos de uma imensa lona amarela a um dos cabos de sustentação da ponte, e a coisa ondulava ao vento como uma antiga bandeirola marítima de quarentena drapejando no mastro de um navio abandonado.

O diretor Barnes ia sentado em silêncio, agarrado à alça sobre a janela, depois de finalmente perceber que Eph não lhe contaria para onde estavam indo.

A via expressa de Long Island estava substancialmente mais rápida. Eph foi examinando as aldeias por onde passavam, vendo as ruas desertas embaixo dos viadutos, os postos de gasolina silenciosos e os estacionamentos de shopping-centers vazios.

Ele sabia que seu plano era perigoso. Mais desesperado do que organizado. Talvez o plano de um psicopata. Mas já se conformara com isso: a insanidade estava por toda parte à sua volta. E às vezes a sorte triunfava sobre a preparação.

Ele chegou justo a tempo de ouvir, pelo rádio do carro, o começo do discurso de Palmer. Estacionou junto a uma estação ferroviária, desligou o motor e virou-se para Barnes.

– Pegue sua identidade agora. Vamos entrar no EAE juntos. Vou levar minha arma debaixo do casaco. Se você falar qualquer coisa com qualquer pessoa, eu vou dar um tiro no seu interlocutor e depois em você. Acredita em mim?

Barnes olhou diretamente para os olhos de Eph. Depois assentiu.

– Então vamos andando, e depressa.

Chegaram ao prédio do EAE pela rua 15, onde havia veículos oficiais parados nos dois lados. Por fora, a construção de tijolos pardos parecia uma escola de ensino fundamental nova, com quase um quarteirão de comprimento, mas apenas dois andares de altura. Atrás, erguia-se uma torre de transmissão, cercada por uma cerca encimada por arame farpado. Elementos da guarda nacional, postados de dez em dez metros ao longo do curto gramado, faziam a segurança da instalação.

Eph viu o portão do estacionamento e, lá dentro, o que só podia ser a carreata de Palmer, com os motores ligados em marcha lenta. A limusine do meio tinha um aspecto quase presidencial, e certamente era blindada.

Eph percebeu que precisava pegar Palmer antes que ele entrasse naquele veículo.

– Caminhe aprumado – disse Eph, segurando o cotovelo de Barnes, guiando-o ao longo da calçada e passando pelos soldados na direção da entrada.

Um grupo de manifestantes postados do outro lado da rua começou a gritar para eles segurando cartazes sobre a ira de Deus: proclamavam que, como os Estados Unidos haviam perdido a fé, Ele agora abandonara o país. Um pregador com um terno surrado, de pé sobre uma pequena escada dobrável, lia versos do Livro do Apocalipse. Os que o rodeavam estavam com as palmas das mãos viradas para o EAE, num gesto de bênção, rezando pela agência. Um cartaz mostrava um desenho a mão de Jesus Cristo abatido, sangrando sob uma coroa de espinhos, com presas de vampiro e olhos vermelhos fulgurantes.

– Quem nos salvará agora? – gritou o monje sujo.

O suor escorria pelo peito de Eph, passando pela pistola com projéteis de prata metida em seu cinto.

Eldritch Palmer estava sentado no Centro de Operações de Emergência diante de um microfone e um jarro d'água colocados numa mesa. Encarava um enorme telão de vídeo onde se via o emblema do Congresso dos Estados Unidos.

Sozinho, exceto por Fitzwilliam, seu auxiliar de confiança, Palmer estava usando o seu costumeiro terno escuro. Parecia um pouco mais pálido do que o normal, e um pouco mais encolhido na cadeira. As mãos enrugadas descansavam no tampo da mesa, imóveis, esperando.

Mediante uma ligação por satélite, estava prestes a se dirigir a uma sessão conjunta de emergência do Congresso americano. Essa declaração sem precedentes, seguida de perguntas, estava sendo transmitida também pela internet ao vivo para todas as redes de TV e rádio, além das afiliadas ainda em operação, e internacionalmente por todo o globo.

Fitzwilliam estava parado fora do campo da câmera, com as mãos cruzadas na altura do cinto, olhando para o interior da instalação maior. A maior parte dos cento e trinta postos de trabalho estava ocupada e, contudo, não havia trabalho algum sendo realizado. Todos os olhos estavam voltados para os monitores pendurados nas paredes.

Depois de breves palavras introdutórias, defrontando-se com um Congresso que exibia apenas metade de seus membros, Palmer leu uma declaração que rolava em letras grandes num teleprompter atrás da câmera.

– Quero falar sobre essa emergência na saúde pública para anunciar que eu próprio e a Fundação Stoneheart estamos em boa posição para intervir, reagir e trazer segurança. O que posso apresentar aos senhores hoje é um plano de ação triplo para os Estados Unidos da América, e para o mundo.

"Primeiro, estou oferecendo um empréstimo imediato de três bilhões de dólares para a cidade de Nova York, a fim de manter os serviços municipais funcionando e subsidiar uma quarentena em toda a cidade.

"Segundo, como presidente e diretor-executivo das Indústrias Stoneheart, quero estender minha garantia pessoal quanto à capacidade e segurança do sistema de transporte alimentar da nação, tanto por meio de nossos ativos essenciais de transporte quanto nossas diversas instalações de processamento de carne.

"Terceiro, recomendaria respectivamente que os procedimentos remanescentes da Comissão Regulatória Nuclear sejam suspensos, a fim de que a usina nuclear de Locust Valley, já completada, possa entrar em funcionamento imediatamente, como uma solução direta para os atuais problemas catastróficos de Nova York quanto ao fornecimento de energia."

Como chefe do projeto Canário em Nova York, Eph já estivera no EAE algumas vezes. Conhecia os procedimentos de entrada, que eram seguros, embora ainda fossem realizados por profissionais armados, acostumados a lidar com outros profissionais armados. Assim, enquanto a identidade de Barnes era inspecionada bem detidamente, Eph simplesmente enfiou seu escudo e sua pistola numa cesta, passando rápido pelo detector de metais.

– Vai querer uma escolta, diretor Barnes? – perguntou o guarda de segurança.

Eph agarrou suas coisas e o braço de Barnes.

– Nós sabemos o caminho.

As perguntas dirigidas a Palmer partiram de um painel de três democratas e dois republicanos. Quem mais o questionou foi um alto membro do Departamento de Segurança Interna, deputado Nicholas Frone, do terceiro distrito eleitoral da cidade de Nova York, também integrante da Comissão de Finanças da Câmara. Diz-se que os eleitores não confiam em candidatos carecas ou barbudos, mas em ambos os quesitos Frone fora uma exceção à regra por três mandatos sucessivos.

– Quanto à quarentena, sr. Palmer, diria que... não será tarde demais?

Sentado com as mãos sobre uma única folha de papel, Palmer disse:

– Aprecio suas tiradas folclóricas, deputado Frone. Mas como alguém criado num ambiente privilegiado, o senhor talvez não saiba que um fazendeiro habilidoso pode encilhar e montar um cavalo para trazer à segurança outro que fugiu. Os fazendeiros trabalhadores dos Estados Unidos nunca desistiriam de um bom cavalo, e acho que nós também não devemos fazer isso.

– Além disso – retrucou Frone –, acho interessante que o senhor amarre o seu projeto preferido, o reator nuclear que vem tentando implantar a despeito de procedimentos regulatórios, a essa proposta. Não estou nem um pouco convencido de que seja um bom momento para nos apressarmos a colocar a usina em funcionamento. E gostaria de saber como exatamente isso ajudará, quando o problema, na minha visão, não é a deficiência de energia, mas sim, as interrupções na distribuição.

Palmer respondeu:

– Deputado Frone, duas usinas de força fundamentais para o fornecimento de energia à cidade de Nova York estão atualmente desativadas, devido à sobrecarga de voltagem e a falhas nas linhas de transmissão causadas por picos generalizados no sistema. Isso provoca uma reação em cadeia de efeitos adversos. Reduz o suprimento de água, pela falta de pressão nos dutos, coisa que leva à contaminação quando não é imediatamente corrigida. Também prejudica o transporte ferroviário ao longo de todo o corredor do nordeste, a triagem rigorosa de passageiros no transporte aéreo, e até mesmo a viagem por rodovias, com a indisponibilidade de bombas de gasolina elétricas. Perturba a comunicação por telefones celulares, coisa que afeta todos os serviços de emergência do estado, tais como o número 911, colocando os cidadãos diretamente em risco.

"Já quanto à energia nuclear, essa usina, localizada no seu distrito eleitoral, está pronta para entrar em operação. Passou por todas as regulações preliminares sem falhas, contudo, os procedimentos burocráticos exigem mais demora. É uma usina de força plenamente operacional, uma usina contra a qual o senhor mesmo fez campanha, resistindo em todas as etapas da construção, mas que pode fornecer energia a grande parte da cidade, se for ativada. Cento e quatro usinas como essa suprem a energia de vinte por cento da eletricidade do país. Essa é a primeira usina nuclear que foi autorizada nos Estados Unidos desde o incidente de Three Mile Island em 1978. A palavra 'nuclear' traz à tona conotações negativas, mas na verdade é uma fonte de energia sustentável que reduz as emissões de carbono. É a nossa única alternativa honesta em larga escala para os combustíveis fósseis."

– Permita que eu interrompa a sua mensagem comercial aqui, sr. Palmer – disse o deputado Frone. – Com todo o respeito, essa crise não será apenas uma liquidação para os super-ricos, tais como o senhor mesmo? Uma "Doutrina de Choque" em estado puro, não? Eu, por exemplo, estou muito curioso para saber o que o senhor planeja fazer com Nova York, depois que a cidade cair sob seu domínio.

– Como esclareci previamente, seria uma linha de crédito rotativo, sem juros, por vinte anos...

Eph jogou as credenciais do FBI numa cesta de lixo e avançou com Barnes, passando pelo Centro de Operações de Emergência, que era o coração da instalação. A atenção de todo mundo estava focalizada em Palmer, exibido nos muitos monitores pendurados nas paredes.

Eph viu alguns homens da Stoneheart, com ternos escuros, reunidos num corredor lateral que levava a um par de portas de vidro. O letreiro com uma seta dizia: SALA DE CONFERÊNCIAS SEGURA.

Eph sentiu um calafrio quando percebeu que muito provavelmente morreria ali. Certamente, se tivesse êxito. Embora seu maior medo fosse ser abatido sem conseguir assassinar Eldritch Palmer.

Ele adivinhou a direção da saída para o estacionamento, voltou-se para Barnes e sussurrou:

– Finja que está doente.

– O quê?

– Finja que está doente. Não deve ser muito difícil para você.

Eph avançou com o diretor, passando pelo salão de conferência na direção dos fundos. Havia outro homem da Stoneheart parado perto de um par de portas. Diante dele pendia um letreiro brilhante indicando o toalete masculino.

– Chegamos, senhor – disse Eph, abrindo a porta para Barnes, que entrou segurando a barriga e pigarreando sobre a mão. Eph revirou os olhos para o homem da Stoneheart, cuja expressão facial não mudou um milímetro.

Dentro do banheiro, eles se viram sozinhos. As palavras de Palmer soavam nos alto-falantes. Eph sacou a arma, levou Barnes até o reservado mais distante e fez com que ele sentasse no vaso coberto.

– Fique à vontade – disse.

– Ephraim – disse Barnes. – Eles certamente vão matar você.

– Eu sei – disse Eph, dando uma coronhada em Barnes antes de fechar o reservado. – É para isso que eu vim aqui.

O deputado Frone continuou:
– Bem, surgiram notícias na mídia, antes de isso tudo começar, que o senhor e seus parceiros vinham atacando o mercado mundial de prata, tentando controlá-lo. Francamente, já apareceram muitas histórias loucas em relação a esse surto. Algumas delas, verdadeiras ou não, levantaram uma lebre. Muita gente acredita nelas. O senhor está realmente se aproveitando do medo e das superstições das pessoas? Ou isso é, como espero, o menor de dois males... um simples caso de cobiça?

Palmer ergueu a folha à sua frente. Dobrou o papel no sentido do comprimento, depois mais uma vez no sentido da largura e cuidadosamente meteu o troço no bolso interno do paletó. Fez isso vagarosamente, sem jamais tirar os olhos da câmera que o conectava com Washington, D.C.

– Deputado Frone, é exatamente esse tipo de mesquinhez e impasse moral que nos trouxe a essa época sombria. Já está registrado que doei a maior quantia permitida por lei para o seu oponente, em cada uma das campanhas anteriores, e é assim que o senhor...

Frone interrompeu com um grito.

– Isso é uma acusação ultrajante!

– Os senhores têm aqui um homem velho. Um homem frágil, com muito pouco tempo de vida na Terra. Um homem que quer retribuir algo à nação que lhe deu tanto na vida. Agora eu me acho numa posição privilegiada para fazer exatamente isso. Dentro dos limites da lei, nunca acima. Ninguém está acima da lei. É por isso que eu queria fazer uma prestação de contas completa diante dos senhores hoje. Por favor, permitam que o ato final de um patriota seja um ato nobre. Isso é tudo. Muito obrigado.

Fitzwilliam puxou a cadeira dele para trás, enquanto Palmer se levantava. Na parede de vídeo ali à frente ouvia-se o burburinho e as marteladas do presidente da sessão.

Eph estava parado junto à porta, escutando. Havia movimento lá fora, mas ainda não o bastante. Ele ficou tentado a abrir somente um pouco a porta, mas ela abria para dentro, e ele certamente seria visto. Então puxou um pouco o cabo da pistola, mantendo-a frouxa e pronta na cintura.

Um homem passou por ele, falando como se tivesse um rádio.

– Traga o carro.

Era a dica que Eph esperava. Respirou fundo e estendeu a mão para a maçaneta da porta, saindo do banheiro rumo a um assassinato.

Dois homens da Stoneheart em ternos escuros estavam se dirigindo para a extremidade mais afastada do salão; ali ficavam as portas que davam para fora. Eph se virou para o outro lado, vendo outros dois dobrando o canto. Eram da linha de frente, e logo perceberam a presença dele.

O momento escolhido por Eph não fora perfeito. Ele se afastou para um lado, como que deixando os homens passar, tentando parecer desinteressado.

A primeira coisa que ele viu foram as rodinhas da frente. Uma cadeira de rodas vinha dobrando o canto. Surgiram dois sapatos bem engraxados no apoio dobrável para os pés da cadeira.

Era Eldritch Palmer, com uma aparência extremamente pequena e frágil. Ele tinha as mãos, brancas como farinha de trigo, dobradas no colo encolhido, e os olhos dirigidos diretamente para a frente, não para Eph.

Um dos homens da linha de frente se desviou na direção de Eph, bloqueando a visão que ele tinha do bilionário que passava. Palmer estava a menos de cinco metros, e Eph não podia esperar mais.

Com o coração acelerado, puxou a pistola da cintura. Tudo aconteceu em câmera lenta, e de uma só vez.

Eph levantou a arma e saltou para a esquerda, a fim de driblar o homem da Stoneheart no seu caminho. Sua mão tremia, mas o braço estava firme, e a mira certa.

Mirou no alvo principal, o peito do homem sentado, e puxou o gatilho. Mas o homem da Stoneheart que ia na frente pulou sobre ele, sacrificando-se mais automaticamente do que qualquer agente do Serviço Secreto que já saltara na frente de um presidente americano.

A bala atingiu o homem no peito, ricocheteando na blindagem do colete à prova de balas debaixo do terno. Eph reagiu exatamente a tempo, jogando o homem para o lado antes que pudesse ser agarrado.

Depois disparou de novo, mas desequilibrado, e a bala de prata ricocheteou no descanso do braço da cadeira de rodas de Palmer. O terceiro tiro atingiu a parede. Um guarda-costas especialmente corpulento com corte de cabelo militar, o homem que empurrava a cadeira de Palmer, começou a correr, empurrando o benfeitor para frente, de modo que os capangas da Stoneheart catapultaram-se em cima de Eph, que caiu no chão.

Ele torceu o corpo quando caiu, mantendo o braço com a pistola virado para a porta de saída. Um tiro mais. Eph levantou a arma para atirar nas costas da cadeira, ao lado do guarda-costas grande, mas um sapato pisou no seu antebraço, e o tiro atingiu o carpete. A arma pulou fora da mão de Eph.

Ele estava debaixo de uma pilha crescente de homens, cheia de corpos que vinham correndo do salão principal. Gritos, berros. Mãos arranhavam Eph, puxando-o pelos membros. Ele virou a cabeça justamente a tempo de ver, no meio das pernas e dos braços que o atacavam, a cadeira de rodas sendo empurrada para fora pelas portas duplas, sob a luz do sol brilhante.

Eph soltou um uivo de agonia. Sua única chance se esvaíra para sempre. O momento escapara.

Palmer sobrevivera incólume.

Agora o mundo era quase todo dele.

Instalações da Black Forest Solutions

PARADO COM O CORPO ereto dentro da profunda escuridão de uma grande câmara abaixo da processadora de carne, o Mestre estava eletricamente alerta, meditando. Isso ficava mais evidente à medida que sua pele, queimada pelo sol, continuava a descascar do corpo de seu antigo hospedeiro humano, expondo a derme crua e vermelha por baixo.

A cabeça do Mestre girou alguns graus sobre o pescoço grande e largo na direção da entrada, dando atenção a Bolivar. O roqueiro não tinha necessidade de relatar o que o Mestre já sabia, e que, através dos olhos de Bolivar, já vira: a chegada dos caçadores humanos à loja de penhores, evidentemente na esperança de contactar o velho Setrakian, e a desastrosa batalha que se seguira.

Atrás de Bolivar vinham os tateadores, rastejando sobre joelhos e mãos como caranguejos cegos. Estavam "vendo" algo perturbador, conforme Bolivar inferia de seu comportamento.

Alguém estava vindo. A inquietação dos tateadores era compensada pela evidente despreocupação sobre o intruso por parte do Mestre, que disse:

Os Antigos contrataram mercenários para a caçada diurna. Mais um sinal de seu desespero. E o velho professor?

Escapuliu antes do nosso ataque. Dentro da residência os tateadores sentiram que ele ainda está vivo, disse Bolivar.

Escondido. Planejando. Tramando.

Com o mesmo desespero dos Antigos.

Os humanos só ficam perigosos quando nada mais têm a perder.

O ruído de uma cadeira de rodas motorizada, e de rodas de borracha rolando no chão de terra, anunciaram que o visitante era Eldritch Palmer. O guarda-costas enfermeiro vinha logo atrás, portando bastões de luz azul a fim de iluminar a passagem para a visão humana.

Diante do avanço da cadeira de rodas, os tateadores se afastaram rastejando, sibilando e subindo pelas paredes, para ficar fora do raio de ação da luminescência química.

– Mais criaturas – disse Palmer entredentes, incapaz de esconder sua aversão ao ver as crianças vampirescas e seus olhos cegos negros. O bilionário estava furioso. – Por que este buraco?

Porque me agrada.

Pela primeira vez Palmer viu, graças àquela suave luz azul, que a pele do Mestre estava descascando. Nacos de carne coalhavam o chão a seus pés, como cabelo cortado numa cadeira de barbeiro. Palmer ficou perturbado pela visão da carne viva revelada debaixo do exterior rachado, e começou a falar rapidamente para evitar que o Mestre lesse sua mente feito um vidente com uma bola de cristal.

– Olhe aqui. Eu já esperei e fiz tudo que você pediu, sem receber coisa alguma em troca. Hoje ocorreu um atentado contra a minha vida. Quero ser recompensado agora! Minha paciência chegou ao fim. Você me dá o que prometeu ou eu não vou mais financiar coisa alguma... entende? Acabou!

A pele do Mestre se dobrou quando ele curvou para a frente a cabeça, que alcançava o teto. O monstro era realmente uma figura intimidadora, mas Palmer não ia recuar.

– Minha morte prematura, se vier, fará todo o plano fracassar. Você nada terá no meu testamento, e não poderá reivindicar os meus recursos.

Eichhorst, o perverso comandante nazista, convocado para a câmara pelo Mestre, entrou atrás de Palmer na névoa da luz azul. *Seria melhor você controlar essa língua humana na presença do Mestre.*

Com um aceno da grande mão, o Mestre calou Eichhorst. Sob a luz azul, seus olhos vermelhos pareciam roxos, fixados em Palmer. *Está combinado. Eu lhe concederei o seu desejo por imortalidade. No prazo de um dia.*

Palmer gaguejou, espantado. Primeiro, por causa da surpresa da súbita capitulação do Mestre, depois de tantos anos de esforço. E depois pela percepção do grande salto que estava pronto a dar. Mergulhar no abismo que é a morte, e subir à superfície do outro lado...

O empresário que existia dentro dele queria uma garantia maior. Mas o planejador que também havia lá deteve sua língua.

Ninguém faz exigências a um monstro como o Mestre. A gente pede um favor, e depois aceita sua benemerência com gratidão.

Mais um dia como mortal. Palmer pensou que poderia até aproveitar isso.

Todos os planos estão em pleno andamento. Minha Ninhada está marchando pelo continente. Temos exposição em cada destino crucial, nosso círculo está se ampliando nas cidades e nas províncias por todo o globo.

Palmer engoliu sua expectativa, dizendo:

– E, ao mesmo tempo que o círculo aumenta, simultaneamente fica mais apertado.

Suas velhas mãos descreveram o cenário, com os dedos se entrecruzando, as palmas se apertando numa pantomima de estrangulamento.

É verdade. Uma última tarefa que ainda resta antes do começo da Devoração.

Eichhorst, parecendo metade de um homem ao lado do gigantesco Mestre, disse:

– O livro.

– É claro – disse Palmer. – Será seu. Mas preciso perguntar... se você já conhece o conteúdo...

Não é fundamental que eu esteja de posse do livro. É fundamental que outros não estejam.

– Então... por que não simplesmente explodir a casa de leilões? Explodir todo o quarteirão?

Soluções toscas foram tentadas no passado, e fracassaram. Esse livro já teve vidas demais. Eu preciso estar absolutamente certo de seu destino. Para poder vê-lo em chamas.

O Mestre então se empertigou ao máximo, ficando distraído de um jeito que só ele conseguia.

Estava vendo algo. Continuava fisicamente na caverna com eles, mas psiquicamente via através dos olhos de outra pessoa, de um dos elementos de sua Ninhada.

Dentro da cabeça de Palmer, o Mestre pronunciou duas palavras.

O garoto.

Palmer ficou esperando uma explicação, que não veio. O Mestre retornara ao presente, ao agora. Voltara a eles com uma nova certeza, como se houvesse entrevisto o futuro.

Amanhã o mundo arderá, enquanto o garoto e o livro serão meus.

O blog de Vasiliy Fet

Eu matei.

Eu assassinei.

Com as mãos que digitam isso agora.

Esfaqueei, cortei, golpeei, esmaguei, desmembrei, decapitei.

Cobri minhas roupas e botas com o sangue branco deles.

Destruí. E me alegrei com a destruição.

Você pode dizer que passei a vida treinando para isso, já que sou exterminador por profissão.

Eu compreendo o argumento, mas simplesmente não consigo aguentar isso.

Porque uma coisa é ver um rato subir correndo pelo seu braço, cego de medo.

Coisa bem diferente é se deparar com outro ser de forma humana e cortá-lo ao meio.

Eles parecem gente. São muito semelhantes a mim e a você.

Já não sou mais exterminador. Agora sou caçador de vampiros.

E aqui está a outra coisa.

Uma coisa que só vou falar aqui, porque não tenho coragem de falar a mais ninguém.

Porque sei o que as pessoas pensarão.

Sei o que elas sentirão.

Sei o que elas verão quando olharem nos meus olhos.
Mas... toda essa matança?
Eu meio que gosto disso.
E sou bom nisso.
Posso até chegar a ser ótimo nisso.
A cidade está desmoronando, e provavelmente o mundo também. Apocalipse é uma palavra grande, uma palavra pesada, quando a gente percebe que é isso que está realmente enfrentando.
Eu não posso ser o único. Deve haver outros por aí como eu. Alguém que viveu a vida toda sentindo-se incompleto. Que nunca se encaixou realmente em lugar nenhum do mundo. Que nunca compreendeu por que estava aqui, ou para que servia sua vida. Que nunca respondeu a um chamado, porque nunca ouviu nenhum. Porque nada jamais lhe foi dito.
Até agora.

Estação Pensilvânia

NORA OLHOU PARA LONGE pelo que parecia ser apenas um instante. Enquanto fitava o grande quadro de avisos, esperando que o número da plataforma de embarque fosse anunciado, seu olhar se aprofundou e, incrivelmente exausta, ela entrou em transe.

Pela primeira vez em dias, não pensou em coisa alguma. Nada de vampiros, medos ou planos. Relaxou o foco, e sua mente mergulhou no sono, embora os olhos permanecessem abertos.

Quando piscou, voltando ao estado de vigília, foi como se acordasse de um sonho em que estivesse caindo. Um tremor, uma sacudida. Um pequeno arquejo.

Ela se virou e viu Zack ali perto, ouvindo o iPod.

Mas sua mãe desaparecera.

Nora olhou em torno, sem avistar a mãe. Tirou os fones de ouvido de Zack e perguntou a ele, que se juntou a ela na procura.

– Espere aqui – disse Nora, apontando para as malas. – Não saia daqui!

Foi abrindo caminho na multidão compacta que esperava diante do quadro de embarque. Procurou uma brecha no amontoado, uma trilha que sua mãe, movimentando-se devagar, pudesse ter tomado, mas não a achou.

– Mamãe! – gritou Nora.

Umas vozes estridentes fizeram com que se virasse e fosse na direção delas, saindo do denso amontoado de pessoas perto da lateral do saguão, junto ao portão de uma delicatéssen fechada.

Lá estava a mãe, arengando com uma família do Sudeste Asiático com ar espantado.

– Esme! – gritou a mãe de Nora, invocando o nome de sua falecida irmã, tia de Nora. – Tome conta da chaleira, Esme! Está fervendo. Posso ouvir daqui!

Nora finalmente alcançou a mãe, tomou-lhe o braço e balbuciou umas desculpas para o pai, a mãe e as duas filhas, que não falavam inglês, dizendo:

– Mamãe, vamos.

– Lá vem você, Esme – disse a mãe. – O que está queimando?

– Venha, mamãe. – Lágrimas surgiram nos olhos de Nora.

– Você está queimando minha casa!

Nora agarrou com firmeza o braço da mãe e foi puxando-a pela multidão, ignorando os resmungos e insultos. Zack estava na ponta dos pés, procurando por elas. Nora não disse nada ao garoto, para não se descontrolar diante dele. Mas aquilo era demais. Todo mundo tem um limite. Nora estava se aproximando rapidamente do seu.

Como a mãe tivera orgulho dela, que primeiro se formara em química pela Fordham, e depois fizera faculdade de medicina com especialização em bioquímica no hospital Johns Hopkins. Nora percebia agora que sua mãe provavelmente presumira que ela estava com a vida ganha. Teria uma médica rica como filha. Mas o interesse de Nora fora pela saúde pública, não pela medicina interna ou pediatria. Ao olhar para trás, ela via que crescer à sombra da usina nuclear de Three Mile Island moldara sua vida mais do que percebera. Os Centros de Controle e Prevenção de Doenças pagavam salários governamentais, bem menores que a robusta renda potencial de muitos dos pares de Nora.

Mas ela era jovem: havia tempo para servir, e ganhar dinheiro mais tarde.

Então um dia a mãe se perdera a caminho da mercearia. Tinha problemas para amarrar os sapatos ou então ligava o forno e se afastava. Agora conversava com os mortos. O diagnóstico de mal de Alzheimer fizera com que a filha renunciasse até a seu apartamento, a fim de cuidar da saúde declinante da mãe. E Nora vinha adiando o plano de encontrar uma casa de repouso adequada para ela, principalmente por ainda não saber como poderia pagar.

Zack percebeu a angústia de Nora, mas deixou-a em paz, sentindo que ela não queria discutir o assunto, e mergulhou de novo nos seus fones de ouvido.

Então, subitamente, muito tempo depois do horário estipulado, o número da plataforma para o trem que tomariam finalmente apareceu no grande quadro, anunciando sua chegada. Começou um atropelo alucinado. Empurrões, berros, cotoveladas e xingamentos. Nora agarrou as bolsas e, segurando firme o braço da mãe, gritou para Zack se mexer.

A coisa ficou ainda mais feia quando o funcionário da Amtrak, postado no alto da estreita escada rolante que descia até a plataforma, falou que o trem não estava pronto. Nora se viu perto da rabeira da multidão irada, tão para trás que não tinha certeza se eles chegariam ao trem, mesmo com as passagens compradas.

E então fez algo que prometera a si mesma jamais fazer: usou o emblema de funcionária do Centro de Controle de Doenças para abrir caminho até a frente do grupo. Fez isso sabendo que não era um gesto egoísta em seu próprio benefício, mas por sua mãe e Zack. Mesmo assim, ouviu insultos e viu os olhares faiscantes de cada passageiro, enquanto a multidão se abria vagarosamente, resmungando, para deixá-los passar.

Então pareceu que a coisa não adiantara nada. Quando a escada rolante foi finalmente aberta e os passageiros puderam descer para a plataforma no subsolo, Nora se viu diante de trilhos vazios. O trem estava de novo atrasado, e ninguém dizia por que ou dava qualquer estimativa de quanto tempo aquilo perduraria.

Nora conseguiu que sua mãe sentasse nas malas deles bem junto à linha amarela, enquanto ela e Zack dividiam o último saquinho de rosquinhas. Nora permitiu que cada um deles bebesse apenas um pequeno gole d'água da garrafa esportiva cheia pela metade que ela trouxera.

A tarde já se escoara. Partiriam, se tivessem sorte, depois do pôr do sol, e isso enervava Nora. Ela planejara e esperava estar bem fora da cidade, rumando para oeste, quando a noite caísse. Não parava de se inclinar sobre a borda da plataforma, olhando para os túneis, com a bolsa de armas firme a seu lado.

O sopro de ar no túnel veio como um suspiro de alívio. A luz anunciou a aproximação do trem e todos se levantaram. A mãe de Nora foi quase empurrada pela borda da plataforma por um sujeito com uma enorme mochila. O trem avançou, enquanto todo mundo se posicionava, e um par de portas parou milagrosamente bem diante de Nora. Finalmente alguma coisa estava funcionando a favor deles.

As portas se abriram e eles entraram, levados de roldão pela multidão. Nora arranjou dois assentos juntos para a mãe e Zack, jogando na prateleira suspensa acima deles a bagagem, menos a mochila de Zack, que ficou no colo dele, e a bolsa de armas. Depois ficou de pé diante deles, encostada nos joelhos dos dois, com as mãos firmes nas barras superiores.

O restante das pessoas se amontoou dentro do vagão. Uma vez embarcados, e já sabendo que a etapa final de seu êxodo estava prestes a começar, os passageiros aliviados mostravam um pouco mais de civilidade. Nora viu um homem ceder seu lugar a uma mulher com uma criança. Estranhos ajudavam-se uns aos outros para levantar as bagagens. Surgiu um imediato sentido de comunidade entre os afortunados. E a própria Nora sentiu uma súbita sensação de bem-estar. Pelo menos estava prestes a respirar com facilidade.

– Você está bem? – perguntou ela a Zack.

– Nunca estive melhor – disse ele, revirando levemente os olhos, desembaraçando os fios do iPod e colocando os fones nos ouvidos.

Como Nora temia, muitos passageiros, alguns com passagens compradas e outros sem, não conseguiram alcançar o trem. Depois que todas as portas se fecharam, com alguma dificuldade, os que ficaram de fora começaram a esmurrar as janelas, enquanto outros imploravam com os funcionários, que mais pareciam querer estar no trem eles próprios. Aqueles que não conseguiram embarcar pareciam refugiados de guerra. Nora fechou os olhos e fez uma breve oração por eles; depois fez outra por si mesma, pedindo perdão por ter colocado seus entes queridos na frente daqueles passageiros.

O trem prateado começou a se movimentar para oeste, na direção dos túneis debaixo do rio Hudson, e o vagão apinhado irrompeu em aplausos. Nora viu as luzes da estação se afastarem e desaparecerem. Depois começaram a subir do subsolo para a superfície, como nadadores vindo à tona para recuperar o fôlego tão necessário.

Nora se sentia bem dentro do trem, que cortava a escuridão como uma espada corta um vampiro. Ela baixou o olhar para o rosto vincado da mãe, observando os olhos dela se apagarem e as pálpebras baterem de leve. Dois minutos de balanço, e ela imediatamente adormecera.

Saíram da estação já em plena noite, correndo pouco tempo na superfície antes de mergulhar nos túneis debaixo do rio Hudson. Enquanto a chuva batia nas vidraças do trem, Nora arquejava diante do que via. Relances de anarquia: carros em chamas, incêndios a distância, gente brigando sob a chuva negra que descia do céu. Pessoas correndo pelas ruas... estavam sendo perseguidas? Caçadas? Seriam mesmo pessoas? Talvez fossem elas que estavam caçando.

Nora deu uma olhadela para Zack, encontrando o garoto focado no visor do iPod. E viu, na concentração dele, o pai no filho. Ela amava Eph, e acreditava que poderia amar Zack, mesmo que ainda soubesse muito pouco sobre ele. Eph e o garoto eram semelhantes de muitas maneiras, além da aparência. Ela e Zack teriam muito tempo para se conhecerem, quando chegassem ao acampamento isolado.

Nora olhou de volta para a noite escura, vendo o apagão da cidade quebrado aqui e ali por faróis, ocasionais clarões de luz vindos de locais iluminados por geradores. Luz equivalia a esperança. A terra dos dois lados começou a recuar, enquanto a cidade ficava para trás. Nora comprimiu o rosto contra a janela para acompanhar o progresso do trem, avaliando quanto tempo demoraria para que atravessassem o túnel seguinte e saíssem mesmo de Nova York.

Foi então que viu, parada no canto mais alto de um muro baixo, uma figura silhuetada por um facho de luz virado para cima. Algo na aparição fez Nora estremecer, era uma premonição do mal. Ela não conseguiu tirar os olhos da figura enquanto o trem se aproximava... e a figura começou a levantar o braço.

Estava apontando para o trem. Não apenas para o trem, parecia que... diretamente para Nora.

O trem diminuiu a marcha enquanto passava naquele local, mas talvez isso fosse apenas uma impressão de Nora, com os sentidos de tempo e movimento distorcidos pelo terror.

Sorrindo, iluminada pela claridade do trem, com o cabelo escorregadio e sujo, a boca horrivelmente distendida e os olhos vermelhos fulgurantes, Kelly Goodweather olhava fixamente para Nora Martinez.

Os olhos das duas se encontraram quando o trem passou, com o dedo de Kelly seguindo Nora.

Nora comprimiu a testa contra a vidraça, enjoada pela visão da vampira, mas sabendo o que Kelly estava prestes a fazer.

Voando com sobrenatural agilidade animal, a vampira saltou no último instante, agarrou-se ao trem e desapareceu das vistas de Nora.

Flatlands

SETRAKIAN TRABALHOU DEPRESSA, OUVINDO a van de Vasiliy chegar aos fundos da loja. Folheou alucinadamente as páginas de um velho livro aberto na mesa, o terceiro volume da edição francesa de *Collection des anciens alchimistes grecs*, publicada por Berthelot e Ruelle em Paris, em 1888. Dardejava os olhos de cá para lá entre as páginas ilustradas e as folhas com os símbolos que copiara do *Lumen*. Estudava um símbolo em particular. E finalmente localizou a ilustração, detendo as mãos e os olhos por um momento.

Um anjo de seis asas, com uma coroa de espinhos, o rosto cego e sem boca, mas com bocas múltiplas enfeitando cada uma das asas. A seus pés o símbolo familiar – uma lua crescente – e uma única palavra.

– *Argentum* – leu Setrakian. Agarrou reverentemente a página amarelada, e depois arrancou a ilustração da velha encadernação, jogando-a dentro das páginas de seu caderno, exatamente quando Vasiliy abriu a porta.

Vasiliy voltara antes do pôr do sol. Tinha certeza que não fora descoberto ou rastreado pela ninhada de vampiros, coisa que levaria o Mestre de volta a Setrakian.

O velho estava trabalhando sobre uma mesa perto do rádio, fechando um de seus livros velhos, e sintonizara um programa de entrevistas com som baixo. Era uma das poucas vozes ainda presente nas ondas radiofônicas. Vasiliy sentia uma verdadeira afinidade por Setrakian. Parte disso era o laço que nasce entre soldados em tempos de batalha, a irmandade da trincheira: naquele caso, a trincheira era a cidade de Nova York. Depois havia o grande respeito que ele sentia por aquele velho enfraquecido, que simplesmente não cessava de lutar. Vasiliy gostava de pensar que havia semelhanças entre ele próprio e o professor: a dedicação a uma profissão e o domínio do conhecimento sobre seus inimigos. A diferença óbvia era de amplitude, já que Vasiliy guerreava com pragas e animais incômodos, enquanto Setrakian se dedicara, desde jovem, a erradicar uma raça desumana de seres parasitas.

Em certo sentido, Vasiliy pensava em si mesmo e em Eph como filhos "substitutos" do professor. Eram irmãos em armas, e contudo tão diferentes quanto podiam ser. Um curava, o outro exterminava. Um, o homem de família com curso universitário, de boa situação social; o outro, um operário, autodidata solitário. Um morava em Manhattan, o outro no Brooklyn.

Contudo, aquele que inicialmente estivera na linha de frente do combate à praga, o médico-cientista, vira sua influência diminuir nos dias sombrios desde que a fonte do vírus se tornara conhecida. Enquanto seu oposto, o funcionário municipal com uma pequena loja em Flatlands e um instinto de matador, agora trabalhava ao lado do velho.

Havia outra razão pela qual Vasiliy se sentia próximo a Setrakian. Era algo que ele não podia trazer à tona, e que não estava inteiramente claro, nem mesmo para ele próprio. Seus pais haviam imigrado para os Estados Unidos partindo da Ucrânia (e não da Rússia, como contavam às pessoas, e como Vasiliy ainda afirmava), não apenas à procura das oportunidades que todo imigrante busca, mas também para escapar do passado. O pai do pai de Vasiliy – e isso era uma coisa que nunca lhe fora contada, porque ninguém na sua família falava do assunto diretamente, principalmente o azedo pai – fora um prisioneiro soviético durante a Segunda Guerra Mundial, e servira como conscrito num dos campos de extermínio. Se fora em Treblinka, Sobibor ou em outro local, Vasiliy não sabia. Era algo que ele nunca desejara explorar. O papel do avô no Holocausto foi revelado duas décadas depois de terminada a guerra, e ele foi preso. Para se defender, o avô alegou que fora vitimizado nas mãos dos nazistas, e forçado àquele papel baixo de guarda do campo. Os ucranianos de origem alemã haviam sido colocados em cargos de comando, enquanto o restante moureajava segundo os caprichos dos sádicos comandantes dos campos. Contudo, os promotores apresentaram provas de enriquecimento nos anos do pós-guerra, tais como a fonte da riqueza do avô de Vasiliy para fundar uma empresa de confecção de roupas, que o acusado foi incapaz de explicar. Mas foi uma fotografia desfocada dele parado diante de uma cerca de arame farpado com uniforme preto, uma carabina nas mãos enluvadas, e os lábios repuxados numa expressão considerada por alguns como um sorriso de desprezo, e por outros de nojo, que acabou com ele. O pai de Vasiliy nunca falou sobre o assunto enquanto viveu. O que o pequeno Vasiliy sabia ouvira da mãe.

A vergonha pode realmente ser lançada sobre as gerações futuras, e agora Vasiliy levava aquilo como um fardo terrível, uma dose de opróbio quente sempre na boca do estômago. Realisticamente, um homem não pode ser responsabilizado pelas ações de seu avô, contudo...

Contudo carregamos os pecados de nossos antepassados como carregamos as feições deles no rosto. Carregamos o sangue, a honra e as desgraças deles.

Vasiliy nunca sofrera tanto com essa descendência como agora, a não ser em sonhos, talvez. Havia uma sequência recorrente que perturbava seu sono repetidamente. Nela, Vasiliy retorna à aldeia natal de sua família, um lugar que ele nunca visitara na vida real. Todas as portas e janelas estão fechadas para ele, que caminha pelas ruas sozinho, embora vigiado. Então, de repente, do final de uma rua, uma forte explosão de raivosa luz alaranjada voa na sua direção com a cadência de cascos galopantes.

Um garanhão, com pele, crina e cauda em chamas, avança celeremente para ele. O cavalo está inteiramente incendiado, e Vasiliy, sempre no último minuto, salta fora do caminho do animal, virando-se e vendo o cavalo partir pelo descampado, deixando um rastro de fumaça negra.

– Como está lá fora?

Vasiliy descansou a sacola.

– Quieto. Ameaçador. – Tirou o casaco, puxando do bolso um vidro com manteiga de amendoim e uns biscoitos que pegara numa parada em seu apartamento. Ofereceu alguns a Setrakian. – Alguma notícia?

– Nada – disse o professor, inspecionando a caixa de biscoitos como se fosse recusar o lanche. – Mas Ephraim já deveria ter voltado há muito tempo.

– As pontes. Estão entupidas.

– Hum. – Setrakian abriu a embalagem de papel encerado, farejando o conteúdo antes de experimentar um biscoito. – Você conseguiu os mapas?

Vasiliy bateu de leve no bolso. Fora até um depósito do Departamento de Obras Públicas em Gravesend a fim de obter os mapas dos esgotos de Manhattan, especificamente do Upper East Side.

– Consegui, sim. A pergunta é... vamos poder usar isso?

– Vamos. Tenho certeza.

Vasiliy sorriu. A fé do velho nunca deixava de animá-lo.

– Você pode me dizer o que viu naquele livro?

Setrakian descansou o pacote de biscoitos e acendeu um cachimbo.

– Eu vi... tudo. Vi esperança, sim. Mas depois... eu vi o nosso fim. De tudo.

Ele puxou uma reprodução do desenho da lua crescente visto tanto no metrô, pelo vídeo gravado por Vasiliy com o celular rosa, quanto nas páginas do *Lumen*. O velho copiara o desenho três vezes.

— Você vê? Esse símbolo, tal como o próprio vampiro era visto antigamente, é um arquétipo. Comum a toda a humanidade, no Oriente e no Ocidente, mas contendo uma permutação diferente, vê? Latente, mas revelada com o tempo, como se fosse uma profecia. Observe.

Ele pegou os três pedaços de papel e, utilizando uma mesinha improvisada, sobrepôs cada um em cima dos outros.

— Qualquer lenda, criatura ou símbolo que encontremos já existe num vasto reservatório cósmico, onde os arquétipos esperam. Formas assomando fora de nossa caverna de Platão. Nós naturalmente nos consideramos inteligentes e sábios, tão avançados, e aqueles que vieram antes de nós tão ingênuos e simplórios... quando na verdade tudo que fazemos é ecoar a ordem do universo, enquanto ela nos guia...

As três luas giraram no papel e se juntaram.

— Essas não são três luas. Não. São ocultações. Três eclipses solares, cada um ocorrendo com exata latitude e longitude, marcando um enorme intervalo de tempo e assinalando um evento, agora completo. Revelando a sagrada geometria do presságio.

Vasiliy viu com espanto que as três formas juntas formavam um rudimentar sinal convencional de perigo biológico: ☣.

— Mas esse símbolo — disse ele. — Eu conheço isso por causa do meu trabalho. Só foi inventado nos anos 1960. Eu acho...

— Todos os símbolos são eternos. Existem antes mesmo de sonharmos com eles...

— Então como...

— Ah, nós sabemos — disse Setrakian. — Sempre sabemos. Não descobrimos, não aprendemos. Simplesmente nos lembramos de coisas que esquecemos. — Ele apontou para o símbolo. — Um alerta. Dormente na nossa mente, agora reanimado... enquanto se aproxima o fim dos tempos.

Vasiliy ficou olhando para a mesa de trabalho que Setrakian preparara. Ele estava fazendo experiências com equipamentos fotográficos, explicando algo sobre "testar uma técnica com emulsão de prata metalúrgica", que Vasiliy não compreendeu. Mas o velho parecia saber o que estava fazendo.

— A prata — disse Setrakian. — *Argentum*, para os antigos alquimistas e representado por este símbolo.

Ele tornou a apresentar a Vasiliy a imagem da lua crescente. Depois mostrou a ilustração com o arcanjo.

– Já este aqui, por sua vez... Sariel. Em certos manuscritos atribuídos a Enoch, ele é chamado de Arazyal, Asaradel. Nomes muito semelhantes a Azrael ou Ozryel...

Colocar a ilustração lado a lado com o símbolo de perigo biológico e o símbolo alquimista da lua crescente fez surgir nas imagens uma linha contínua chocante. Uma convergência, uma direção; um objetivo. Setrakian sentiu uma onda de energia e excitação. Sua mente estava caçando.

– Ozryel é o anjo da morte – disse ele. – Os mulçumanos o chamam de "ele das quatro faces, dos muitos olhos e das muitas bocas. Ele dos setenta mil pés e das quatro mil asas". E ele tem tantos olhos e tantas línguas quantos são os homens na Terra. Mas veja... isso só fala como ele pode se multiplicar, como pode se propagar...

Os pensamentos de Vasiliy fervilhavam. A parte que mais o preocupava era a de como extrair com segurança o verme sanguíneo do coração do vampiro no vidro tampado de Setrakian. O velho alinhara a mesa com lâmpadas UV movidas a pilha a fim de conter o verme. Tudo parecia pronto, e o vidro estava à mão ali perto, com o órgão do tamanho de um punho pulsando. Ainda assim, agora que chegara a hora, Setrakian relutava em cortar aquele coração sinistro.

O velho inclinou-se para junto do vidro que continha o espécimen, e um apêndice tentacular se projetou, com a ventosa parecida como uma boca na ponta colando no vidro. Os vermes sanguíneos eram terríveis sugadores. Vasiliy sabia que o velho vinha alimentando aquele órgão com seu próprio sangue havia décadas, cuidando daquela coisa horrorosa. Ao fazer isso, construíra uma espécie de ligação bizarra com o coração. Era uma coisa até natural. Mas aquela hesitação de Setrakian tinha um componente emocional, além de pura melancolia.

Era mais como uma tristeza verdadeira. Como desespero.

Então Vasiliy percebeu uma coisa. De vez em quando, no meio da noite, ele vira Setrakian falando com o vidro, alimentando a coisa lá dentro. Sozinho à luz do candelabro, ele olhava para o coração, sussurrando para o órgão e acariciando o vidro frio que continha aquela carne amaldiçoada. Uma vez Vasiliy jurou que ouvira o velho cantando para o órgão. Baixinho, numa língua estrangeira, não em armênio, uma canção de ninar...

Setrakian percebeu que Vasiliy o observava.

– Perdão, professor – disse o exterminador. – Mas... de quem é esse coração? A história original que você nos contou...

Setrakian assentiu, sentindo-se descoberto.

– Sim... que eu cortei isso do peito de uma jovem viúva numa aldeia no norte da Albânia? Você tem razão, essa história não é inteiramente verdadeira.

Lágrimas saltaram dos olhos do velho. Uma gota caiu em silêncio, e, quando ele finalmente falou, foi aos sussurros, como se a própria história exigisse isso.

INTERLÚDIO III

O CORAÇÃO DE SETRAKIAN

Junto com centenas de sobreviventes do Holocausto, Setrakian chegara a Viena em 1947, quase que inteiramente sem dinheiro, e estabelecera-se na zona soviética. Conseguiu obter algum sucesso comprando, consertando e revendendo móveis adquiridos em propriedades abandonadas nas quatro zonas da cidade.

Um de seus fregueses tornou-se também seu mentor: o professor Ernst Zelman, um dos poucos membros sobreviventes do mítico Wiener Kreis, ou Círculo de Viena, uma sociedade filosófica da virada do século dissolvida recentemente pelos nazistas. Zelman retornara do exílio a Viena após ter perdido a maioria dos membros da família para o Terceiro Reich. Sentiu uma empatia enorme pelo jovem Setrakian; numa cidade cheia de dor e silêncio, numa época em que falar sobre "o passado" e discutir o nazismo era considerado uma coisa repugnante, os dois encontravam grande consolo na companhia um do outro. O professor Zelman permitia que o jovem tomasse emprestado muitos livros de sua grande biblioteca, e Setrakian, sendo solteiro e insone, devorava os livros rápida e sistematicamente. Matriculou-se, então, no curso de filosofia em 1949, e poucos anos mais tarde, numa universidade de Viena muito fragmentada e permeável, Setrakian tornou-se professor-adjunto de filosofia.

Depois que aceitou o financiamento de um grupo encabeçado por Eldritch Palmer, um magnata industrial americano com investimentos na zona americana de Viena, além de um intenso interesse pelo ocultismo, a influência e a coleção de artefatos culturais de Setrakian se expandiram a uma grande velocidade no início da década de 1960. E o item mais esplêndido dessa coleção era a bengala com cabeça de lobo de Jusef Sardu, misteriosamente desaparecido.

Contudo, certas peripécias e revelações nesse campo acabaram convencendo Setrakian de que seus interesses não eram compatíveis com os de Palmer. O plano último do magnata era, na verdade, inteiramente contrário às intenções de Setrakian, que eram caçar e denunciar o conluio vampiresco. Isso os levou a uma briga séria.

Setrakian sabia, sem qualquer dúvida, quem foi que mais tarde espalhou os boatos sobre um caso seu com uma estudante, ocasionando sua demissão da universidade. Infelizmente, os boatos eram inteiramente verdadeiros, e Setrakian se sentiu então livre para divulgar seu segredo, casando-se rapidamente com a linda Miriam.

Miriam Sacher sobrevivera à poliomielite quando criança, e caminhava com braçadeiras de metal nos braços e pernas. Para Abraham, ela era simplesmente um lindo passarinho que não podia voar. Originalmente uma especialista em línguas neolatinas, Miriam se matriculara em diversos seminários dados por Setrakian, e vagarosamente foi atraindo a atenção do professor. Era considerado anátema um mestre sair com alunas, de modo que Miriam convenceu seu rico pai a contratar Abraham como professor particular. Para chegar à propriedade da família Sacher, Setrakian precisava caminhar uma boa hora depois de tomar dois bondes para fora da cidade. A mansão não tinha eletricidade, de modo que Abraham e Miriam liam sob a luz de uma lamparina a óleo na biblioteca da família. Miriam se deslocava usando uma cadeira de rodas de madeira com assento e encosto de vime que Setrakian costumava empurrar para perto das estantes, conforme exigiam os volumes. Enquanto fazia isso, ele sentia o perfume suave e limpo do cabelo de Miriam. Um perfume que o intoxicava, e que, feito uma memória, o perturbava muito nas poucas horas que passavam separados. Logo ficaram manifestas as intenções mútuas dos dois, e a discrição deu lugar à apreensão, enquanto se escondiam em cantos escuros e poeirentos, buscando o hálito e a saliva do outro.

Desacreditado pela universidade depois de um prolongado processo para tomar-lhe a cátedra, e defrontado com a oposição da família de Miriam, o judeu Setrakian fugiu com Sacher, a moça de sangue azul, e eles se casaram secretamente em Mönchhof. Apenas o professor Zelman e um punhado de amigos de Miriam compareceram à cerimônia.

Ao longo dos anos, Miriam se revelou uma parceira nas experiências de Setrakian, um conforto durante tempos sombrios, e uma pessoa que acreditava firmemente na sua causa. Por mais de uma década Setrakian conseguiu ganhar a vida escrevendo pequenos panfletos e trabalhando como curador para casas de antiguidades por toda a Europa. Miriam extraía o máximo possível dos modestos recursos do casal, e as noites no lar dos Setrakian eram geralmente rotineiras. Abraham esfregava as pernas de Miriam com uma mistura de álcool, cânfora e ervas, massageando pacientemente os dolorosos nódulos que travavam os músculos e tendões, escondendo o fato de que, enquanto ele fazia isso, suas mãos doíam tanto quanto as pernas dela. Noite após noite o professor contava a Miriam coisas sobre conhecimentos e mitos antigos, recitando histórias cheias de significado e conteúdo ocultos. Ele terminava cantarolando velhas canções de ninar alemãs para ajudar Miriam a esquecer a dor, e fazê-la adormecer.

Na primavera de 1967, Abraham Setrakian descobriu o paradeiro de Eichhorst na Bulgária, e uma fome de vingança contra o nazista reacendeu o fogo em suas entranhas. Eichhorst, o comandante do campo de Treblinka, era o homem que dera a Setrakian o status de artesão exímio. Ele também prometera duas vezes executar seu marceneiro favorito, e fazer isso pessoalmente. Tal era o destino de um judeu no campo de extermínio.

Setrakian seguiu Eichhorst pelos Balcãs. A Albânia tinha um regime comunista desde a guerra, e, fosse por que fosse, os *strigoi* pareciam florescer em climas políticos e ideológicos desse tipo. Setrakian tinha grandes esperanças que o antigo diretor do campo, o deus negro daquele reino de morte industrializada, talvez pudesse até mesmo levá-lo ao Mestre.

Devido à limitação física de Miriam, Setrakian deixou a esposa num vilarejo perto de Shkodër, e foi puxando um cavalo de carga por quinze quilômetros até a antiga cidade de Drisht. Rebocou o relutante animal numa íngreme ladeira de arenito, ao longo de velhas trilhas dos otomanos que levavam ao castelo no alto da colina.

O castelo Drisht (*Kalaja e Drishtit*) datava do século XII, e fora erguido como parte de uma cadeia de fortificações bizantinas localizadas no topo das montanhas. A construção caíra sob o domínio de Montenegro e depois, por um breve período, fora dominada pelos venezianos, antes de toda a região ser conquistada pelos turcos em 1478. Agora, quase quinhentos anos depois, as ruínas da fortaleza abarcavam um pequeno vilarejo mulçumano, uma pequena mesquita e o castelo semiabandonado, com os muros tomados pelo avanço da vegetação.

Setrakian viu que o vilarejo estava vazio, com poucos sinais de atividade recente. As paisagens avistadas do alto da montanha, tanto na direção dos Alpes Dináricos ao norte quanto do mar Adriático ou do estreito de Otranto a oeste, eram arrebatadoras e majestosas.

O castelo de pedras em ruínas, com seus séculos de silêncio, era um local excelente para caçar vampiros. Em retrospecto, isso deveria ter alertado Setrakian de que as coisas talvez não fossem o que pareciam.

Nas câmaras subterrâneas ele descobriu um caixão. Era uma caixa funerária simples e moderna, em forma de exágono afunilado, toda feita de madeira, aparentemente cipestre, sem qualquer parte de metal, utilizando cavilhas no lugar de pregos, e com dobradiças de couro.

Ainda não anoitecera, mas Setrakian achou que dentro do aposento a luz não era bastante forte para fazer o serviço. Assim, preparou a espada de prata, a postos para despachar seu antigo atormentador. Arma preparada, levantou a tampa com a mão de dedos tortos.

O caixão estava vazio. Mais vazio ainda do que vazio: não tinha fundo. Fixado ao chão, funcionava como uma espécie de alçapão. Setrakian tirou da bolsa uma lâmpada de mineiro, que colocou na cabeça, e olhou para baixo.

A terra se nivelava cerca de cinco metros abaixo dali, e depois se abria num túnel.

Setrakian muniu-se de ferramentas, que incluíam uma lanterna sobressalente, uma bolsa com baterias e suas compridas facas de prata, pois ainda não haviam sido descobertas as propriedades mortíferas da luz ultravioleta no espectro C, bem como a disponibilidade das lâmpadas UV no comércio comum. Deixou para trás todos os seus alimentos e a maior parte da água potável. Amarrou uma corda às correntes das paredes e deixou-se baixar no túnel do caixão.

O cheiro de amônia dos dejetos dos *strigoi* era pungente, fazendo com que Setrakian caminhasse com cuidado, evitando sujar as botas.

Foi percorrendo os túneis, apurando os ouvidos a cada virada, observando marcas indicadoras nas paredes quando o túnel se bifurcava, até que, algum tempo depois, percebeu que voltara ao local das marcas anteriores.

Reconsiderando, Setrakian decidiu voltar atrás e ir até a câmara abaixo do caixão sem fundo. Voltaria à superfície, descansaria e aguardaria que os habitantes se levantassem ao anoitecer.

Quando chegou de volta à entrada e olhou para cima, viu que a tampa do caixão fora fechada. E que a corda de acesso desaparecera.

Setrakian já caçara bastantes *strigoi* para reagir com raiva e não com medo àquela reviravolta nos acontecimentos. Então se virou e imediatamente mergulhou nos túneis, sabendo que sua sobrevivência dependia exclusivamente de que ele fosse o predador, e não a presa.

Dessa vez seguiu um itinerário diferente, e por fim encontrou uma família de quatro camponeses do vilarejo. Todos eram *strigoi*, e seus olhos vermelhos refulgiram com a presença de Setrakian refletidos cegamente no facho da lanterna.

Mas todos estavam fracos demais para atacar. A mãe foi a única que se levantou, apoiada nos pés e nas mãos. Setrakian notou que o rosto dela tinha o encovamento característico de um vampiro subnutrido: um escurecimento da carne, a articulação do mecanismo do ferrão na garganta visível através da pele esticada, a aparência aturdida e sonolenta.

Ele os liberou com facilidade, e sem misericórdia.

Logo encontrou duas outras famílias, uma mais forte do que a outra, mas nenhuma das duas capaz de constituir um desafio muito grande. Em outra câmara encontrou uma criança *strigoi* que fora destruída no que parecia ser uma tentativa malsucedida de canibalismo vampiresco.

Contudo, não havia sinal de Eichhorst.

Depois de livrar de vampiros a antiga rede de cavernas, sem descobrir outra saída, voltou para a câmara debaixo do caixão fechado e começou a escavar com a adaga a pedra envelhecida. Conseguiu um apoio na parede e atirou-se ao trabalho de entalhar outro apoio na parede oposta, e pouco mais de um metro acima do primeiro. Trabalhou durante horas, pois a prata não era um material muito adequado para a tarefa – rachava e torcia –, o cabo e o punho de ferro provaram ser mais úteis do que a lâmina, e ficou pensando naqueles aldeões vampirescos mofando lá embaixo. A presença deles ali fazia pouco sentido. Algo estava faltando, mas Setrakian resistiu à tentação de examinar o problema a fundo, sufocando a ansiedade para se concentrar na tarefa que tinha pela frente.

Horas – talvez dias – mais tarde, já sem água e quase sem energia, equilibrou-se nos dois apoios mais baixos para escavar o terceiro. Suas mãos estavam cobertas por uma pasta de sangue misturada com poeira: as ferramentas já estavam difíceis de segurar. Finalmente ele firmou o pé oposto na parede nua e estendeu a mão para a tampa do caixão.

Com um impulso desesperado, içou o corpo para cima.

Saiu do buraco paranoico, meio alucinado. A mochila que deixara ali desaparecera, junto com os alimentos e a água adicionais. Ressequido, ele saiu do castelo para a luz salvadora do dia. O céu estava encoberto. Setrakian sentia que haviam se passado anos.

Seu cavalo fora trucidado no início da trilha: estava eviscerado, com o corpo frio.

O céu se abriu acima de Setrakian, enquanto ele apertava o passo para o vilarejo. Um fazendeiro, para quem ele meneara a cabeça na ida, trocou o relógio de pulso quebrado dele por um pouco d'água e biscoitos duros como pedra. Ali Setrakian soube, comunicando-se por intensa pantomima, que passara três poentes e três madrugadas no subsolo.

Finalmente retornou à casa que alugara, mas Miriam não estava lá. Não havia bilhete, nada – exatamente o que ele não faria. Setrakian foi ao vizinho do lado, e depois ao vizinho do outro lado da rua. Então um homem abriu a porta, apenas uma fresta.

Não, ele não vira a esposa de Setrakian, falou o sujeito num dialeto grego ininteligível.

Setrakian viu uma mulher encolhida temerosamente atrás do homem. E perguntou se havia alguma coisa errada.

O homem explicou para ele que duas crianças haviam desaparecido do vilarejo na noite anterior. Suspeitava-se de uma bruxa.

Setrakian voltou para a casa alugada. Ficou arriado numa cadeira, segurando a cabeça nas mãos ensanguentadas e quebradas. Esperava o anoitecer, e a hora sombria do retorno de sua querida esposa.

Ela veio até ele molhada de chuva, livre das muletas e ataduras que haviam firmado seus membros durante toda a sua vida humana. Tinha o cabelo encharcado, a carne branca e escorregadia, as roupas enlameadas. Veio até ele de cabeça erguida, parecendo uma mulher da sociedade pronta para dar as boas-vindas a um neófito no seu círculo de amizades. Ao seus lado estavam as duas crianças do vilarejo que ela convertera em vampiros: eram um menino e uma menina, ainda doentes por causa da transformação.

As pernas de Miriam estavam retas e muito escuras. O sangue se acumulara na porção mais baixa das extremidades, e uma cor negra cobria quase inteiramente as mãos e os pés dela. Haviam desaparecido aqueles passos vacilantes e hesitantes, o andar atrofiado que Setrakian tentava toda noite aliviar.

De que maneira tão completa e rápida ela deixara de ser o amor de sua vida e virara aquela criatura louca, enlameada, de olhos reluzentes? Agora era uma *strigoi* com um gosto pelas crianças, que não podia ter em vida.

Chorando baixinho, Setrakian levantou da cadeira. Metade do seu ser desejava esquecer tudo, ir para o inferno com ela e entregar-se ao vampirismo no seu desespero.

Mas ele a matou, com muito amor e muitas lágrimas. Matou as crianças também, sem olhar para aqueles corpos deturpados. De Miriam, porém, ele estava determinado a preservar uma parte para si mesmo.

Mesmo quando alguém percebe que o que está fazendo é loucura, aquilo continua sendo loucura – arrancar o coração morto do peito da própria esposa e conservar o órgão deturpado batendo com a ansiedade de um verme sanguíneo dentro de um vidro de picles.

"A vida é loucura", pensou Setrakian, depois de terminada a carnificina, olhando em torno da sala. "E o amor também é."

Flatlands

Depois de passar um último momento com o coração de sua falecida esposa, Setrakian começou a trabalhar, mas antes balbuciou algo que Vasiliy quase não ouviu e não compreendeu.

– Me perdoe, querida...

Ele seccionou o coração, não com uma lâmina de prata, que teria sido fatal para o verme, mas com uma faca de aço inoxidável, aparando progressivamente o órgão doente. O verme só tentou fugir quando Setrakian colocou o coração perto de uma das lâmpadas ultravioleta dispostas na borda da mesa. Mais grosso do que um fio de cabelo, espigado e rápido, o rosado verme capilar deu um bote, mirando primeiramente os dedos quebrados que seguravam o cabo da faca. Mas Setrakian estava muito bem preparado, e enquanto o verme ficou se contorcendo no centro da mesa, Setrakian golpeou-o imediatamente com a lâmina, cortando-o em dois. Então Vasiliy prendeu as duas extremidades separadas em dois grandes copos de vidro emborcados.

Os vermes se regeneraram, explorando a borda interna de suas novas gaiolas.

Então Setrakian iniciou a experiência. Vasiliy ficou sentado num tamborete um pouco atrás, observando os vermes tentarem fugir do vidro, impulsionados pela fome de sangue. Lembrou-se do aviso de Setrakian a Eph, sobre a destruição de Kelly:

"E no ato de libertar um ente querido... você sente o que é ser transformado em vampiro. Ir contra tudo que você é. Tal ato muda uma pessoa para sempre."

E do que Nora falara sobre o amor ser a verdadeira vítima daquela praga, o instrumento de nossa queda:

"Os mortos-vivos voltando para buscar seus Entes Queridos. O amor humano corrompido em carência vampiresca."

– Por que não mataram você naqueles túneis? Não era uma armadilha? – perguntou Vasiliy.

Setrakian levantou os olhos da engenhoca em que trabalhava.

– Acredite ou não, eles tinham medo de mim naquela época. Eu ainda estava em pleno vigor, era enérgico e forte. Eles são realmente sádicos, mas você precisa lembrar que eram bem poucos na época. A autopreservação era a questão primordial. A expansão descontrolada da espécie era tabu. Contudo, precisavam me ferir. E assim fizeram.

– Eles ainda têm medo de você – disse Vasiliy.

– Não de mim. Apenas do que represento. Do que eu sei. Na verdade, o que um velho pode fazer contra uma horda de vampiros?

Nem por um momento Vasiliy acreditou na humildade de Setrakian.

O velho continuou:

– Eu acho que o fato de não desistirmos, a ideia de que o espírito humano continua vivo diante da mais absoluta adversidade, é uma coisa intrigante para eles, que são arrogantes. Sua origem, se confirmada, atestará isso.

– Mas qual é a origem deles?

– Quando eu conseguir o livro, quando tiver absoluta certeza... revelarei isso a você.

O rádio começou a diminuir de volume, e Vasiliy achou que era seu ouvido danificado na explosão. Ele se levantou e girou a manivela, levando energia ao aparelho para mantê-lo funcionando. Nas ondas de rádio quase não se ouvia mais vozes humanas, substituídas por forte interferência e ocasionais tons extremamente agudos. Mas uma estação comercial que transmitia noticiário esportivo ainda tinha energia para funcionar, e embora aparentemente todos os seus talentos radiofônicos houvessem sumido, restara um produtor solitário. Ele pegara o microfone e mudara o formato, passando da conversa Yankees-Mets-Giants-Jets-Rangers-Knicks para notícias atualizadas colhidas na internet e em telefonemas ocasionais.

"... o website nacional do FBI traz agora relatos de que eles têm sob sua custódia o dr. Ephraim Goodweather, depois de um incidente no Brooklyn. O médico fugitivo é ex-funcionário do CCD da cidade de Nova York, responsável pela liberação daquele primeiro vídeo, vocês se lembram? O cara no alpendre, acorrentado como um cachorro. Lembram-se da época em que aquele negócio de demônios parecia artificial e produto de pura histeria? Bons tempos. De qualquer forma... dizem que ele foi preso... o que é isso? Tentativa de assassinato? Jesus! Logo quando a gente acha que podia ter algumas respostas de verdade. Quer dizer, esse cara estava no centro da coisa quando tudo começou, se eu não me engano. Correto? Ele estava lá no avião, no voo 753. E passou a ser procurado pelo assassinato de um dos outros primeiros convocados a ajudar, um cara que trabalhava para ele, chamado Jim Kent, acho eu. Portanto, claramente há algo acontecendo com esse cara. Na minha opinião, vão fazer com ele o que fizeram com Lee Oswald. Duas balas na barriga, e ele é silenciado para sempre. Mais uma peça desse gigantesco quebra-cabeça que ninguém parece ser capaz de decifrar. Se alguém por aí tiver alguma informação sobre esse caso, alguma ideia, alguma teoria, e se seu telefone ainda estiver funcionando, bata um fio para a seção de esportes..."

Setrakian se sentou de olhos fechados.

– Tentativa de assassinato? – disse Vasiliy.

– Palmer – respondeu Setrakian.

– Palmer! Quer dizer... não é uma acusação forjada? – perguntou Vasiliy, cujo espanto logo se transformou em admiração. – Matar Palmer a tiros. Cristo. O bom doutor. Por que eu não pensei nisso?

– Fico feliz por você não ter feito isso.

Vasiliy correu os dedos pelos cabelos no alto da cabeça, como que acordando a si mesmo.

– E então havia dois, não é? – Ele recuou, espiando através da porta entreaberta para a frente da loja. O crepúsculo já se anunciava nas janelas. – Você sabia disso?

– Desconfiava.
– E não quis fazer com que ele desistisse?
– Eu percebi... que não havia como deter o Eph. Às vezes um homem precisa agir segundo seus próprios impulsos. Compreenda, ele é um médico cientista colhido numa pandemia, cuja origem desafia tudo que ele pensava saber. Acrescente a isso o conflito pessoal que envolve a esposa dele. Eph seguiu o caminho que achava certo.
– Jogada corajosa. Será que significaria alguma coisa? Se ele tivesse tido êxito?
– Ah, acho que sim. – Setrakian voltou a seus preparativos.
– Eu não achava que ele era capaz disso. – Vasiliy sorriu.
– Tenho certeza de que ele também não.

Nesse momento Vasiliy pensou ter visto uma sombra passar diante das janelas da frente. Ele estava meio de lado, com a imagem na sua visão periférica. A coisa lhe chamara atenção por se tratar de alguém grande.

– Acho que temos um freguês – disse ele, correndo para a porta dos fundos.

Setrakian se pôs de pé rapidamente, pegando a bengala com cabeça de lobo, torcendo o tampo e expondo alguns centímetros de prata.

– Fique aí e esteja pronto – disse Vasiliy, pegando uma espada e a pistola de pregos carregada. Depois saiu silenciosamente pela porta dos fundos, temendo a chegada do Mestre.

Junto ao meio-fio lá atrás, assim que fechou a porta, ele viu o grandalhão. Com sobrancelhas espessas, era um homem pesado de sessenta e tantos anos, tão grande quanto Vasiliy. O sujeito estava ligeiramente agachado, mas protegendo uma das pernas. As mãos abertas estavam estendidas, no que parecia uma postura de lutador.

Não era o Mestre. Nem sequer um vampiro. Seus olhos confirmavam isso. Até mesmo vampiros recentemente transformados se movem de modo estranho, menos como humanos e mais como animais ou insetos.

Dois outros saíram detrás da van do Departamento de Obras Públicas. Um estava todo coberto de joias de prata: baixo, atarracado e forte, rosnava feito um vira-lata dopado. O outro era mais moço, e empunhava uma longa espada apontada para a garganta de Vasiliy.

Então eles conheciam o poder da prata.

– Eu sou humano – disse Vasiliy. – Se vocês estão procurando alguma coisa para saquear, aqui eu só tenho veneno de rato.

– Nós estamos procurando um velho – disse uma voz atrás de Vasiliy. Ele se virou, mantendo todos os recém-chegados à sua frente. O mais novo era Gus, cuja gola da camisa mostrava parcialmente a frase SOY COMO SOY tatuada ao longo da clavícula. Tinha uma longa faca de prata na mão.

Três elementos de uma gangue mexicana e um velho ex-lutador com as mãos do tamanho de bifes grossos.

– Está ficando escuro, rapaziada – disse Vasiliy. – Vocês devem se adiantar.

– E agora? – disse Creem, que tinha prata nas juntas dos dedos.

– O penhorista. Onde está ele? – perguntou Gus a Vasiliy.

Vasiliy continuou firme. Aqueles moleques tinham armas mortíferas, mas ele não os conhecia, e não gostava do que não conhecia.

– Não sei de que vocês estão falando.

Gus não acreditou.

– Então vamos de porta em porta, seu puto.

– Para fazer isso, vão precisar passar por cima de mim – disse Vasiliy, apontando para a pistola de pregos. – E fiquem sabendo que esse bebê aqui é sinistro. O prego gruda no osso. Vai direto pra lá. Vampiros ou não, haverá prejuízo. Eu vou ouvir vocês guincharem quando tentarem tirar uns centímetros de prata da porra dos olhos, *cholo*.

– Vasiliy – disse Setrakian, saindo pela porta dos fundos com a bengala na mão.

Gus viu Setrakian, e viu as mãos do velho. Todas arrebentadas, exatamente como ele recordava. O penhorista parecia ainda mais velho agora, até menor. Fazia anos desde que eles haviam se conhecido algumas semanas antes. Gus aprumou o corpo, sem saber se o velho o reconheceria.

Setrakian examinou-o de alto a baixo.

– Da cadeia.

– Cadeia? – estranhou Vasiliy.

Setrakian estendeu a mão e deu um tapinha familiar no braço de Gus.

– Você escutou. Aprendeu. E sobreviveu.

– Um *guevo*. Eu sobrevivi. E você... você caiu fora.
– Tive um golpe de sorte – disse Setrakian, olhando para os outros.
– Mas... e o seu amigo? Aquele doente. Você fez o que tinha que fazer?

Gus fez uma careta, lembrando.

– *Si*. Eu fiz o que precisava fazer. E venho fazendo a mesma porra desde então.

Angel meteu a mão na mochila pendurada no ombro, e Vasiliy levantou a pistola de pregos.

– Devagar, grandalhão – disse ele.

Angel retirou a caixa de prata recolhida na loja de penhores. Gus avançou e tomou a caixa das mãos dele, abrindo-a e retirando dali um cartão que entregou ao penhorista.

O cartão continha o endereço de Vasiliy.

Setrakian notou que a caixa estava amassada e escurecida, com um dos cantos deformado pelo fogo.

– Eles mandaram uma equipe te pegar. Usaram a cobertura de fumaça para atacar à luz do dia. Estavam por toda a loja quando chegamos lá – contou Gus, meneando a cabeça para os outros. – Tivemos que explodir o lugar para conseguir escapar de lá com nosso sangue ainda vermelho.

Setrakian mostrou apenas uma ligeira expressão de pesar, que se desvaneceu rapidamente.

– Então... você se juntou à luta.

– Quem, eu? – disse Gus, brandindo a lâmina de prata. – Eu sou a luta. Venho caçando tantos deles nesses últimos dias... que nem dá para contar.

Setrakian olhou mais de perto para a arma de Gus, mostrando preocupação.

– Onde, posso perguntar, vocês conseguiram armas tão bem-feitas?

– Da porra da origem – disse Gus. – Eles vieram me buscar quando eu ainda estava algemado, fugindo da lei. E me tiraram direto da rua.

A expressão de Setrakian ficou sombria.

– Quem são "eles"?

– Eles. Os velhos.

– Os Antigos – disse Setrakian.

– Santo Jesus – disse Vasiliy.

Setrakian fez sinal para que ele tivesse paciência e disse a Gus:

– Por favor, explique.

Gus relatou a oferta dos Antigos, que eles haviam detido sua mãe, e que ele recrutara os Safiras em Nova Jersey para trabalhar a seu lado como caçadores diurnos.

– Mercenários – disse Setrakian.

Gus tomou aquilo como um elogio.

– Nós estamos lavando o chão com esse sangue leitoso. Um esquadrão de ataque de ponta, com bons matadores de vampiros. Varredores de bosta de vampiros, mais assim.

Angel assentiu. Ele gostava do garoto.

– Os Antigos – disse Gus. – Eles acham que isso tudo é um ataque concatenado. Quebrando as regras de linhagem deles, arriscando uma exposição. Choque e Espanto, acho eu...

Vasiliy conteve uma risada.

– Você acha? Está de brincadeira. Não? Seus moleques assassinos... vocês não têm ideia do que está acontecendo por aí. Nem sabem de que lado realmente estão.

– Espere, por favor. – Setrakian silenciou Vasiliy com a mão, pensando. – Eles sabem que vocês me procuraram?

– Não – respondeu Gus.

– Logo saberão. E não ficarão contentes. – Setrakian levantou as mãos para desfazer a perplexidade de Gus. – Não se preocupe. Tudo está uma confusão, uma situação ruim para qualquer um com sangue vermelho nas veias. Estou muito contente por você ter me procurado de novo.

Vasiliy já aprendera a gostar do brilho que surgia nos olhos do velho quando ele tinha uma ideia, pois aquilo o ajudava a relaxar um pouco.

– Acho que talvez haja uma coisa que você pode fazer por mim – disse Setrakian a Gus.

Gus lançou um olhar cortante para Vasiliy, como quem diz: *Segura essa.*

– Fala aí – disse ele para o velho. – Eu te devo muito.

– Você vai me levar, junto com o meu amigo, aos Antigos.

Agência do FBI no Brooklyn-Queens

Eph estava sentado sozinho na sala de interrogatório, com os cotovelos sobre uma mesa arranhada, esfregando calmamente as mãos. A sala tinha cheiro de café velho, embora não houvesse café ali. A luz da lâmpada no teto caía sobre um espelho transparente num único sentido, iluminando a impressão de uma mão isolada, o fantasmagórico indício de um interrogatório recente.

Era estranho saber que você estava sendo observado, até mesmo estudado. A coisa afetava o que você fazia, a sua própria postura corporal, o modo como umedecia os lábios, como você se olhava ou não se olhava no espelho, atrás do qual seus carcereiros o espreitavam. Se os ratos de laboratório soubessem que seu comportamento estava sendo escrutinado, cada experimento com labirinto e queijo tomaria uma dimensão extra.

Eph estava ansioso pelas perguntas, talvez mais até do que o FBI estava pelas suas respostas. Tinha a esperança de que as perguntas lhe dessem uma ideia da investigação em curso, e assim lhe permitissem saber até que ponto a invasão dos vampiros era compreendida pelos agentes da lei e pelo governo.

Certa vez ele lera que adormecer enquanto se espera um interrogatório é um bom indicador da culpabilidade do suspeito. A razão disso era que a falta de uma saída física para a ansiedade de uma pessoa exauria a mente culpada; isso e mais a necessidade inconsciente de se esconder ou escapar.

Eph estava muito cansado e doído; mais do que isso, porém, ele se sentia aliviado. Tinha acabado. Estava preso, sob custódia da polícia federal. Não haveria mais luta, nem esforço. De qualquer forma, ele era pouco útil para Setrakian e Vasiliy. Com Zack e Nora já fora da zona conflagrada, indo velozmente para Harrisburg, parecia-lhe que ficar sentado ali na sala de interrogatório era preferível a estar totalmente fora do jogo.

Dois agentes entraram sem se apresentar, e algemaram os pulsos dele. Eph achou estranho ser algemado não com as mãos nas costas, mas sim na frente, e depois erguido da cadeira e retirado da sala.

Os dois homens foram passando por celas, na maioria vazias, até um elevador com acesso por chave. Ninguém falou coisa alguma enquanto subiam. A porta se abriu diante de um corredor de acesso sem decoração, que percorreram até um pequeno lance de escadas que levava a uma porta no terraço.

Lá estava estacionado um helicóptero, com as hélices já acelerando e cortando o ar noturno. Havia barulho demais para se fazer perguntas, de modo que Eph se agachou com os dois homens para entrar na aeronave, e sentou-se lá enquanto os outros prendiam-lhe o cinto na cadeira.

O helicóptero levantou voo, passando sobre Kew Gardens e o grande Brooklyn. Eph viu os quarteirões ardendo, enquanto o helicóptero ziguezagueava entre os grandes rolos de espessa fumaça negra. Tanta devastação lá embaixo. *Surreal* era uma palavra que nem começava a descrever aquilo.

Eph percebeu que estavam cruzando o East River, e depois ficou tantando imaginar para onde ele estaria sendo levado. Viu luzes da polícia e do corpo de bombeiros girando na ponte do Brooklyn, mas nenhum carro passando por ali, nem pessoas. A parte sul de Manhattan surgiu rapidamente em torno deles, com o helicóptero voando mais baixo e os edifícios mais altos limitando a visão.

Eph sabia que a sede do FBI ficava na Federal Plaza, alguns quarteirões ao norte do prédio-sede da Prefeitura. Mas, não, eles continuaram perto do centro financeiro.

A aeronave ascendeu de novo, mirando o único terraço iluminado nos quarteirões em torno: um anel vermelho de luzes de segurança demarcando um heliponto. Pousou suavemente, e os agentes soltaram o cinto de segurança de Eph. Levantaram-no do assento sem se levantarem eles mesmos, basicamente chutando-o para o terraço lá fora.

Eph permaneceu meio agachado, com as roupas agitadas pelo vento, enquanto o helicóptero alçava voo novamente, girava no ar e se afastava de volta ao Brooklyn. Deixando-o sozinho... e ainda algemado.

Sentiu cheiro de queimado e de sal marinho, a troposfera acima de Manhattan carregada de fumaça. Lembrou-se de como o rastro de poeira do World Trade Center, branco-cinza, elevara-se e achatara-se ao alcançar certa altura, e depois se espalhara sobre a silhueta da cidade, numa nuvem de desespero.

Já aquela nuvem ali era negra e bloqueava as estrelas, tornando uma noite escura ainda mais escura.

Virou-se, perplexo. Ultrapassou o anel de luzes vermelhas de pouso, e em volta de um dos gigantescos aparelhos de ar-condicionado viu uma porta aberta, de onde vinha uma luz fraca. Foi até lá e parou, estendendo as mãos algemadas e pensando se entrava ou não. Depois percebeu que não tinha escolha. Ou criava asas ou ia ver o que havia ali.

A luz fraca que vinha lá de dentro era de um letreiro: SAÍDA. Uma escada comprida levava a outra porta entreaberta. Depois havia um corredor acarpetado de vermelho, com iluminação sofisticada. Um homem metido num terno preto estava parado no meio do caminho, com as mãos dobradas na cintura. Eph parou, pronto para correr.

O homem ficou calado, sem fazer coisa alguma. Eph percebeu que ele era humano, e não um vampiro.

Perto do homem, embutido na parede, havia um logotipo, mostrando um globo negro bisectado por uma linha azul-aço. O símbolo empresarial do Grupo Stoneheart. Eph percebeu, pela primeira vez, que o símbolo parecia o sol ocultado prestes a fechar o olho.

Seu nível de adrenalina aumentou, o corpo se preparando para a luta. Mas o homem da Stoneheart virou-se e caminhou para a extremidade do corredor, até uma porta que abriu e manteve aberta.

Eph foi andando na direção dele cautelosamente, passando pelo sujeito e pela porta. O homem não o seguiu; em vez disso, fechou a porta e permaneceu do lado de fora.

O vasto aposento era adornado por obras de arte: telas imensas com imagens fantasmagóricas e abstrações violentas. Tocava uma música suave que parecia chegar aos ouvidos sempre no mesmo volume, enquanto Eph se deslocava pelo aposento.

Em um canto, na borda do prédio envidraçado, com vista para a sofredora ilha de Manhattan ao norte, havia uma mesa posta para uma pessoa.

Um facho de luz baixa banhava a toalha branca, que brilhava. Um mordomo ou um garçom, uma espécie de criado, chegou quando Eph se aproximou, puxando para ele sentar-se a única cadeira existente. Eph olhou para o homem, que era velho e parecia ter sido empregado doméstico toda a vida; o sujeito vigiava o convidado sem encará-lo, parado na expectativa de que ele tomasse o lugar que lhe era oferecido.

E Eph sentou-se. A cadeira foi empurrada para junto da mesa, enquanto um guardanapo era aberto e colocado sobre sua coxa direita. Então o empregado foi embora.

Eph olhou para as grandes janelas. O reflexo fazia com que ele parecesse estar sentado do lado de fora, numa mesa que pairava setenta e oito andares sobre Manhattan, enquanto a cidade se revolvia em paroxismos de violência lá embaixo.

Um ligeiro ruído de algo rodando cortou o som agradável da sinfonia. Uma cadeira de rodas motorizada surgiu da penumbra, e Eldritch Palmer, operando com a mão frágil o bastão de comando, atravessou o soalho polido até o lado oposto da mesa.

Eph começou a se levantar, mas então Fitzwilliam, o guarda-costas enfermeiro de Palmer, surgiu das sombras. O sujeito estourava dentro do terno, com o cabelo alaranjado alto e curto, feito um pequeno incêndio, contido no topo do rochedo que era sua cabeça.

Eph estancou o movimento, sentando novamente.

Palmer avançou até os braços da sua cadeira encostarem no tampo da mesa. Uma vez acomodado, olhou para Eph. Sua cabeça parecia um triângulo: era larga no alto, tinha veias em S salientes em ambas as têmporas, e estreitava na direção do queixo, que tremia com a idade.

– É um péssimo atirador, doutor – disse ele. – Se me matasse poderia ter impedido em parte o nosso progresso, mas apenas temporariamente. Entretanto, o senhor causou um dano irreversível no fígado de um de meus guarda-costas. Não foi um ato muito heroico, devo dizer.

Eph ficou em silêncio, ainda atônito com aquela súbita mudança, do FBI no Brooklyn para a cobertura de Palmer em Wall Street.

– Foi enviado por Setrakian para me matar, não foi? – perguntou Palmer.

– Não. Na realidade acho até que ele, à sua maneira, tentou me demover disso. Eu fui por conta própria.

Palmer cerrou as sobrancelhas, desapontado.

– Devo admitir que gostaria que ele estivesse aqui, no seu lugar. Seria alguém que entenderia o que eu tenho feito, pelo menos. A amplitude das minhas realizações. Alguém que compreenderia a magnitude dos meus feitos, até mesmo para condená-los. – Palmer fez um sinal para Fitzwilliam. – Setrakian não é o homem que você pensa que ele é.

– Não? – disse Eph. – Quem eu penso que ele é?

Fitzwilliam se aproximou, puxando um grande aparelho médico sobre rodinhas, uma máquina cuja função Eph desconhecia.

– Você vê Setrakian como um velho bondoso, o sábio de cabelos brancos. O gênio humilde.

Eph ficou calado enquanto Fitzwilliam abria a camisa de Palmer, revelando duas válvulas gêmeas implantadas na lateral do corpo magro. A carne do homem era sulcada de cicatrizes. Fitzwilliam conectou dois tubos da máquina às válvulas, vedando tudo com fitas, e depois ligou a máquina. Uma espécie de alimentador.

– Na verdade ele é um trapalhão. Um açougueiro, um psicopata e um acadêmico fracassado. Na verdade, um fracasso sob todos os aspectos.

As palavras de Palmer fizeram Eph sorrir.

– Se ele fosse tão fracassado assim, você não estaria falando sobre ele agora, desejando que ele estivesse no meu lugar.

Palmer piscou, com olhar sonolento. Levantou a mão novamente e uma porta distante se abriu, fazendo surgir uma figura. Eph retesou o corpo, imaginando o que Palmer lhe reservara – se aquele engraçadinho tivesse gosto pela vingança –, mas era apenas o criado novamente, dessa vez trazendo uma pequena bandeja na ponta dos dedos.

Ele parou em frente a Eph e colocou um coquetel na mesa, com pedras de gelo boiando num fluido.

– Falaram que você é um homem que aprecia bebidas fortes – disse Palmer.

Eph olhou para o drinque, depois para Palmer.

– O que é isto?

– Um Manhattan – disse Palmer. – Parece apropriado.
– Não estou falando da porcaria do drinque. Por que estou aqui?
– É meu convidado para o jantar. Uma última refeição. Não para você, para mim. – Ele meneou a cabeça para a máquina que o alimentava.

O criado voltou com um prato coberto por uma cúpula de aço inoxidável. Colocou o prato diante de Eph e retirou a cúpula. Bacalhau negro laqueado, com batatas diminutas. Uma mistura de verduras orientais, tudo quente, fumegante.

Eph não se moveu, olhando para o prato.

– Vamos, doutor. Não vê comida assim há dias. E não fique com medo de que a coisa tenha sido sido adulterada, envenenada ou contenha drogas. Se eu quisesse você morto, o Fitzwilliam aqui tomaria as providências necessárias e depois ele mesmo degustaria a comida.

Na verdade Eph estava olhando para os talheres colocados à sua frente.

Ele segurou a faca de prata maciça, movendo-a de modo a captar a luz.

– Prata, sim – disse Palmer. – Não há vampiros aqui hoje.

Eph pegou o garfo ainda de olho em Palmer e, com as algemas tinindo, cortou o peixe. Palmer ficou observando enquanto ele levava o pedaço de alimento à boca e mastigava, fazendo os sumos explodirem na sua boca e a barriga roncar de expectativa.

– Faz décadas desde a última vez que ingeri comida oralmente – disse Palmer. – Eu me acostumei a não comer enquanto me recuperava de diversos procedimentos cirúrgicos. Na verdade, é possível perder o gosto por comida de maneira surpreendentemente fácil.

Observou Eph mastigar e engolir.

– Depois de um tempo, o simples ato de comer começa a parecer muito animalesco. Na realidade, grotesco. Igual a um gato consumindo um pássaro morto. O trato digestivo boca-garganta-estômago é um caminho tão grosseiro para a nutrição. Tão primitivo.

– Todos nós não passamos de animais para você... é isso?

– "Fregueses" é o termo mais aceito. Mas certamente. Nós, da classe superior, pegamos esses impulsos humanos básicos e evoluímos por meio da exploração deles. Monetizamos o consumo, manipulamos a moral e as leis para dirigir as massas pelo medo ou pelo ódio. Ao fazer isso, criamos um sistema de riqueza e remuneração concentrado nas mãos de uns poucos eleitos. No decurso de dois mil anos, acredito que esse sistema funcionou muito bem. Mas tudo que é bom termina um dia. Você viu, com a recente derrubada dos mercados, como temos progredido na direção desse desfecho impossível. Dinheiro ganho em cima de dinheiro em cima de dinheiro. Restam duas escolhas. Ou virá o colapso absoluto, que não atrai ninguém, ou os mais ricos pisarão no acelerador até o chão e se apoderarão de tudo. E aqui estamos nós agora.

– Você trouxe o Mestre para cá. Fez com que ele embarcasse naquele avião.

– É verdade. Mas doutor... eu tenho estado tão ocupado com a orquestração desse plano durante os últimos dez anos que relatar isso tudo agora seria na verdade um desperdício das minhas últimas horas. Caso não se importe.

– Você está vendendo a raça humana a fim de viver para sempre como vampiro?

Palmer juntou as mãos num gesto de prece, mas apenas para esfregar suas palmas e gerar certo calor.

– Você tem consciência de que esta ilha aqui já foi o lar de tantas espécies quantas existem no Parque Nacional Yellowstone?

– Não, não tinha. Então nós humanos fizemos por merecer, é isso que você quer dizer?

Palmer deu uma risadinha.

– Não, não. Não, não é isso. Assim fica moralista demais. Qualquer espécie dominante teria arrasado a Terra com entusiasmo igual ou até maior. Estou falando que a Terra não se importa. O céu não se importa. O planeta não se importa. Todo o sistema está estruturado em torno de um desmoronamento a longo prazo e um eventual renascimento. Por que você se importa tanto com a humanidade? Já pode senti-la se esvaindo de você agora. Você está desmoronando. A sensação é tão ruim assim?

Eph se lembrou, já com uma ponta de vergonha, de sua apatia na sala de interrogatório do FBI depois da prisão. Olhou com nojo para o drinque que Palmer esperava que ele bebesse.

O magnata continuou:

– Uma jogada inteligente teria sido chegar a um acordo.

– Eu nada tinha a oferecer – disse Eph.

Palmer pensou no que ele dissera.

– É por isso que você ainda resiste?

– Parcialmente. Por que só gente como você pode se divertir? As mãos de Palmer voltaram aos braços da cadeira, na certeza de uma revelação.

– São os mitos, não são? Filmes, livros e fábulas. A coisa ficou entranhada. O entretenimento que vendíamos tinha o objetivo de acalmar vocês. Manter todos quietos, mas ainda sonhando. Manter vocês querendo. Esperando. Desejando. Qualquer coisa para desviar a atenção da sua animalidade para a ficção de uma existência maior, um propósito mais elevado. – Ele sorriu de novo. – Algo além do ciclo de nascimento, reprodução, morte.

Eph apontou o garfo para Palmer.

– Mas não é isso que você está fazendo agora? Você acha que está prestes a ir além da morte. Você acredita nas mesmas ficções.

– Eu? Uma vítima do mesmo grande mito? – Palmer refletiu sobre a questão, e depois descartou-a. – Eu construí um novo destino. Estou renunciando à morte pela entrega. Na minha opinião, essa humanidade que faz seu coração sangrar já é subserviente, e está inteiramente programada para ser subjugada.

– Subjugada? O que você quer dizer com isso? – disse Eph, levantando o olhar.

Palmer balançou a cabeça.

– Eu não vou detalhar tudo para você. Mas não porque você possa fazer alguma coisa heroica com essa informação... não pode. É tarde demais. Os dados já foram lançados.

A mente de Eph fervilhava. Ele se lembrou do discurso de Palmer no início do dia, seu testemunho.

– Por que você quer uma quarentena agora? Isolar as cidades... o que adiantaria? A menos... que você esteja querendo nos arrebanhar?

Palmer não respondeu.

– Eles não podem converter todo mundo em vampiros, porque então não haveria refeições de sangue. Vocês necessitam de uma fonte de alimento confiável – continuou Eph, recordando o que Palmer falara. – Fornecimento de comida. Os matadouros. Vocês vão... não...

Palmer cruzou as mãos sobre o colo.

Eph insistiu.

– E depois... para que as usinas nucleares? Por que vocês precisam que elas entrem em operação?

Palmer respondeu, repetindo:

– Os dados já foram lançados.

Eph descansou o garfo, limpando a faca com o guardanapo antes de descansá-la também. Aquelas revelações haviam matado a ânsia de seu corpo viciado em proteínas.

– Você não é louco – disse ele, já fazendo força para ler a mente do outro. – Nem chega a ser mau. É um desesperado, e certamente um megalomaníaco. Absolutamente perverso. Tudo isso se resume ao medo que um ricaço tem da morte? Você está tentando comprar um meio de se livrar dela? Na verdade, buscando uma alternativa? Mas... para quê? O que você *não* fez que ainda cobiça fazer? O que restará para você cobiçar?

Por um brevíssimo momento, os olhos de Palmer mostraram um pequeno indício de fragilidade, talvez mesmo de medo. Naquele segundo ele se revelou o que realmente era: um homem velho, frágil e doente.

– Você não entende, doutor. Eu passei a vida toda doente. *A vida toda*. Não tive infância. Nem adolescência. Luto contra a ruína desde minha primeira lembrança. Medo da morte? Eu caminho com a morte todo dia. O que quero agora é transcendê-la. Silenciá-la. Ser humano fez o que por mim? Todo prazer que eu já tive foi maculado pelo sussurro da decadência e da doença.

– Mas... ser um vampiro? Uma... criatura? Um sugador de sangue?

– Bom... foram firmados acordos. Eu serei alguém um tanto proeminente. Até mesmo no próximo estágio, é preciso haver um sistema de classes, sabe. E já me prometeram um assento bem no topo.

– Promessa de vampiro. De um vírus. E quanto à vontade *dele*? Ele vai invadir a sua, tal como invadiu a de todos os outros. Vai possuí-la, tornar a sua vontade uma extensão da dele. O que adianta isso? Meramente trocar um sussurro por outro...

– Eu já lidei com coisas piores, acredite. Mas é bondade sua mostrar tal preocupação com meu bem-estar. – Palmer lançou o olhar pelas grandes janelas, através do reflexo da cidade moribunda lá embaixo. – As pessoas preferirão qualquer destino a esse, e receberão bem a nossa alternativa. Você verá. Elas aceitarão qualquer sistema, qualquer ordem, que lhes prometa a ilusão de segurança. – Voltou o olhar para Eph.– Mas não tocou na sua bebida.

– Talvez eu não esteja tão pré-programado – disse Eph. – Talvez as pessoas sejam mais imprevisíveis do que você pensa.

– Eu não acho. Todo modelo tem suas anomalias individuais. Um médico e cientista renomado se torna um assassino. Engraçado. O que a maioria das pessoas não tem é visão... uma visão da verdade. A capacidade de agir com certeza mortífera. Não. Como um grupo... um *rebanho*, é essa a palavra... elas são facilmente conduzidas, e maravilhosamente previsíveis. Capazes de vender, de transformar em vampiros, de matar aqueles que juram amar em troca de paz de espírito ou uma migalha de comida. – Palmer deu de ombros, desapontado ao ver que Eph evidentemente já terminara de comer e que a refeição acabara. – Você voltará para o FBI agora.

– Aqueles agentes estão envolvidos nisso? De que tamanho é a conspiração?

– Aqueles agentes? – Palmer abanou a cabeça. – Tal como em qualquer instituição burocrática, digamos por exemplo o CCD, quando você assume o controle da cúpula o restante da organização simplesmente segue ordens. Os Antigos agiram assim durante anos. O Mestre não é exceção. Não vê que é por causa disso que os governos surgiram, em primeiro lugar? Portanto não, não há conspiração, doutor. Trata-se da mesma estrutura que existe desde o começo dos tempos.

Fitzwilliam desconectou Palmer da máquina que o alimentava. Eph percebeu que Palmer já era meio vampiro, pois o salto da alimentação intravenosa para uma refeição de sangue não era muito grande.

– Por que você me trouxe aqui?

– Não foi para me gabar. Acho que isso já ficou claro. Nem para aliviar minha alma. – Palmer deu uma risadinha antes de reassumir uma expressão séria. – Essa é minha última noite como homem. Jantar com meu possível assassino me pareceu uma parte significativa do programa. Amanhã, doutor, eu existirei em um lugar além do alcance da morte. E a sua espécie existirá de uma maneira aquém de toda esperança. Eu lhes entreguei um novo Messias, e o ajuste de contas se avizinha. Os criadores de mitos estavam certos, salvo por sua caracterização da segunda vinda de um Messias. Ele realmente ressuscitará os mortos. Presidirá ao julgamento final. E estabelecerá seu reinado na Terra.

– E isso fará o que de *você*? O criador de reis? Para mim, parece que você não passa de mais um zangão obedecendo às ordens dele.

Palmer comprimiu os lábios secos de maneira condescendente.

– Percebo. Mais uma tentativa desajeitada de instilar a dúvida em mim. O doutor Barnes me avisou da sua teimosia. Mas presumo que você tenha de tentar de novo e de novo...

– Não estou tentando coisa alguma. Se você não consegue enxergar que está sendo embromado por ele, merece mesmo levar no pescoço.

Palmer manteve uma expressão impassível. Mas o que dissimulava... era outro assunto.

– Amanhã... é o dia.

– E por que ele aceitaria compartilhar o poder com alguém mais? – disse Eph aprumando o corpo na cadeira e deixando as mãos caírem abaixo da mesa. Estava se arriscando, mas sentia-se bem. – Pense nisso. Que tipo de contrato fará com que ele mantenha esse acordo? O que vocês dois fizeram... apertaram as mãos? Vocês não são irmãos de sangue, ainda não. No melhor dos cenários, amanhã a esta hora você será apenas mais um sugador de sangue na colmeia. Aprenda com um epidemiologista. Os vírus não fazem acordos.

– Ele não chegaria a lugar algum sem mim.

– Sem o seu dinheiro. Sem a sua influência mundana, sim. – Eph meneou a cabeça para a anarquia lá embaixo. – Mas tudo isso não existe mais.

Fitzwilliam avançou até o lado de Eph.

– O helicóptero já voltou.

– Portanto, boa-noite, doutor – disse Palmer, afastando da mesa a cadeira de rodas. – E adeus.

– Ele anda por aí transformando pessoas em vampiros de graça, a torto e a direito. Então, pergunte a si próprio o seguinte: Palmer... se você é tão importante, por que fazer você esperar na fila?

Palmer já se afastava lentamente com a cadeira. Fitzwilliam fez Eph levantar com rudeza, mas ele teve sorte, pois a faca de prata que escondera na cintura só raspou de leve a parte superior da sua coxa.

– O que você lucra com isso? – perguntou Eph a Fitzwilliam. – É saudável demais para ficar sonhando com a vida eterna como sugador de sangue.

Fitzwilliam permaneceu em silêncio. A arma continuou colada ao quadril de Eph, enquanto ele era levado de volta ao terraço.

CHUVA

PAM... BUM!

Nora estremeceu ao primeiro impacto. Todo mundo sentiu o mesmo, mas poucos perceberam de que se tratava. Ela não estava muito familiarizada com os túneis North River que ligavam Manhattan a Nova Jersey. Achava que, em circunstâncias normais, as quais, vamos ser sinceros, não existiam mais, era talvez uma viagem de dois a três minutos no máximo, viajando bem abaixo do rio Hudson. Uma viagem só de ida, sem paradas. Na superfície só havia uma entrada e uma saída. Provavelmente eles ainda nem haviam chegado à metade, na parte mais profunda.

Bum... BUMM... bum... bum.

Houve outra batida, com o som e a vibração de coisas sendo moídas debaixo do chassis do trem. O ruído veio da frente, num estrondo sob os pés de Nora até a extremidade do trem, e depois desapareceu. Seu pai, dirigindo o Cadillac do tio muitos anos antes, uma vez atropelara um grande castor na cordilheira Adirondack; era o mesmo barulho, só que maior.

Aquilo não era um castor.

E ela suspeitava que também não era um ser humano.

O medo a envolveu. O barulho acordou a mãe, e instintivamente Nora agarrou a frágil mão dela. Em resposta, recebeu um sorriso vago e um olhar vazio.

"Melhor assim", pensou Nora, com mais um calafrio. Melhor não lidar com as perguntas, as suspeitas e os medos da mãe. Disso ela já tinha o suficiente.

Zack continuava sob a influência dos fones de ouvido, com os olhos fechados e a cabeça balançando suavemente sobre a mochila no colo: estava curtindo ou talvez cochilando. De qualquer forma, não percebera os solavancos e a sensação de preocupação crescente dentro do vagão. Mas isso não duraria muito tempo...

Bum... CRAQUE.

Ouviu-se um arquejo. Os impactos foram ficando mais frequentes, com ruídos mais altos. Nora rezou para que atravessassem o túnel a tempo. A única coisa que ela odiava em trens e metrôs é que não se pode espiar pelas janelas da frente. Você nunca vê o que vem vindo.

Mais impactos. Nora pensou ter discernido ossos quebrando, e... mais um! Um guincho inumano, não muito diferente do guincho de um porco.

Evidentemente, o condutor já estava farto daquilo. Os freios de emergência entraram em ação com um uivo metálico, arranhando como se fossem unhas de aço raspando o quadro-negro do medo de Nora.

Os passageiros em pé se agarraram ao encosto dos assentos e às barras no teto. Os solavancos diminuíram e ficaram agoniadamente menos intensos, com o peso do trem esmagando os corpos ali embaixo. Zack levantou a cabeça, abriu os olhos e encarou Nora.

O trem estava derrapando, as rodas rangendo: depois houve um grande tremor e o compartimento interior foi sacudido com violência, jogando as pessoas no chão.

O comboio foi guinchando até parar, com o vagão inclinado para a direita.

Haviam saído dos trilhos.

Descarrilado.

As luzes dentro do vagão piscaram e depois se apagaram. Ouviu-se um gemido de pânico.

Então as luzes de emergência se acenderam, mas eram fracas.

Nora fez Zack se levantar. Era hora de se mexer. E fez a mãe se levantar também, partindo para a frente do carro antes que os outros se recobrassem. Ela queria olhar o túnel iluminado pelo farol do trem. Mas viu imediatamente que era impossível passar. Havia gente demais, e bagagem demais esparramada.

Nora cruzou a alça da bolsa de armas sobre o peito e empurrou os dois no sentido contrário, para a saída entre os vagões. Comportou-se com educação, esperando que os outros passageiros pegassem suas bagagens, quando ouviu uma gritaria começar no vagão da frente.

Todas as cabeças se viraram.

– Vamos! – gritou ela, puxando os dois e abrindo caminho entre os corpos na direção das saídas. Que as pessoas olhassem; ela tinha duas vidas a preservar, sem contar a sua.

No final do vagão, enquanto esperava que um sujeito forçasse as portas automáticas, Nora olhou para trás.

Acima das cabeças dos passageiros confusos, ela viu um movimento frenético no vagão contíguo... havia figuras escuras movendo-se rapidamente... e depois uma explosão de sangue arterial se espalhando sobre a porta de vidro que separava os carros.

Gus e seu grupo haviam sido equipados pelos caçadores com 4x4 blindados, pretos com enfeites cromados. A maioria dos cromados já tinha saído, devido ao fato de que, a fim de cruzar as pontes e passar pelas ruas da cidade, era preciso aguentar alguns choques e baques.

Gus seguia pela contramão na rua 59, e as lâmpadas dos capacetes deles eram as únicas luzes na rua. Vasiliy ia sentado na frente, por causa de seu tamanho. A bolsa de armas estava a seus pés. Angel e os demais seguiam em outro carro.

O rádio estava ligado, e o comentarista esportivo colocara música para tocar a fim de aliviar sua voz ou talvez sua bexiga. Vasiliy percebeu, enquanto Gus cortava direto pela calçada a fim de evitar um nó de veículos abandonados, que a canção era "Don´t Let the Sun Go Down on Me", de Elton John.

Ele desligou abruptamente o rádio, dizendo:

– Isso não tem graça.

Gus estacionou de repente em frente a um prédio que dava para o Central Park, exatamente o tipo de lugar onde Vasiliy sempre imaginara que um vampiro residiria. Visto da calçada, o edifício se destacava contra o céu fumacento feito uma torre gótica.

Vasiliy entrou pela porta da frente ao lado de Setrakian, ambos carregando espadas. Angel seguiu logo atrás, com Gus assobiando uma canção a seu lado.

Forrada com um luxuoso papel de parede marrom, a portaria estava deserta e parcamente iluminada. Gus tinha uma chave que acionava o elevador de passageiros, uma pequena gaiola de ferro verde com os cabos de ascensão visíveis. Estilo vitoriano por dentro e por fora.

O corredor do último andar estava em construção, ou pelo menos fora deixado de tal forma que aparentava isso. Gus descansou as armas em cima de uma mesa que parecia fazer parte de uma forca.

– É melhor todo mundo se desarmar aqui – disse ele.

Vasiliy olhou para Setrakian. Como o professor não fez menção de abandonar o cajado, ele também continuou segurando a espada.

– Muito bem, à vontade – disse Gus.

Angel permaneceu atrás, enquanto Gus conduzia o grupo pela única porta, subindo três degraus até uma antecâmara escura. Havia a leve tintura costumeira de amônia e terra, com uma sensação de calor que não era produzido artificialmente. Gus abriu uma cortina pesada, revelando um aposento largo com três janelas que davam para o parque.

Silhuetados diante de cada janela havia três seres despidos e sem pelos, tão imóveis como o próprio prédio, dispostos feito estátuas montando guarda sobre o cânion do Central Park.

Vasiliy levantou a espada de prata, com a lâmina apontada para cima feito a agulha de um instrumento que medisse a presença do mal. De repente sentiu sua mão ser golpeada, e o punho da espada se soltar. Seu outro braço, que segurava a bolsa de armas, tremeu à altura do ombro, subitamente leve.

As alças da bolsa haviam sido cortadas. Vasiliy virou a cabeça a tempo de ver sua lâmina penetrar profundamente na parede lateral e ficar balançando ali, com a bolsa de armas pendurada.

Então sentiu uma faca na lateral da garganta. Não uma lâmina de prata, mas a ponta de um longo espigão de ferro.

O rosto a seu lado era tão pálido que brilhava. Nos olhos fulgurava o vermelho profundo da possessão vampiresca, com a boca curvada num esgar desdentado.

A garganta inchada pulsava, não devido ao fluxo de sangue, mas de expectativa.

– Ei – disse Vasiliy, com a voz desaparecendo no nada.

Ele estava vencido. A rapidez com que aqueles seres se movimentavam era incrível. Muito mais depressa do que os animais lá fora.

Mas os três seres nas janelas não haviam se movido.

Setrakian.

A voz, aparecendo dentro de sua mente, era acompanhada de uma sensação de torpor, que tinha o efeito de enevoar os pensamentos.

Vasiliy tentou olhar para o velho professor, que ainda conservava seu cajado, com a lâmina metida na bainha. Outro caçador estava a seu lado, segurando um espigão semelhante na têmpora dele.

Gus passou por eles, dizendo:

– Eles estão comigo.

Eles estão armados com prata. Uma voz de caçador, não tão debilitante quanto a outra.

– Eu não vim destruir vocês. Não agora – disse Setrakian.

Você nunca chegaria tão perto.

– Eu já estive perto no passado, e vocês sabem disso. Mas não vamos rememorar velhas batalhas. Desejo colocar tudo isso de lado por enquanto. Estou me colocando à mercê de vocês por uma razão. Quero fazer um acordo.

Um acordo? O que você tem para oferecer?

– O livro. E o Mestre.

Vasiliy sentiu o vampiro valentão afrouxar a pressão no seu pescoço apenas alguns milímetros, deixando a ponta do espigão ainda em contato com sua pele, mas já sem comprimir a garganta.

Os seres nas janelas não se moveram, e aquela voz de comando na sua cabeça continuou imperturbável.

E o que você quer em troca?
– O mundo – disse Setrakian.

Nora avistou as figuras escuras sugando os passageiros no último vagão do trem. Ela chutou a parte de trás do joelho do homem à sua frente, passando por ele com Zack e a mãe; depois afastou com o ombro uma mulher de terno executivo e tênis, a fim de sair do trem descarrilado.

Conseguiu fazer a mãe descer o degrau alto sem que ela caísse. Olhou para o ponto onde o vagão da frente saíra dos trilhos, inclinado contra a parede do túnel, e percebeu que tinha que tomar a direção oposta.

Abandonara a claustrofobia do trem entalado pela claustrofobia de um túnel debaixo do rio.

Abriu o zíper do bolsão lateral da mochila e tirou de lá a lanterna Luma. Ligou a lanterna, ouvindo o zumbido da bateria e vendo a luz arroxeada da lâmpada ultravioleta incandescente.

Os trilhos se iluminaram diante dela. Os dejetos dos vampiros estavam por toda parte, com guano fluorescente cobrindo o chão e espargindo nas paredes. Evidentemente eles vinham cruzando para o resto da cidade por aquele túnel havia dias, e aos milhares. Era o meio ambiente perfeito para eles: escuro, sujo e escondido dos olhos da superfície.

Outras pessoas desembarcaram atrás deles, algumas usando as telas dos telefones celulares para iluminar o caminho.

– Ah, meu Deus – uivou uma delas.

Nora se virou e viu, à luz dos celulares dos passageiros, as rodas do trem encharcadas de sangue de vampiros. Glóbulos de pele pálida e a massa escura de ossos esmagados pendiam do chassis. Ela ficou pensando se eles haviam sido atropelados acidentalmente ou se lançado no caminho do trem em velocidade.

Parecia mais provável que houvessem se lançado. E, se isso fosse verdade, para quê?

Nora achou que sabia a resposta. Com a imagem de Kelly ainda vívida na mente, ela lançou um braço em torno de Zack, pegou a mão de sua mãe e correu em direção à traseira do trem.

Nova Jersey estava a uma boa distância, e eles não estavam sozinhos ali.

Gritos foram ouvidos a bordo do comboio. Eram passageiros sendo atacados pelas pálidas criaturas que percorriam os vagões. Nora tentou evitar que Zack erguesse o olhar e visse os rostos comprimidos contra as janelas, regurgitando saliva e sangue.

Chegou ao final do trem, e deu a volta no vagão pisando em cadáveres de vampiros nos trilhos. Usou a luz ultravioleta para matar quaisquer vermes sanguíneos à espreita e saiu pelo outro lado, onde havia uma trilha clara na direção do vagão dianteiro.

Túneis transportam e distorcem ruídos. Nora não sabia direito o que estava ouvindo, mas aquele som a amedrontava ainda mais. Exortou as pessoas que a seguiam a parar um momento, ficar quietas e escutar.

Ouviu ruídos que pareciam passos apressados, só que muitas vezes repetidos e amplificados pelo túnel. Vindo atrás deles no mesmo sentido em que o trem estava viajando. Uma horda de passos.

A luz das telas dos celulares e a lâmpada ultravioleta de Nora tinham muito pouco alcance, mas algo vinha na direção deles, saindo daquele vazio escuro. Nora arrebanhou Zack e a mãe para partir correndo na outra direção.

O caçador se afastou de Vasiliy, com o espigão ainda encostado em seu pescoço. Setrakian começara a relatar aos Antigos a associação de Eldritch Palmer com o Mestre.

Nós já sabemos disso. Ele veio nos procurar há algum tempo, solicitando imortalidade.

– E vocês recusaram. Então ele foi procurar do outro lado da rua.

Ele não preenchia nossos critérios. A eternidade é uma linda dádiva, uma entrada para uma aristocracia imortal. Nós somos rigorosamente seletivos.

A voz que reverberava na cabeça de Vasiliy parecia a repreensão de um pai multiplicada por mil. Ele olhou para o caçador a seu lado e ficou imaginando: um rei europeu morto há muito tempo? Alexandre, o Grande? Howard Hughes?

Não, não aqueles caçadores. Vasiliy calculou que numa vida anterior ele fora um soldado de elite. Recrutado no campo de batalha, talvez durante uma missão especial. Convocado pelo serviço seletivo final. Mas quem saberia de que exército? Em que época? Vietnã? Normandia? Termópilas?

Ao fazer seu relato, Setrakian confirmava para si mesmo teorias que acalentara a vida inteira.

– Os Antigos estão conectados com o mundo humano nos níveis mais elevados. Eles assumem a riqueza dos iniciados, coisa que os ajuda a se isolarem e afirmar sua influência em todo o globo.

Se fosse uma simples transação comercial, a fortuna dele bastaria. Mas nós exigimos mais do que riquezas. O que buscamos é poder, acesso e obediência. Ele não tinha o último item.

– Palmer ficou furioso quando a dádiva lhe foi recusada. Então procurou o patife do Mestre, o jovem...

Você busca conhecer tudo, Setrakian. Cobiçoso até o final. Vamos concordar que você está meio correto em tudo. Palmer pode ter procurado o Sétimo, sim. Mas fique certo, foi o Sétimo que o encontrou.

– Vocês sabem o que ele quer?

Nós sabemos, sim.

– Então devem saber que estão encrencados. O Mestre está criando milhares de servos, gente demais para seus caçadores matarem. A linhagem dele está se propagando. São seres que vocês não podem controlar, não por meio de poder ou influência.

Você falou do Códex de Prata.

A força das vozes fez Vasiliy se encolher.

Setrakian deu um passo adiante.

– O que eu quero de vocês é apoio financeiro incondicional. Exijo isso imediatamente.

O leilão. Acha que não pensamos nisso antes?

– Mas se arriscavam a ser expostos dando lances por si mesmos, mesmo com um representante humano. Impossível garantir os motivos. Melhor esconder cada venda em potencial no decorrer dos anos. Mas isso não será possível dessa vez. Tenho certeza de que o momento desse ataque amplo, a ocultação da Terra, e o reaparecimento do livro não são coincidências. Tudo está alinhado. Vocês negam essa simetria cósmica?

Não negamos. Mas, de novo, o resultado seguirá o que está previsto, não importa o que façamos.

– Ficar sem fazer nada me parece um plano cheio de falhas.

E o que você quereria em troca?

– Quero olhar rapidamente o conteúdo do livro. Folheado a prata, esse é um dos bens humanos que vocês não podem possuir. Eu vi o *Códex de Prata*, como vocês o chamam. Contém muitas revelações, posso lhes garantir. Seria inteligente da sua parte ver o que a humanidade sabe sobre sua origem.

Meias verdades e especulações.

– Será? Vocês podem correr esse risco? Mal'akh Elohim?

Uma pausa. Vasiliy sentiu sua cabeça relaxar por um instante. Poderia jurar que viu o Antigo franzir o lábio de nojo.

As alianças improváveis frequentemente são as mais produtivas.

– Quero ser bem claro nesse ponto. Não estou oferecendo uma aliança. Isso nada mais é do que uma trégua em tempo de guerra. Neste caso, o inimigo do meu inimigo não é meu amigo nem seu. Nada prometo além de um exame do livro e, por meio disso, uma oportunidade de derrotar o canalha do Mestre antes que ele destrua vocês. Mas, uma vez consumado esse acordo, só prometo a vocês que a luta continuará. Eu virei atrás de vocês de novo. E vocês atrás de mim...

Depois de examinar o livro, Setrakian, nós não poderemos permitir que você viva. Você deve saber disso, que vale para qualquer humano.

– Eu não sou muito de leituras, de qualquer forma – disse Vasiliy engolindo em seco.

– Eu aceito – disse Setrakian. – E agora que nos entendemos, há outra coisa de que nós precisamos. Não de vocês, mas de seu homem aqui. De Gus.

Gus adiantou-se e pôs-se em frente ao velho e a Vasiliy.

– Desde que envolva matar.

* * *

Não houve cerimônia para cortar a fita. Nenhuma gigantesca tesoura falsa, nada de dignitários ou políticos. Nada de fanfarras. A usina nuclear de Locust Valley entrou em funcionamento às 5h23 da manhã. Os inspetores locais da Comissão Nuclear Reguladora supervisionaram os procedimentos na sala de controle da instalação, que custara 17 bilhões de dólares.

A usina de Locust Valley era uma instalação de fissão nuclear, com dois reatores gêmeos termais de terceira geração, moderados a água leve. Todas as instalações e medidas de segurança haviam sido revisadas, antes que o urânio-235 e os bastões de controle fossem introduzidos na água dentro do núcleo pressurizado.

O princípio da fissão controlada é semelhante a uma bomba nuclear que explodisse a uma velocidade lenta e estável, em vez de fazê-lo num milissegundo. O calor produzido gera eletricidade, que é então controlada e distribuída de maneira semelhante à energia convencional das usinas que queimam carvão.

Palmer compreendia o conceito de fissão apenas no sentido de ser similar à divisão das células em biologia. A energia era produzida na divisão, que era o valor e a mágica do combustível nuclear.

Lá fora as torres gêmeas de resfriamento soltavam vapor como gigantescas provetas de concreto.

Palmer estava encantado. Aquilo era a última peça do quebra-cabeça. O último número estava caindo no lugar certo.

Era o momento em que o ferrolho desliza para fora, pouco antes de a porta do grande cofre se abrir.

Enquanto observava as nuvens de vapor se elevarem como fantasmas subindo de grandes caldeirões ferventes no céu sinistro, Palmer se lembrou de Chernobyl. A aldeia negra de Pripyat, onde ele encontrara o Mestre pela primeira vez. O acidente com aquele reator fora, como os campos de concentração na Segunda Guerra Mundial, uma lição para o Mestre. A raça humana lhe mostrara o caminho, fornecendo as ferramentas para sua própria destruição.

Tudo subscrito por Eldritch Palmer.

"Ele está por aí transformando as pessoas em vampiros de graça."

Ah, doutor Goodweather. Mas os primeiros serão os últimos, e os últimos serão os primeiros. Era assim que a coisa devia funcionar, de acordo com a Bíblia.

Mas aquilo não era a Bíblia. Eram os Estados Unidos.

Os primeiros deviam ser os primeiros.

De imediato, Palmer percebeu como seus parceiros nos negócios se sentiam depois de lidar com ele. Como se tivessem recebido um soco na barriga pela mão que tinham acabado de apertar.

Você pensa que está trabalhando com alguém, até perceber que está trabalhando *para* alguém.

"Por que fazer você esperar na fila?"

Realmente.

Zack soltou a mão de Nora quando seu iPod caiu no chão do túnel. Foi estupidez, foi um reflexo, mas sua mãe havia lhe comprado aquilo, até mesmo pagando por músicas às quais não dava muita importância, e às vezes até mesmo odiava. Quando pegava aquele aparelho mágico e se perdia na música, ele estava se perdendo nela também.

– Zachary!

Era esquisito Nora usar o nome dele completo, mas a coisa funcionou, fazendo Zack se levantar rapidamente. Ela parecia desesperada, agarrada à mãe perto da frente do trem. Vendo a mãe dela tão doente, Zack sentiu alguma coisa a mais por Nora. Era algo que eles tinham em comum: suas mães estavam perdidas para eles, e contudo ainda estavam parcialmente presentes ali.

Zack pegou o iPod e meteu-o no bolso da calça jeans, deixando os fones embaralhados para trás. O trem descarrilado balançava levemente com uivos violentos, e Nora tentou bloquear a visão de Zack. Mas ele sabia. Vira o vermelho escorrendo pelas janelas. Vira os rostos. Estava meio em estado de choque, atravessando um sonho terrível.

Nora parara, olhando horrorizada para algo atrás de Zack.

Da escuridão do túnel saíam pequenos vultos que se movimentavam com grande velocidade. Com uma agilidade sobrenatural, essas ex-crianças humanas, todas ainda pré-adolescentes, vinham pulando ao longo dos trilhos na direção deles.

Eram lideradas por uma falange de crianças vampiras cegas, com olhos negros e calcinados. As cegas se moviam de uma maneira mais estranha, e as que tinham visão passaram por elas quando chegaram ao trem, emitindo horríveis guinchos de alegria inumana.

Elas imediatamente se atiraram sobre os passageiros que fugiam à carnificina no trem. Outras subiram correndo as paredes do túnel e enxamearam sobre o teto do trem, como jovens aranhas rastejando para fora da bolsa de ovos.

Entre elas, uma figura adulta se movia com um propósito sinistro. Era uma figura feminina, parcamente iluminada pela luz do túnel, e que aparentemente dirigia a carnificina. Uma mãe possuída liderando um exército de crianças demônios.

Uma mão agarrou o capuz da jaqueta de Zack – era a mão de Nora –, afastando o garoto dali. Ele seguiu aos tropeções, voltando-se para correr com ela, colocando o braço da mãe de Nora debaixo do ombro e arrastando a velha para longe do trem acidentado, inundado de crianças vampiras.

A luz arroxeada de Nora mal iluminava o caminho ao longo dos trilhos, fazendo brilhar o caleidoscópio de excrementos coloridos e psicodélicos doentios dos vampiros. Nenhum passageiro os seguia.

– Olhe! – disse Zack.

Seus olhos jovens divisaram um par de degraus que levavam a uma porta na parede esquerda do túnel. Nora guiou-os naquela direção, subindo rápido para testar a maçaneta. Estava presa ou trancada, de modo que ela recuou e chutou com o calcanhar repetidas vezes, até que a maçaneta caiu e a porta se abriu.

Do outro lado havia uma plataforma idêntica, e dois degraus que levavam a outro túnel. Mais trilhos de trem, dessa vez era a seção sul do túnel, que levava para leste, de Nova Jersey a Manhattan.

Nora bateu e fechou a porta com a maior firmeza possível; depois desceu correndo com eles para os trilhos.

– Depressa – disse ela. – Não parem. Não podemos lutar com todos.

Eles avançaram pelo túnel escuro. Zack ajudou Nora a amparar a mãe dela, mas era evidente que não poderiam caminhar assim eternamente.

Nada mais ouviram atrás de si, nem ouviram a porta se abrir com estrondo, e mesmo assim continuaram avançando como se tivessem os vampiros bem nos calcanhares. Todo segundo contava, como se o tempo tivesse sido emprestado.

A mãe de Nora perdera os dois sapatos; tinha as meias de náilon rasgadas, com os pés cortados e ensanguentados. Com a voz se elevando mais e mais, ela dizia repetidamente:

– Preciso descansar. Quero ir para casa.

Era demais. Nora diminuiu o passo, acompanhada por Zack, e colocou a mão sobre a boca da mãe, para silenciá-la.

Zack viu o rosto de Nora à luz roxa da lanterna. Percebeu a expressão angustiada dela, que se esforçava para levar e silenciar a mãe ao mesmo tempo.

E se deu conta de que ela teria que tomar uma decisão terrível.

A mãe tentou tirar de sua boca a mão de Nora, que baixou do ombro a mochila.

– Abra isso – disse ela a Zack. – Quero que você pegue uma faca.

– Eu já tenho uma. – Zack meteu a mão no bolso, tirando o canivete de cabo de osso marrom, e desdobrou a lâmina de prata de doze centímetros.

– Onde você arranjou isso?

– O professor Setrakian me deu.

– Bem. Zack. Por favor, escute. Você confia em mim?

Que pergunta estranha.

– Confio – disse ele.

– Então ouça. Preciso que você se esconda. Abaixe aí e vá rastejando por baixo dessa saliência. – As laterais dos trilhos se elevavam cerca de sessenta centímetros acima do solo, e o ângulo entre eles ficava mergulhado na sombra. – Fique deitado ali e mantenha essa faca perto do peito. Permaneça na sombra. Eu sei que é perigoso. Mas não vou... não vou demorar. Prometo. Qualquer um que apareça aqui e pare perto, e que não seja eu, *qualquer um,* você corta com essa faca. Está entendendo?

Zack vira os rostos dos passageiros no trem, comprimidos contra as janelas.

– Eu... estou entendendo.

– A garganta, o pescoço, onde você puder. Continue cortando e esfaqueando até eles caírem. Depois corra e se esconda de novo. Compreende?

Ele assentiu, com lágrimas escorrendo pelo rosto.

– Prometa para mim.

Zack assentiu de novo.

– Eu volto logo. Se eu demorar demais, você perceberá. E então quero que comece a correr. – Ela apontou para Nova Jersey. – Naquela direção. Até lá. Sem parar por coisa alguma. Nem mesmo por mim. Está bem?

– O que você vai fazer?

Mas Zack sabia. Ele tinha certeza que sabia. Assim como Nora.

A mãe de Nora estava mordendo a mão da filha, forçando-a a retirar a mão da sua boca. Nora agarrou Zack num meio abraço, comprimindo o rosto dele ao lado do corpo. Ele sentiu Nora beijando o alto da sua cabeça. Depois a mãe de Nora recomeçou a berrar, e ela teve de tapar-lhe a boca novamente.

– Seja corajoso – disse ela. – Vá.

Zack deitou de costas e foi se contorcendo embaixo da saliência, sem pensar em coisas costumeiras como ratos e camundongos. Segurava firmemente o cabo da faca, mantendo-a encostada ao peito como um crucifixo, e ouviu Nora lutando para levar a mãe embora.

V asiliy estava esperando sentado na viatura em ponto morto do Departamento de Obras Públicas. Usava um colete refletor sobre o macacão costumeiro e um capacete. Examinava o mapa dos esgotos à luz do painel de instrumentos do veículo.

As armas químicas de prata que Setrakian improvisara estavam atrás, protegidas por toalhas enroladas para não deslizarem. Vasiliy preocupava-se com o tal plano. Havia partes móveis demais. Verificou a porta dos fundos da loja, esperando que o velho aparecesse.

Lá dentro, Setrakian ajeitou o colarinho de sua camisa mais limpa, apertando o laço da gravata-borboleta com os dedos retorcidos. Pegou um de seus pequenos espelhos de prata para conferir a indumentária. Estava usando o seu melhor terno.

Largou o espelho e fez uma última verificação. Suas pílulas! Ele encontrou a lata e balançou o conteúdo suavemente, para dar sorte. Amaldiçoou a si mesmo por quase ter esquecido o remédio e meteu a lata no bolso interno do paletó. Tudo pronto.

A caminho da porta, deu uma última olhada para o vidro que continha os restos do coração vivissectado de sua esposa. Ele o irradiara com a luz negra, finalmente matando o verme sanguíneo de uma vez por todas. O órgão, há tanto tempo de posse do vírus parasítico, já estava escurecendo e entrando em decomposição.

Setrakian olhou para o coração com a expressão de alguém que olha para a sepultura de um ente querido. Queria que aquilo fosse a última coisa que via naquele lugar. Pois tinha certeza de que nunca mais voltaria.

Eph estava sentado sozinho no comprido banco de madeira encostado na parede da sala do esquadrão.

O nome do agente do FBI era Lesh, e sua cadeira e mesa estavam a cerca de um metro além do alcance de Eph, que tinha o pulso esquerdo algemado a uma barra de aço baixa que corria ao longo da divisória acima do banco, como as barras de segurança nos banheiros para deficientes físicos. Tinha de se curvar um pouco para permanecer sentado, mantendo a perna direita esticada a fim de acomodar a faca ainda escondida na cintura. Ninguém o revistara na volta da residência de Palmer.

O agente Lesh tinha um tique facial, uma piscadela ocasional do olho esquerdo que fazia a maçã do rosto dançar, mas que não lhe prejudicava a fala. Havia retratos de crianças em idade escolar metidos em molduras baratas sobre a escrivaninha de sua baia.

– Então – disse o agente. – Esse negócio. Eu ainda não entendi. É um vírus ou um parasita?

– As duas coisas – disse Eph, tentando ser razoável, ainda com esperança de recuperar a liberdade na base da conversa. – O vírus é disseminado por um parasita, sob a forma de um verme sanguíneo. O parasita é passado para outra pessoa através de infecção, por meio do ferrão na garganta.

O agente piscou involuntariamente e rabiscou aquilo no seu bloco de anotações.

Portanto, o FBI estava finalmente começando a perceber as coisas, só que tarde demais. Os bons policiais como o agente Lesh agiam na base mais larga da pirâmide, sem ideia de que as coisas já estavam havia muito tempo decididas pelo pessoal da cúpula.

– Onde estão os outros dois agentes? – perguntou Eph.

– Quem?

– Os que me levaram até a cidade no helicóptero.

O agente Lesh levantou-se a fim de dar uma olhada melhor nas baias. Uns poucos agentes dedicados continuavam a trabalhar.

– Ei, alguém aqui levou o doutor Goodweather num helicóptero até a cidade?

Resmungos e negativas. Eph percebeu que não vira os dois homens desde que voltara.

– Eu diria que eles se mandaram definitivamente.

– Não pode ser – disse o agente Lesh. – Temos ordens de permanecer aqui até aviso em contrário.

Aquilo não soava nada bem. Eph olhou de novo para as fotos na mesa de Lesh.

– Você levou sua família para fora da cidade?

– Nós não moramos na cidade. É muito caro. Eu venho de Jersey de carro até aqui todo dia. Mas, sim, eles saíram. A escola fechou, de modo que minha esposa levou as crianças para a casa de um amigo no lago Kinnelon.

"Não é longe o bastante", pensou Eph, inclinando o corpo para a frente o mais que as algemas e a faca encostada no quadril permitiam.

— A minha também já partiu — disse ele, tentando ganhar a confiança do homem. — Olhe aqui, agente Lesh... tudo isso está acontecendo... eu sei que parece um caos, uma desordem completa, mas não é. Tá legal? Não é. É um ataque cuidadosamente planejado e coordenado. E hoje... hoje tudo vai chegar ao fim. Ainda não sei exatamente como, ou o quê. Mas é hoje. E nós, tanto você quanto eu, precisamos dar o fora daqui.

O agente Lesh piscou duas vezes.

— Está sob custódia, doutor. Atirou num homem em plena luz do dia com dezenas de testemunhas em torno, e estaria agora a caminho de um indiciamento federal se as coisas não estivessem tão bagunçadas, e a maioria das repartições do governo, fechadas. Portanto, não vai a lugar algum, e por sua causa eu também não. Agora, o que me diz disso aqui?

O agente mostrou a Eph algumas cópias impressas. Eram fotos de grafitagens feitas nos prédios, mostrando figuras parecidas com insetos de seis pernas.

— Boston — disse o agente Lesh, folheando a pilha de frente para trás. — Essa aqui é de Pittsburgh. Essa é dos arredores de Cleveland. Atlanta. Portland, Oregon, a quase cinco mil quilômetros de distância.

— Eu não tenho certeza — disse Eph —, mas acho que isso é uma espécie de código. Eles não se comunicam por meio da fala. Precisam de um sistema de linguagem. Estão marcando seu território, marcando o progresso... alguma coisa assim.

— E esse desenho de inseto?

— Eu sei. É quase como... você já ouviu falar em escrita automática? A mente subconsciente? Veja, todos eles estão conectados num nível psíquico. Eu não entendo como... só sei que existe. E como qualquer grande inteligência, acho que há um segmento subconsciente, com essa coisa aí se derramando... quase artisticamente. Para se expressar. A gente vê os mesmos desenhos básicos rabiscados em prédios por todo o país. Provavelmente já atingiu meio planeta.

O agente do FBI pôs as imagens de volta sobre a mesa, e começou a massagear a nuca.

— E prata? Luz ultravioleta? O sol?

— Confira a pistola que eu tinha. Está por aí em algum lugar, não é? Verifique as balas. Prata pura. Não porque o Palmer seja um vampiro. Ele não é... ainda não. A arma me foi dada por...

Ah, é? Continue. Por quem? Eu gostaria de saber como você sabe todas essas coisas...

As luzes se apagaram. Os aquecedores de ar silenciaram e todo o esquadrão resmungou.

— De novo, não — disse o agente Lesh, levantando-se.

As luzes de emergência piscaram, enquanto os letreiros de SAÍDA acima das portas em cada quinto ou sexto painel do teto acendiam-se com metade ou um quarto da luminosidade normal.

— Lindo — disse o agente, tirando uma lanterna de um gancho do alto da divisória de sua baia.

Então o alarme de incêndio disparou, uivando nos alto-falantes suspensos nas paredes.

— Ah! — gritou o agente. — Cada vez melhor!

Eph ouviu um grito em algum lugar do prédio.

— Ei! — gritou ele, puxando a barra que o prendia à parede. — Tire essas algemas. Eles estão vindo atrás de nós.

— Hum? — O agente permaneceu onde estava, procurando ouvir mais gritos. — Vindo atrás de nós?

Um baque, e o ruído semelhante ao de uma porta quebrando.

— De mim! — disse Eph. — Minha pistola. Você tem que pegar a pistola!

O agente procurou escutar mais atentamente, avançando e soltando a presilha do coldre.

— Não! Isso não vai adiantar! A prata na minha pistola! Você não compreende? Vá buscar...

Tiros. Apenas um andar abaixo deles.

— Merda! — O agente deixava a sala enquanto sacava a arma.

Eph praguejou, voltando a atenção para a barra e as algemas. Deu um puxão na barra com as duas mãos, mas o aço não cedeu um milímetro. Puxou a algema primeiro para uma extremidade, depois para a outra, esperando explorar algum ponto fraco, mas os parafusos eram grossos e a barra estava fixada profundamente na parede. Chutou a barra, mas não adiantou.

Ouviu um grito, já mais perto, e mais tiros. Tentou ficar de pé, mas só conseguiu aprumar três quartos do corpo. Tentou derrubar a divisória. Agora os tiros eram na sala. As divisórias da baia bloqueavam a visão de Eph. Tudo que ele via eram os clarões dos disparos das armas dos agentes... e os gritos deles.

Eph meteu a mão nos bolsos da calça à procura da faca de prata. Na sua mão a lâmina parecia bem menor do que na cobertura de Palmer. Pôs a borda mais grossa atrás do banco num certo ângulo e puxou com toda a força, rapidamente. A ponta da faca quebrou, produzindo uma lâmina curta mais afiada, dessas feitas na cadeia.

Uma criatura pulou para o topo da divisória da baia. Ficou ali agachada, equilibrada nos quatro membros. Parecia pequena sob a luz fraca da sala do esquadrão, girando a cabeça e procurando de maneira bizarra, esquadrinhando sem visão, cheirando sem o sentido do olfato.

Então o rosto voltou-se para Eph, que percebeu que fora localizado.

A criatura se lançou do alto da parede divisória com uma agilidade felina, e Eph viu que os olhos da criança vampira estavam escurecidos, como a extremidade quente de uma lâmpada queimada. O rosto estava ligeiramente enviesado em relação a Eph, os olhos sem visão não focalizavam o corpo dele, e contudo, de alguma forma, a criatura o via, disso ele tinha certeza.

Aquela fisicalidade era aterrorizante para Eph: equivalia a enfrentar um jaguar numa jaula, e estar acorrentado à jaula. Ele ficou de lado, na esperança vã de proteger a garganta, com a lâmina de prata na direção do tateador, que sentiu a presença da arma. Eph se moveu lateralmente o máximo que as algemas na barra da parede permitiam. A criatura acompanhou o movimento para a esquerda, e depois para a direita, com a cabeça semelhante à de uma cobra no topo do pescoço inchado.

Então veio o ataque, o ferrão serpenteou para fora, mais curto do que o de um vampiro adulto, e Eph reagiu exatamente a tempo de golpear com a faca. Cortando ou não, ele atingira o monstro, afastando o bote, e fazendo-o recuar como um cão que recebe um pontapé.

– CAIA FORA DAQUI! – berrou Eph, tentando comandar o vampiro como faria com um animal, mas o tateador simplesmente olhou para ele com os olhos cegos. Quando dois outros vampiros, monstros adultos com manchas de sangue humano vermelho na frente das camisas, surgiram no canto da divisória, Eph compreendeu que o primeiro convocara reforços.

Então brandiu sua pequena faca de prata, parecia louco. Tentando aterrorizá-los mais do que eles o aterrorizavam.

Não funcionou.

As criaturas se separaram, atacando pelos dois lados. Eph cortou o braço de um, depois do outro. A prata os feria o bastante para abrir seus membros e fazer alguma brancura escorrer.

Então um deles conseguiu agarrar o braço que segurava a faca. O outro atacou Eph pelo lado oposto, segurando-o pelo cabelo.

Não avançaram sobre ele imediatamente. Ficaram esperando o tateador. Eph lutou o máximo que pôde, mas estava sobrepujado e acorrentado à parede. O calor febril daquelas atrocidades bem como seu fedor de mortos-vivos provocavam náuseas. Eph tentou lançar a faca, jogando sobre um deles a lâmina, que simplesmente escorregou de sua mão.

O tateador veio para cima dele lentamente, feito um predador saboreando sua presa. Eph lutou para manter o queixo baixo, mas a mão no seu cabelo puxava a cabeça para trás, expondo sua garganta para a pequena criatura.

Eph lançou um grito de desafio no último momento... e a parte de trás da cabeça do tateador explodiu numa nuvem branca. Seu corpo caiu de repente, tremelicando, e Eph sentiu que os vampiros que o agarravam pelos lados afrouxavam o aperto.

Então ele jogou um para o lado, e chutou o outro para longe do banco.

Nesse instante humanos apareceram no canto: eram dois latinos armados até os dentes, equipados para acabar com a noite de um vampiro. Um vampiro foi atingido por uma espada de prata quando tentava escapar por cima das divisórias, fugindo da luz ultravioleta. O outro resolveu resistir, tentando lutar, mas recebeu um pontapé no joelho que o lançou ao chão, seguido de uma flecha de prata no crânio.

Então apareceu um terceiro cara, um mexicano enorme provavelmente na casa dos sessenta anos; embora tivesse uma aparência envelhecida, o gigante era incrivelmente eficiente em despachar vampiros para todos os lados.

Eph puxou as pernas para cima do banco a fim de evitar o jorro de sangue branco no chão, enquanto os vermes procuravam um corpo novo para servir de hospedeiro.

O líder se adiantou, era um garoto mexicano, com luvas de couro, olhos brilhantes e o peito cruzado por uma bandoleira de setas de prata. Suas botas pretas, Eph viu, tinham biqueiras salpicadas de prata esbranquiçada.

– É o doutor Goodweather? – perguntou ele.

Eph assentiu.

– Meu nome é Augustin Elizalde – disse o garoto. – O penhorista nos mandou buscar o senhor.

Ao lado de Vasiliy, Setrakian entrou no saguão da Sotheby´s, no cruzamento das ruas 77 e York, pedindo que lhe indicassem onde era a sala de registro. Apresentou um cheque bancário de uma conta na Suíça, o qual, depois de um telefonema por linha convencional, foi liberado instantaneamente.

– Bem-vindo à Sotheby´s, senhor Setrakian.

Setrakian recebeu a tabuleta de licitante número 23, e uma atendente mostrou-lhe o elevador para o décimo andar. Na porta do salão do leilão ele foi parado e convidado a deixar ali o casaco e a bengala com cabo em formato de lobo. Setrakian obedeceu relutantemente, aceitando de volta um tíquete plástico que foi metido no bolso do relógio do colete. Vasiliy foi admitido na galeria do leilão, mas apenas os que possuíam tabuletas para lances tinham permissão para entrar na área onde os licitantes ficavam sentados. Ele ficou em pé, atrás, vendo todo o salão, achando que era melhor daquele jeito.

O leilão foi efetuado sob forte esquema de segurança. Setrakian pegou um lugar na quarta fileira. Nem perto demais, nem longe demais. Sentou-se com a tabuleta numerada sobre a perna. O palco à frente estava iluminado; um garçom de luvas brancas servia água para o leiloeiro, depois desapareceu por uma entrada de serviço escondida. No local de exposição, à esquerda do palco, um cavalete de metal aguardava os primeiros itens do catálogo. Uma tela de vídeo acima do palco mostrava o nome da Sotheby's.

As dez ou quinze primeiras fileiras estavam quase todas cheias, com assentos vazios esparsos no fundo. Contudo, alguns dos participantes do leilão eram claramente "preenchedores de cadeiras" ou empregados contratados para aumentar a plateia; seus olhos não tinham a atenção férrea de um verdadeiro comprador. Ambos os lados da sala – entre as extremidades das fileiras e as divisórias móveis, afastadas o máximo possível para aumentar a capacidade da sala – estavam lotados, bem como a retaguarda. Muitos espectadores usavam máscaras e luvas.

Um leilão é tanto teatro quanto mercado, e todo o evento tinha um nítido clima *fin-de-siècle*: uma explosão final de gasto extravagante, uma última demonstração do capitalismo diante da avassaladora débâcle econômica. A maioria dos frequentadores estava reunida apenas para assistir ao evento. Como se fossem acompanhantes enlutados e bem-vestidos numa cerimônia fúnebre.

A excitação aumentou quando o leiloeiro apareceu. A expectativa varreu a sala, enquanto ele fazia observações introdutórias e descrevia as regras a serem obedecidas pelos licitantes. Então bateu o martelo, dando início ao leilão.

Os primeiros itens eram pinturas barrocas sem maior importância, *hors d'oeuvres* para aguçar o apetite dos licitantes antes do prato principal.

Por que Setrakian sentia-se tão tenso? Tão estranho, tão paranoico, de repente? Hoje os bolsos recheados dos Antigos haviam se tornado os seus bolsos recheados. Era inevitável que o livro procurado por tanto tempo estivesse dentro em pouco em suas mãos.

Ele se sentia estranhamente exposto, sentado onde estava. Sentia-se... observado, não passivamente, mas por olhos atentos. Penetrantes e familiares.

Localizou a fonte de sua paranoia atrás de um par de óculos com lentes escuras, três fileiras atrás, do lado oposto ao corredor central. Os óculos pertenciam a uma figura metida num terno escuro, com luvas de couro preto.

Thomas Eichhorst.

O rosto dele parecia alisado e repuxado, enquanto o corpo parecia bem conservado. Era maquiagem cor da pele e uma cabeleira postiça, certamente... contudo, havia algo mais. Talvez uma cirurgia? Será que algum médico louco fora acionado para manter a aparência dele próxima a de um ser humano, a fim de que pudesse andar e se misturar com os vivos? Mesmo com os olhos do vampiro escondidos atrás dos óculos nazistas, Setrakian sentiu um calafrio, sabendo que os olhos de Eichhorst haviam se conectado aos seus.

Abraham era apenas um adolescente quando entrara em Treblinka, e foi com os mesmos olhos jovens que ele viu o antigo comandante do campo de extermínio. Experimentou a mesma pontada de medo, combinada com um pânico irracional. Aquele ser maligno, enquanto ainda era um mero ser humano, ditara a vida e a morte dentro da fábrica da morte. Sessenta e quatro anos antes... e agora o pavor volta a Setrakian, como se fosse ontem. Aquele monstro, aquele animal, hoje multiplicado por cem.

Um ácido ardia na garganta do velho professor, e ele quase sufocava.

Eichhorst meneou a cabeça para Setrakian, da maneira mais gentil possível. Da maneira mais *cordial* possível. Ele parecia estar sorrindo; na verdade, porém, aquilo não era um sorriso, apenas um modo de abrir a boca o bastante para que Setrakian pudesse vislumbrar a ponta do ferrão lá dentro, brincando nos lábios pintados de batom.

Setrakian virou-se e olhou para o estrado. Escondeu o tremor das mãos tortas, um velho envergonhado do medo de sua juventude.

Eichhorst viera em busca do livro. Ele batalharia pelo volume no lugar do Mestre, bancado por Eldritch Palmer.

Setrakian meteu a mão no bolso, procurando suas pílulas. Seus dedos artríticos trabalharam desajeitadamente e com o dobro do esforço, pois ele desejava que Eichhorst não visse e gozasse diante de sua angústia.

Discretamente, meteu a pílula de nitroglicerina debaixo da língua e esperou que o remédio fizesse efeito. Prometeu a si mesmo que venceria o nazista, mesmo que aquilo lhe custasse o último suspiro.

Seu coração está vacilante, judeu.

Setrakian não reagiu exteriormente à voz que invadia sua cabeça. Esforçou-se para ignorar aquele hóspede extremamente indesejável.

O leiloeiro e o palco desapareceram, diante de seus olhos, bem como toda a ilha de Manhattan e o território norte-americano. Por um momento, viu apenas a cerca de arame farpado do campo. Viu a terra encharcada de sangue e os rostos encovados de seus companheiros artesãos.

Viu Eichhorst montado no seu garanhão favorito. O cavalo era a única coisa viva dentro do campo a que ele dedicava algum sinal de afeição, por meio de cenouras e maçãs. O nazista gostava de alimentar o animal bem em frente aos famélicos prisioneiros. Gostava de cravar os calcanhares nas ilhargas do cavalo, fazendo o bicho relinchar e empinar. Também apreciava praticar tiro ao alvo com uma pistola Ruger montado no animal nervoso. A cada reunião dos prisioneiros, um trabalhador era executado aleatoriamente. Por três vezes o executado foi um homem parado bem ao lado de Setrakian.

Notei seu guarda-costas quando você entrou.

Será que ele se referia a Vasiliy? Setrakian se virou e avistou Vasiliy parado entre os espectadores no fundo da sala, perto de um par de guarda-costas bem-vestidos que flanqueavam a saída. Com aquele macacão de exterminador, ele parecia completamente deslocado.

Fetorski, não é? Puro sangue ucraniano é uma linhagem incrivelmente rara. Amargo, salgado, mas com um forte acabamento. Você devia saber, eu sou um conhecedor do sangue humano, judeu. Meu nariz nunca mente. Reconheci o buquê dele quando vocês entraram. Bem como a linha do maxilar. Você não se lembra?

As palavras da besta enervaram Setrakian. Porque ele odiava a fonte, e também porque elas tinham, para o seu ouvido, o tom da verdade.

No campo, com os olhos da mente, ele viu um grandalhão com o uniforme negro dos guardas ucranianos segurando obedientemente as rédeas da montaria de Eichhorst com luvas de couro preto, entregando a pistola Ruger ao comandante.

Não pode ser um erro você estar aqui com o descendente de um de seus carrascos?

Setrakian fechou os olhos para os sarcasmos de Eichhorst. Clareou a mente, voltando o foco para a tarefa que tinha à frente. Na esperança de ser ouvido pelo vampiro, pensou com a voz mental mais forte que conseguiu: "Você ficará ainda mais surpreendido ao saber com quem mais eu firmei uma parceria hoje."

Nora pegou o monóculo de visão noturna e prendeu-o em cima do boné de beisebol dos Mets que tinha na cabeça. Fechando um olho, o túnel North River ficava verde. Vasiliy gostava de chamar aquilo de "visão de rato", mas no momento ela estava mais do que grata por aquela invenção.

A área do túnel estava vazia à sua frente, até uma distância intermediária. Mas ela não conseguiu achar uma saída. Nem um lugar para se esconder. Nada.

Agora ela estava sozinha com a mãe, e já era grande a distância entre elas e Zack. Nora tentava não olhar para a mãe, nem mesmo com o monóculo. A mãe tinha a respiração pesada e quase não conseguia andar. Nora a sustentava pelo braço, praticamente carregando-a por sobre as pedras entre os trilhos, sentindo os vampiros às suas costas.

Ela percebeu que estava procurando o lugar certo para fazer aquilo. O melhor lugar. Essa coisa que ela encarava com horror. As vozes que ouvia, ninguém mais, somente ela, ofereciam argumentos de compensação.

"Você não pode fazer isso."

Você não pode ter esperança de salvar tanto sua mãe quanto Zack. Precisa escolher.

"Como você pode preferir um garoto, em vez de sua mãe?"

Escolha um ou perca os dois.

"Ela levou uma vida boa."

Besteira. Todos nós levamos vidas boas, exatamente até o ponto em elas terminam.

"Ela lhe deu a vida."

Mas, se você não fizer isso agora, vai entregá-la aos vampiros. Amaldiçoando-a por toda a eternidade.

"O mal de Alzheimer também não tem cura. Ela está piorando progressivamente. Já não é a mulher que foi sua mãe. Como isso é diferente do vampirismo?"

Ela não representa um perigo para outros.

"Apenas para você mesma, e para Zack."

Você terá que destruí-la de qualquer maneira quando ela voltar para você, para seu Ente Querido.

"Você disse a Eph que ele precisava destruir Kelly."

A demência dela é de tal ordem que ela nem mesmo vai saber.

"Mas você saberá."

Resumo da questão: você também faria isso consigo mesma antes de ser transformada em vampiro?

"Sim."

Mas essa é uma escolha *sua*.

"E não é nunca uma questão de ou/ou. A escolha nunca é perfeitamente clara. Acontece depressa demais; eles estão em cima de você, e pronto, você já era. Você deve agir antes de ser transformada. Você tem que se antecipar."

E, contudo, não há garantias.

"Você não pode libertar uma pessoa antes que ela seja transformada. Só pode dizer a si mesma que é isso que você espera ter feito. E se perguntar eternamente se estava com a razão."

Ainda assim, é assassinato.

"Você também passaria Zack na faca, se o fim fosse iminente?"

Talvez. Sim.

"Você hesitaria."

Zack tem mais chances de sobreviver a um ataque.

"Então você trocaria o velho pelo novo."

Talvez. Sim.

A mãe de Nora perguntou:

– Quando, diabos, o patife do seu pai vai chegar?

Nora voltou ao momento presente. Ela se sentia nauseada demais para chorar. Era realmente um mundo cruel.

Um uivo ecoou pelo comprido túnel, dando um calafrio em Nora.

Colocou-se atrás da mãe. Não conseguia olhar para o rosto dela. Apertou o cabo da faca, levantando-a a fim de cravá-la na nuca da velha.

Mas tudo para nada.

Não tinha coragem de fazer aquilo, e sabia disso.

"O amor é a nossa queda."

Os vampiros não tinham sentimento de culpa. Essa era a grande vantagem deles. Nunca hesitavam.

Nora pôde comprovar isso quando levantou o olhar e descobriu que estava sendo espreitada por vampiros em cada lado do túnel. Dois deles haviam se aproximado furtivamente, enquanto ela estava distraída, e seus olhos brilhavam num tom branco esverdeado sob a luz do monóculo.

Eles não sabiam que podiam ser vistos por Nora. Não entendiam a tecnologia da visão noturna. Pensavam que ela era como todos os outros passageiros, perdidos na escuridão, vagando cegamente, a esmo.

– Sente aqui, mamãe – disse Nora, empurrando de leve os joelhos da mãe, de modo a deixá-la abaixada junto aos trilhos. De outra forma ela sairia perambulando. – Papai está vindo.

Depois se virou e foi na direção dos dois vampiros, movimentando-se diretamente entre eles, sem olhar nem para um nem para outro. Com a visão periférica, viu que as criaturas haviam deixado as paredes de pedra no seu modo desajeitado de caminhar.

Nora respirou fundo antes de partir para o ataque mortal.

Aqueles vampiros haviam se tornado alvo de sua angústia homicida. Ela golpeou primeiro o da esquerda, cortando-o antes que ele pudesse saltar. Enquanto o angustiado grito do vampiro ecoava nos seus ouvidos, ela se virou e enfrentou o outro, que olhava para a velha sentada nos trilhos. A criatura se virou para Nora, agachada, com a boca aberta para o golpe do ferrão.

Um esguicho de líquido branco cobriu o seu monóculo como a raiva que fervilhava em sua mente. Ela matou o pretenso atacante, com o peito arfando e os olhos ardendo em lágrimas.

Depois olhou de volta para o caminho pelo qual viera. Será que aqueles dois haviam passado por Zack para chegar a ela? Nenhum dos dois parecia ter vindo de uma refeição, embora aquela visão noturna não permitisse fazer uma leitura precisa da palidez deles.

Nora agarrou a lanterna e voltou-a para os cadáveres, calcinando os vermes sanguíneos antes que tivessem chance de se esgueirar pelas pedras na direção da mãe. Também irradiou sua faca, e depois apagou a lanterna, voltando-se para ajudar a mãe a se pôr de pé.

– Seu pai já chegou? – perguntou ela.

— Vai chegar logo, mamãe — disse Nora, apressando-se na direção de Zack, com lágrimas escorrendo pelo rosto. — Logo.

Setrakian só resolveu participar do leilão do *Occido Lumen* quando os lances ultrapassaram o limiar de dez milhões de dólares. O ritmo rápido era estimulado não apenas pela extraordinária raridade do item, mas também pelas circunstâncias do leilão — aquela sensação de que a cidade iria desmoronar a qualquer momento, e que o mundo estava mudando para sempre.

Depois de quinze milhões, os incrementos dos lances se elevaram para trezentos mil dólares.

Aos vinte milhões, para quinhentos mil dólares.

Setrakian não precisava se virar para saber contra quem estava disputando. Outros, atraídos pela natureza "amaldiçoada" do livro, deram alguns lances iniciais, mas se retraíram quando o ritmo atingiu a casa de seis algarismos.

O leiloeiro pediu um pequeno intervalo quando o valor alcançou vinte e cinco milhões, estendendo a mão para pegar um copo d'água, mas na verdade apenas aumentando ainda mais o drama. E usou a pausa para lembrar aos presentes qual fora o preço mais alto pago por um livro num leilão: trinta milhões e oitocentos mil dólares pelo *Códex Leicester*, de Leonardo da Vinci, em 1994.

Setrakian já sentia os olhares da sala cravados em seu corpo. Mas manteve sua atenção focalizada no *Lumen*, o pesado volume encadernado em prata brilhava debaixo do vidro. O livro estava aberto, com duas páginas projetadas em dois telões de vídeo. Uma das páginas estava coberta por um texto manuscrito; já a outra mostrava a imagem de uma figura humana prateada, com grandes asas brancas, observando imóvel uma cidade distante ser destruída numa tempestade de chamas amarelas e vermelhas.

Os lances recomeçaram, subindo rapidamente. Setrakian voltou a levantar e abaixar sua tabuleta.

Ouviu-se um arquejo na plateia quando o limite de trinta milhões de dólares foi ultrapassado.

O leiloeiro apontou para o outro lado da plateia, pedindo trinta milhões e quinhentos mil. Setrakian rebateu com trinta e um milhões. Já se tratava da maior compra de um livro em toda a história, mas o que importava esse recorde para Setrakian? Para a humanidade?

O leiloeiro pediu trinta e um milhões e quinhentos mil, e conseguiu.

Setrakian rebateu com trinta e dois milhões antes mesmo de ser solicitado.

O leiloeiro olhou de volta para Eichhorst. Antes que o nazista tivesse chance de dar um novo lance, porém, surgiu uma ajudante, que interrompeu o processo. O leiloeiro, mostrando apenas um grau de irritação apropriado, saiu do pódio para confabular com ela.

Diante da notícia, ele aprumou o corpo, abaixou a cabeça e assentiu.

Setrakian ficou imaginando o que estaria acontecendo.

A moça então desceu do tablado e começou a percorrer o corredor central na direção dele. Confuso, Setrakian observou-a aproximar-se, mas a moça passou por ele, indo até três fileiras atrás, e parando diante de Eichhorst.

Ela se ajoelhou no corredor, sussurrando algo para ele.

– Você pode falar comigo aqui mesmo – disse Eichhorst, mexendo os lábios numa pantomima de fala humana.

A atendente falou mais alguma coisa, tentando preservar a privacidade do licitante ao máximo.

– Isso é ridículo. Deve haver algum engano.

A atendente pediu desculpas, mas permaneceu firme.

– Impossível. – Eichhorst levantou-se. – Suspendam o leilão enquanto eu acerto essa situação.

A atendente olhou rapidamente para o leiloeiro no estrado, e depois para os funcionários da Sotheby's que observavam a cena atrás do balcão envidraçado que corria no alto das paredes, como convidados que assistem a uma cirurgia. Então voltou-se para Eichhorst e disse:

– Sinto muito, senhor, mas isso não é possível.

– Eu insisto.

– Senhor...

Eichhorst virou-se para o leiloeiro, apontando a tabuleta para ele.

– Não bata o martelo antes que eu consiga contactar o licitante que represento.

O leiloeiro voltou ao microfone.

– As regras do leilão são bem claras neste ponto, senhor. Sinto muito, mas sem uma linha de crédito suficiente...

– Claro que eu tenho uma linha de crédito suficiente.

– Senhor, nossa informação é que ela acabou de ser rescindida. Sinto muito. O senhor terá que levar essa questão a seu banco...

– Meu banco! Ao contrário. Nós vamos completar os lances aqui e agora, e depois o senhor acertará essa irregularidade!

– Sinto muito, senhor. As regras da casa vêm sendo cumpridas há décadas e não podem ser alteradas, seja para quem for. – O leiloeiro voltou o olhar para a plateia, retomando o leilão. – Eu tenho trinta e dois milhões.

Eichhorst levantou a tabuleta.

– Trinta e cinco milhões!

– Senhor, desculpe. O lance é trinta e dois milhões. Eu ouvi trinta e dois e quinhentos?

Setrakian ficou sentado com a tabuleta na mão, pronto.

– Trinta e dois e quinhentos?

Nada.

– Trinta e dois milhões... dou-lhe uma...

– Quarenta milhões! – disse Eichhorst, já de pé no corredor.

– Trinta e dois milhões, dou-lhe duas.

– Eu protesto! Este leilão precisa ser cancelado. Vocês precisam me dar mais tempo...

– Trinta e dois milhões. Lote 1.007 vendido ao licitante número 23. Meus parabéns.

O martelo bateu, ratificando a venda; a plateia irrompeu em aplausos. Mãos se estenderam para Setrakian, cumprimentando-o, mas o velho levantou-se o mais rápido possível e caminhou até a frente da sala, onde foi abordado por outra ajudante.

– Eu gostaria de tomar posse do livro imediatamente – informou ele à moça.

– Mas, senhor, nós temos uma papelada...
– Vocês podem liberar o pagamento, incluindo a comissão da casa, mas eu estou tomando posse do livro, e vou fazer isso agora.

O maltratado 4x4 de Gus seguiu costurando e pulando, de volta a Manhattan, pela ponte Queensboro. Ao voltarem para a ilha, Eph observou dezenas de veículos militares estacionados na rua 59 e na Segunda Avenida, em frente à entrada da estação Roosevelt Island. Os caminhões maiores, com toldo de lona, tinham os dizeres FORTE DRUM em letras pretas, e dois ônibus brancos, bem como alguns jipes, tinham as palavras ACADEMIA MILITAR DE WEST POINT.

– Fechando a ponte? – perguntou Gus, com as mãos enluvadas firmes no volante.

– Talvez estejam implantando a quarentena – disse Eph.

– Você acha que eles estão conosco ou contra nós?

Eph viu militares em uniforme de combate retirando a lona de uma grande metralhadora montada num caminhão, e sentiu seu coração se animar um pouco.

– Eu diria que estão do nosso lado.

– Espero que sim – disse Gus, fazendo uma curva fechada na direção do centro da cidade. – Caso contrário, essa porra vai ficar ainda mais interessante.

Chegaram ao cruzamento da rua 72 com a avenida York exatamente no começo da batalha de rua. Vampiros saíam aos borbotões da casa de repouso, uma torre de tijolos em frente à Sotheby's – eram os idosos residentes da instituição, imbuídos de nova mobilidade e da força dos *strigoi*.

Gus desligou o motor e abriu a mala. Eph, Angel e os dois Safiras saltaram e começaram a pegar as armas de prata.

– Acho que ele acabou ganhando – disse Gus, abrindo uma caixa de papelão e entregando a Eph dois jarros de vidro pintados com gargalos estreitos, cheios de gasolina.

– Ganhou o quê? – perguntou Eph.

Gus meteu um pedaço de pano em cada vidro e depois abriu um isqueiro banhado em prata, acendendo as pontas. Pegou um vidro da mão de Eph e foi se afastando do carro.

– Ponham força nisso, gente – disse Gus. – Vou contar até três. Um. Dois. *Já*!

Eles catapultaram aqueles econômicos coquetéis Molotov por cima das cabeças dos vampiros saqueadores. Os jarros se estilhaçaram e pegaram fogo imediatamente, com as chamas líquidas se espalhando na mesma hora, como infernais poços gêmeos. Duas freiras carmelitas foram atingidas primeiro, os hábitos marrom e branco se incendiaram como folhas de jornal. Depois foi a vez de uma multidão de vampiros em roupões de banho e roupões comuns, guinchando. Em seguida os Safiras atacaram com espadas as criaturas engolfadas em fogo, acabando com elas, apenas para ver mais vampiros avançando pela rua 71, como bombeiros maníacos respondendo a um chamado de incêndio psíquico.

Dois vampiros em chamas avançaram, deixando um rastro de fogo, e só pararam a poucos centímetros de Gus, depois de serem crivados de balas de prata.

– Que diabo... onde eles estão? – gritou Gus, olhando para a entrada da Sotheby's. Na calçada diante da casa de leilões, as árvores altas e finas ardiam como sentinelas diabólicas.

Eph viu os guardas do prédio correndo para trancar as portas giratórias dentro do saguão de vidro.

– Vamos! – gritou ele.

Abriram caminho até passar das árvores em chamas. Gus gastou umas balas de prata nas portas, perfurando e enfraquecendo o vidro antes de Angel entrar à força.

Dentro do elevador que descia, Setrakian apoiou-se pesadamente na sua enorme bengala. O leilão o deixara esgotado, e ainda assim havia muito a fazer. Vasiliy estava a seu lado, com a mochila de armas nas costas, e o livro de trinta e dois milhões de dólares enrolado em plástico-bolha debaixo do braço.

À direita de Setrakian, um dos guardas da casa de leilões esperava, com as mãos cruzadas sobre a fivela do cinto.

No alto-falante do elevador tocava música de câmara, um quarteto de cordas de Dvorák.

– Parabéns, senhor – disse o guarda, para quebrar o silêncio.

– É – disse Setrakian. Ele percebeu o fio branco na orelha morena do homem. – O seu rádio funciona dentro deste elevador, por acaso?

– Não, senhor, não funciona.

O elevador parou de repente, fazendo todos os três homens se apoiarem nas paredes para se firmarem. Depois voltou a descer de repente, mas parou de novo. No alto, o mostrador dos andares indicava o número 4.

O guarda apertou o botão para descer, e depois o botão 4, fazendo isso com o polegar várias vezes.

Enquanto o guarda estava ocupado nisso, Vasiliy retirou uma espada da mochila e ficou diante da porta. Setrakian girou o cabo da bengala, expondo a lâmina prateada ali embutida.

A primeira pancada contra a porta assustou o guarda, fazendo-o saltar para trás.

A segunda pancada produziu uma mossa do tamanho de uma tigela de mesa.

O guarda estendeu a mão para sentir a convexidade, e começou a dizer:

– Que diabo...

A porta deslizou e se abriu para o lado, e mãos pálidas se introduziram ali dentro, puxando o sujeito para fora.

Vasiliy se atirou atrás dele com o livro agarrado sob o braço, abaixando o ombro e avançando como um atacante no futebol americano conduzindo a bola oval através de toda uma linha defensiva. Foi jogando os vampiros diretamente contra a parede, enquanto Setrakian, saindo atrás dele com a espada de prata brilhando na mão, matava para abrir caminho até o piso principal.

Vasiliy foi golpeando e cortando, lutando corpo a corpo com as criaturas, enquanto sentia aquele calor inumano, e aquele sangue branco acidífero espirrando sobre seu casaco. Estendeu os dedos que seguravam a espada para o guarda, mas viu que nada podia fazer por ele, o homem desaparecera no chão sob uma montanha de vampiros famintos.

Com golpes largos, Setrakian foi abrindo caminho para a balaustrada da frente, que dava para o vão interior de quatro andares. Viu corpos queimando na rua lá fora, árvores em chamas e um tumulto na entrada do prédio. Dentro, olhando diretamente para baixo, avistou Gus, o líder da gangue de rua, junto com o seu amigo mexicano mais velho. Foi o ex-lutador, mancando, que olhou para cima, apontando para Setrakian.

– Aqui! – gritou Setrakian para Vasiliy, que se livrou da pilha de corpos, verificando suas roupas à procura de vermes sanguíneos, enquanto voltava correndo. Setrakian apontou para o lutador.

– Você tem certeza? – indagou Vasiliy.

Setrakian assentiu, e Vasiliy, fazendo uma cara feia, passou o *Occido Lumen* por sobre o corrimão, dando ao lutador um pouco de tempo para se posicionar lá embaixo. Gus golpeou um demônio que se interpunha no caminho de Angel, e Setrakian viu alguém mais – sim, era Ephraim, afastando outros com uma lâmpada ultravioleta.

Vasiliy soltou o precioso livro, observando-o girar lentamente enquanto caía.

Quatro andares abaixo, Angel agarrou o volume nos braços como se fosse um bebê jogado de um prédio em chamas.

Vasiliy virou-se, já podendo lutar com as duas mãos. Tirou uma adaga do fundo da mochila e conduziu Setrakian para as escadas rolantes. A de subida e a de descida se entrecruzavam, lado a lado. Vampiros que subiam, convocados para a batalha pela vontade do Mestre, pulavam para a outra escada, que descia. Vasiliy foi despachando todos com a ponta da bota e a ponta da espada, fazendo-os rolar sobre os degraus em movimento.

No último lance de escadas, Setrakian olhou para cima, e viu Eichhorst de pé nos últimos andares, olhando para baixo.

No saguão, os outros já haviam feito grande parte do trabalho para eles. Corpos de vampiros libertados jaziam retorcidos no chão, com as caras e as mãos com garras paralisadas num quadro de agonia banhada de branco. Mais vampiros robotizados esmurravam a entrada envidraçada, e ainda havia outros a caminho.

Gus conduziu-os de volta para a calçada através das portas estilhaçadas. Vampiros continuavam a enxamear vindo das ruas 71 e 72 a oeste, e pela avenida York ao norte e ao sul. Apareciam na rua, saindo de bueiros com as tampas abertas nos cruzamentos. Lutar contra eles era como esgotar a água de um navio que naufragava – para cada vampiro destruído, mais dois apareciam.

Dois 4x4 pretos dobraram a esquina a toda a velocidade, tinham os faróis raivosos e atropelavam os vampiros com as grades dianteiras, enquanto os pneus estriados esmagavam os corpos. Uma equipe de caçadores saltou, encapuzados e armados com balestras, e imediatamente fizeram sua presença ser sentida. Eram vampiros matando vampiros, com os robotizados sendo sobrepujados pela guarda de elite.

Setrakian sabia que eles haviam chegado para escoltá-lo junto com o livro direto até os Antigos, ou então para simplesmente se apossarem do *Códex de Prata*. Nenhuma das duas opções lhe servia. Ele permaneceu perto do lutador, que levava o volume debaixo do braço; o passo capenga do grandalhão era bem adequado para suas pernas vagarosas. Ao descobrir a alcunha do lutador, "Anjo de Prata", Setrakian foi forçado a sorrir.

Vasiliy foi abrindo caminho até a esquina da rua 72 com a avenida York. O bueiro que ele queria já estava destampado. Pegou Creem e mandou-o descer na frente, para limpar o buraco de vampiros. Em seguida fez Angel e Setrakian descerem, mas o lutador quase não coube no bueiro. Depois foi a vez de Eph, sem questionar, descer pelos degraus da escada de ferro. Gus e o restante dos Safiras ficaram para trás a fim de não permitir que os vampiros se aproximassem, e só então desceram. Vasiliy desapareceu lá embaixo no exato momento em que o anel da carnificina desabou em cima dele.

– Para o outro lado! – gritou ele para os outros. – Para o outro lado!

Haviam começado a caminhar para oeste ao longo do túnel de esgoto, rumo ao coração subterrâneo da ilha, mas Vasiliy desceu e levou-os para leste, debaixo de um longo quarteirão que terminava sobre a FDR Drive. A vala do túnel carregava um filete de água suja; a falta de atividade humana na superfície de Manhattan significava menos banhos de chuveiro, menos descargas de privada.

– Direto até o final! – disse Vasiliy, enquanto sua voz ribombava dentro do tubo de pedra.

Eph emparelhou com Setrakian. O velho caminhava cada vez mais devagar, com a ponta da bengala agitando a corrente d'água.

– Você vai conseguir? – perguntou Eph.

– Tenho que conseguir – respondeu Setrakian.

– Eu estive com o Palmer. Hoje é o dia. O último dia.

– Eu sei – disse Setrakian.

Eph bateu de leve no braço com que Angel segurava o livro embrulhado em plástico bolha.

– Dê isso aqui – Eph pegou o embrulho, enquanto o gigantesco mexicano quase manco segurava o braço de Setrakian para ajudar o velho a caminhar.

Eph olhou para o lutador enquanto eles se apressavam, cheio de perguntas que não sabia como fazer.

– Aí vem eles! – disse Vasiliy.

Eph olhou para trás. Meros vultos no túnel escuro, a seus olhos, avançando para eles com uma fúria sombria a fim de afogá-los.

Dois dos Safiras se viraram para lutar, mas Vasiliy gritou:

– Não! Não se preocupem com eles! Venham por aqui!

Vasiliy diminuiu o passo entre dois compridos invólucros de madeira presos a canos ao longo da parede do túnel. Pareciam alto-falantes tipo barra, colocados verticalmente, oblíquos em relação ao eixo do túnel. A cada um deles Vasiliy acrescentara um comutador de fio, que agora segurava.

– Para o lado! – gritou ele para os outros atrás. – Através do painel.

Mas nenhum deles contornou o canto. A visão dos vampiros que avançavam para Vasiliy parado sozinho no túnel, segurando os gatilhos da engenhoca de Setrakian, era como um ímã.

Da escuridão saíram os primeiros rostos, com olhos vermelhos e bocas abertas. Tropeçando uns sobre os outros numa corrida de vale-tudo para serem os primeiros a atacar os humanos, o instinto de *strigoi* pulsava neles sem qualquer consideração pelos companheiros vampiros ou por si mesmos. Era um estouro de doença e depravação, ou a fúria da colmeia derrubada.

Vasiliy esperou, esperou, esperou, até que eles estivessem praticamente em cima dele. Sua voz se elevou, num berro que partiu da garganta, mas no final vinha direto da mente: um uivo de perseverança humana com a força dos ventos de um furacão.

A maré de vampiros já tinha as mãos estendidas para derrubá-lo, mas ele fechou ambos os comutadores.

O efeito foi semelhante ao do clarão de uma gigantesca câmera fotográfica. Os dois dispositivos detonaram simultaneamente numa única explosão de prata. Uma expulsão de matéria química que eviscerou os vampiros numa onda de devastação. Os que vinham na retaguarda morreram tão rapidamente quanto os da frente, porque não havia sombra alguma onde se esconder: as partículas de prata foram queimando seus corpos como se fossem radioativas, destruindo o DNA viral.

O matiz prateado permaneceu alguns momentos depois da grande purga, como neve brilhante a cair. O uivo de Vasiliy se desvaneceu no túnel esvaziado, enquanto a matéria dilacerada dos vampiros se assentava no chão do túnel.

Desapareceram. Como se alguém os houvesse teletransportado para outro lugar. Era como se, ao tirar uma foto, assim que o clarão houvesse se apagado, ninguém estivesse mais em foco.

Ninguém completo, pelo menos.

Vasiliy soltou os gatilhos e voltou para Setrakian.

– Funcionou – disse o velho.

Seguiram por outra escada, que descia para um passadiço com corrimão. Na extremidade havia uma porta que se abria para uma grade debaixo da calçada, deixando a superfície visível lá em cima. Vasiliy subiu nos caixotes que arrumara como degraus, e abriu a grade empurrando-a com o ombro.

Eles emergiram na rampa de entrada da FDR Drive, à altura da rua 73. Esbarraram com uns poucos desgarrados quando atravessaram a avenida de seis faixas, pulando as barreiras divisórias de concreto e contornando os carros abandonados na direção do East River.

Eph olhou para trás, vendo vampiros saltando da alta balaustrada do pátio no final da rua 72. As criaturas vinham da rua 73 e descendo a avenida como um enxame. Ficou preocupado, estavam ficando encurralados, com o rio às costas, enquanto as figuras fantasmagóricas sedentas de sangue convergiam de todos os cantos.

Mas do outro lado da cerca de ferro baixa havia um atracadouro, uma espécie de píer municipal, embora estivesse escuro demais para que Eph visse para que aquilo servia. Vasiliy seguiu na frente, movimentando-se com forte confiança, de modo que Eph o acompanhou com os outros.

Vasiliy correu até o final do atracadouro, e Eph então percebeu um rebocador, com grandes pneus amarrados em torno à guisa de defensas. Subiram ao tombadilho principal, e Vasiliy correu para o leme. O motor deu a partida com um arquejo e um estrondo, enquanto Eph desamarrava a popa. Primeiro o barco deu uma guinada, pois Vasiliy acionara o acelerador com muita força, e depois foi se afastando da ilha.

No chamado Canal Oeste, flutuando a uns dez metros do orla de Manhattan, Eph ficou observando a horda de vampiros a urrar na beirada da avenida que margeava o rio. Eles se amontoaram ali, acompanhando o vagoroso progresso da embarcação para o sul, incapazes de se aventurarem sobre água corrente.

O rio era uma zona segura. Não era lugar de vampiros.

Afastando-se dos saqueadores, Eph levantou o olhar para os altos prédios da cidade escurecida. Atrás dele, sobre a ilha Roosevelt, no meio do East River, havia bolsões de luz – não era pura luz solar, pois o dia evidentemente estava nublado, mas claridade – entre as massas de terra enfumaçadas de Manhattan e Queens.

Eles se aproximaram da ponte Queensboro, passando por baixo do alto vão em balanço. Um clarão brilhante cruzou a linha do horizonte de Manhattan, fazendo Eph virar a cabeça. Depois foi a vez de outro clarão, como um modesto fogo de artifício. Depois um terceiro.

Rojões de iluminação, alaranjados e brancos.

Um veículo desceu velozmente a FDR Drive na direção da massa de vampiros que acompanhava o rebocador. Era um jipe, com soldados em uniformes de camuflagem de pé na traseira, disparando armas automáticas contra a turba.

– O exército – disse Eph, sentindo algo que não sentia havia algum tempo: esperança. Procurou Setrakian em torno, mas não o viu e entrou na cabine principal.

Nora finalmente achou uma porta que não levava a qualquer tipo de saída do túnel, mas sim a um depósito profundo. Não havia tranca, pois os projetistas nunca poderiam imaginar pedestres trinta metros abaixo do rio Hudson, e ali dentro ela encontrou equipamento de segurança, tais como lâmpadas sobressalentes para luzes de sinalização, bandeiras e coletes alaranjados, além de uma velha caixa de papelão com dispositivos de iluminação. Havia também lanternas elétricas, mas todas as baterias estavam corroídas.

Ajeitou uma pilha de sacos de areia num canto, a fim de criar um assento para sua mãe, e depois pegou um punhado de rojões de iluminação, colocando-os na bolsa.

– Mamãe, por favor, fique em silêncio. Não saia daqui. Eu vou voltar. Vou voltar.

A mãe de Nora sentou naquele frio trono de sacos de areia com um olhar curioso em torno do depósito.

– Onde você colocou os biscoitos?

– Não tem mais, mamãe. Agora durma. Descanse.

– Aqui? Na despensa?

– Por favor. É uma surpresa... para o papai. – Nora foi recuando na direção da porta. – Fique aqui até que ele venha buscar você.

Ela fechou a porta rapidamente, esquadrinhando o túnel com o monóculo de visão noturna à procura de vampiros. Depois jogou dois sacos de areia defronte da porta para mantê-la fechada. Em seguida saiu correndo na direção de Zack, enquanto seu cheiro ficava mais distante da mãe.

Supunha que escolhera uma saída covarde, ao enfiar a pobre mãe num depósito, mas pelo menos dessa forma havia esperança.

Continuou voltando para leste ao longo do túnel, procurando o lugar onde Zack se escondera. As coisas pareciam diferentes vistas sob a pastosa luz verde do monóculo. Seu marcador fora uma faixa de tinta branca ao longo do lado baixo do túnel, mas ela já não conseguia localizar aquilo agora. Pensou de novo nos dois vampiros por quem fora atacada, e seguiu a passos largos, impelida pela ansiedade.

– Zack! – Um sussurro gritado. Uma burrice, mas a preocupação sobrepujava a razão. Ela só podia estar perto do ponto onde o deixara. – Zack... é Nora! Nós estamos...

O que ela viu diante de si estancou-lhe a voz na garganta. Iluminado pelo monóculo e desenhado na ampla lateral do túnel, havia um enorme mural grafitado, feito com técnica excepcional. Mostrava uma grande criatura sem rosto, mas de traços humanoides, com dois braços, duas pernas e duas asas magníficas.

Ela percebeu intuitivamente que aquilo era a iteração final das assinaturas de seis pétalas que vinham sendo encontradas por toda a cidade. As primeiras flores ou insetos eram ícones, analogias, abstrações. Desenhos toscos daquele ser temível.

A imagem daquela criatura de asas largas, e a maneira como era apresentada, ao mesmo tempo naturalística e extraordinariamente evocativa, encheu de terror o coração de Nora, de uma maneira que ela sequer conseguia começar a entender. Como era estranho aquele ambicioso trabalho de arte de rua, aparecendo naquele túnel escuro, tão profundamente abaixo da superfície da terra. Uma tatuagem brilhante, de extraordinária beleza e ameaça, escrita nos intestinos da civilização. Uma imagem, percebeu Nora imediatamente, com a intenção de ser vista apenas por olhos vampirescos.

Uma sibilação fez com que ela se virasse. Pelo monóculo de visão noturna ela viu Kelly Goodweather, o rosto contorcido numa expressão de carência que quase parecia dor. A boca era apenas uma estreita fenda aberta, em que a ponta do ferrão balançava como a língua de um lagarto, num sibilo.

As roupas rasgadas de Kelly ainda estavam encharcadas da chuva que caíra na superfície, pendendo pesadamente do corpo magro. Ela tinha o cabelo emplastrado, e o corpo manchado de terra. Os olhos, que pareciam gritantemente brancos à luz verde do monóculo de Nora, estavam arregalados de ânsia.

Nora procurou atabalhoadamente sua lanterna UVC. Precisava criar um espaço quente entre ela e a ex-esposa morta-viva de seu amado, mas Kelly avançou com incrível rapidez, arrebatando a lanterna de sua mão antes que ela pudesse acionar o comutador.

A lanterna Luma se espatifou contra a parede e caiu no chão.

Apenas a lâmina de prata de Nora mantinha Kelly afastada. A vampira pulava para cima e para trás dentro do teto baixo do túnel, e então saltou por cima de Nora para o outro lado, mas a médica acompanhou o movimento com a faca comprida. Kelly fingiu atacar, depois de novo pulou por cima. Dessa vez Nora atingiu-a na passagem, tonta por ter que acompanhar a ágil criatura através do monóculo.

Kelly aterrissou do outro lado do túnel, com um corte branco na lateral do pescoço. Apenas um ferimento superficial, mas o bastante para atrair a atenção de Nora. A vampira viu seu próprio sangue branco na mão comprida, depois atirou os respingos sobre Nora, com uma expressão perversa e feroz.

Nora recuou, procurando a bolsa que continha os rojões de sinalização. Ouviu membros arranhando as pedras da linha férrea, e não precisava tirar os olhos de Kelly para ver quem era.

Três pequenas crianças vampirescas, dois garotos e uma garota, convocados por Kelly para ajudá-la a sobrepujar Nora.

– Muito bem – disse Nora, torcendo a tampa de plástico do rojão. – Vocês querem fazer isso dessa forma?

Raspou a ponta da tampa no bastão vermelho e o rojão se incendiou, com a chama vermelha refletindo na escuridão. Nora ergueu o monóculo, já capaz de ver com os dois olhos. A chama iluminava aquela seção do túnel do teto até o chão, criando um raivoso nevoeiro vermelho.

As crianças vampirescas se jogaram para trás, repelidas pela luz brilhante. Nora agitou o rojão na frente de Kelly, que abaixou o queixo, mas não recuou.

Um dos garotos avançou para Nora pela lateral, emitindo um guincho agudo; Nora atacou a criança com a lâmina de prata, enfiando-a no peito, bem até o cabo. A criança esmoreceu e recuou, enfraquecida e tonta, enquanto Nora retirava a lâmina rapidamente. O vampiro estendeu os lábios, tentando um último e desesperado lance com o ferrão, e Nora enfiou o rojão quente em sua boca.

O vampiro recuou desesperado, cortado por Nora com a lâmina, gritando todo o tempo até cair.

Nora retirou o rojão, ainda aceso, e girou depressa, antecipando o ataque de Kelly pela retaguarda.

Mas Kelly desaparecera. Não podia ser vista em lugar algum.

Nora brandiu o rojão diante das duas crianças vampiras remanescentes agachadas perto do companheiro caído. Queria se certificar de que Kelly não estava no teto ou debaixo da laje.

A incerteza era pior. As crianças se separaram, cercando-a pelos dois lados, e Nora se encostou na parede debaixo do gigantesco mural, pronta para a batalha, determinada a não se deixar emboscar.

Eldritch Palmer observou os rojões de iluminação cruzarem por cima dos telhados da cidade. Fogos de artifício insignificantes. Fósforos acesos num mundo de escuridão. O helicóptero veio se aproximando dele pelo norte, diminuindo a velocidade acima do prédio. Palmer esperava seus visitantes no 78º andar do Edifício Stoneheart.

Eichhorst apareceu primeiro. Um vampiro com terno de lã parecia um pit-bull com suéter de tricô. Deixou a porta aberta, e o Mestre se curvou ao entrar envolto numa manta, cruzando a sala com passos largos.

Palmer observou tudo isso por meio do reflexo nas janelas.

Explique.

A voz sepucral, tensa de fúria.

Depois de reunir forças para se levantar, Palmer virou-se sobre as pernas fracas.

– Eu cortei seu financiamento. Fechei sua linha de crédito. Simples.

Eichhorst parou um pouco afastado, e ficou observando com as mãos enluvadas cruzadas. O Mestre baixou o olhar para Palmer, com a pele vermelho vivo inflamada, os olhos escarlates e penetrantes.

Palmer continuou:

– Foi uma demonstração. De como é importante a minha participação no seu sucesso. Ficou evidente para mim que você precisava ser lembrado de quanto valho.

Eles conseguiram o livro.

A fala partiu de Eichhorst, cujo desprezo por Palmer sempre fora claro, sendo retribuído da mesma forma. Mas Palmer se dirigiu ao Mestre.

– O que interessa isso nestes momentos finais? Converta-me em vampiro e eu ficarei muito feliz em dar cabo do professor Setrakian, eu mesmo.

Você compreende tão pouco. Mas também nunca me viu senão como um meio de atingir um propósito. O seu propósito.

– E eu não deveria dizer o mesmo de você? Você, que vem me negando sua dádiva há tantos anos. Eu lhe dei tudo e nada consegui. Até este momento!

Esse livro não é um mero troféu. É um cálice de informações. É a última esperança remanescente dos porcos humanos. O arquejo final da sua raça. Isso, você não consegue conceber. A sua perspectiva humana é muito pequena.

– Então permita que eu veja. – Palmer se adiantou na direção do Mestre, atingindo apenas a altura do peito do vampiro. – Já é hora. Entregue o que de justiça é meu, e tudo que você necessita será seu.

O Mestre nada disse a Palmer. Nem se moveu.

Mas Palmer se mostrava destemido.

– Nós temos um acordo.

Você detém mais alguma coisa? Desfez algum dos outros planos que estávamos executando?

– Nenhum. Tudo continua de pé. Agora... nós temos um acordo?

Temos.

A rapidez com que o Mestre se curvou chocou Palmer, fez saltar seu coração frágil. Naquele rosto tão próximo, os vermes sanguíneos corriam por veias e capilares, logo debaixo da beterraba florida que era a pele do vampiro. O cérebro de Palmer liberou hormônios há muito esquecidos, pois o momento de transformação chegara. Mentalmente, ele já fizera as malas muito tempo antes; contudo, houve ainda um surto de trepidação no primeiro passo para a última viagem sem volta. Não duvidava das melhorias que a transformação em vampiro teria sobre seu corpo, imaginando apenas o que aquilo faria com sua tão acalentada consolação e mais feroz das armas, sua mente.

A mão do Mestre comprimiu o ombro ossudo de Palmer como as garras de um abutre num galho. A outra mão agarrou o topo da cabeça dele, girando-a para o lado, estendendo ao máximo o pescoço e a garganta do velho.

Palmer olhou para o teto, enquanto seus olhos perdiam o foco. Ele ouviu um coro de vozes dentro da sua cabeça. Nunca fora agarrado por ninguém ou coisa alguma daquele jeito em toda sua vida. Deixou o corpo amolecer.

Estava pronto. A respiração tornou-se curta, com arquejos excitados, enquanto a longa unha endurecida no grosso dedo médio do Mestre penetrava na pele flácida e caída sobre o pescoço estendido.

O Mestre viu as pulsações do homem doente através da pele do pescoço; viu o coração do homem palpitando de expectativa e sentiu o chamado profundo no seu ferrão. Ele queria sangue.

Mas ignorou a própria natureza e, com um só estalo, arrancou com firmeza a cabeça de Palmer do tronco. Soltou a cabeça e agarrou o corpo, que jorrava sangue, cortando Palmer ao meio. O corpo rachou facilmente onde os ossos dos quadris se estreitavam. Depois o Mestre jogou na parede mais distante os pedaços sangrentos de carne, que bateram nas obras-primas de arte abstrata humana emoldurada e caíram no chão.

Virou-se rapidamente, sentindo a presença de outra fonte de sangue palpitando no recinto. Fitzwilliam, o auxiliar de Palmer, estava parado no umbral. Um homem de ombros largos, com um terno feito para acomodar armas de autodefesa.

Palmer queria ter o corpo daquele homem para sua transformação. Cobiçava a força e a estatura física do guarda-costas, desejando a forma daquele homem por toda a eternidade.

Fitzwilliam era parte do pacote com Palmer.

O Mestre examinou a mente do homem e mostrou-lhe o plano antes de voar para cima dele como um borrão de luz. Primeiro Fitzwilliam viu o Mestre atravessar toda a sala, com sangue vermelho pingando das mãos enormes, e então o Mestre já estava curvado sobre ele. Fitzwilliam teve uma sensação de ferroada, de drenagem, como se tivesse uma haste de fogo na garganta.

Depois de certo tempo a dor esmaeceu. Tal como a visão que Fitzwilliam tinha do teto.

O Mestre deixou o homem cair ali mesmo, onde o bebera.

Animais.

Eichhorst permaneceu do outro lado da larga sala, paciente como um advogado.

O Mestre disse:

Que principie a Eterna Noite.

O rebocador descia o East River sem luzes, na direção da ONU. Vasiliy guiava a embarcação ao longo da ilha sitiada, ficando apenas a poucas centenas de metros do litoral. Ele não tinha carta de piloto, mas o acelerador era bastante fácil de operar; enquanto aprendia a atracar o barco na rua 72, as grossas defesas de pneus perdoavam tudo.

Atrás dele, na mesa de navegação, Setrakian estava sentado em frente ao *Occido Lumen*. Uma única lâmpada forte fazia as ilustrações revestidas de prata brilharem nas páginas. O professor estava absorvido no trabalho, estudando o livro quase em estado de transe. Tinha um pequeno bloco já cheio até a metade com anotações.

A escrita do *Lumen* era densa, mas linda, com cerca de cem linhas por página. Os velhos dedos de Setrakian, quebrados havia tantos anos, viravam cada canto de página com delicadeza e rapidez.

Ele analisava cada página contra a luz, procurando marcas-d'água e rapidamente desenhando-as quando as descobria. Anotava a exata posição e disposição das figuras na página, como se fossem elementos cruciais para decodificar o texto ali contido.

Eph estava junto ao ombro dele, olhando alternadamente para as fantasmagóricas ilustrações e para a ilha incendiada pela janela da casa do leme. Notou um rádio perto de Vasiliy e ligou o aparelho, mantendo o som baixo para não perturbar Setrakian. Era um rádio que recebia transmissão por satélite, e Eph procurou os canais de noticiários até chegar a uma voz.

Uma voz cansada de mulher, uma locutora encastelada na sede da Sirius XM, transmitia graças a um gerador de reserva infalível. Trabalhava baseada em fontes múltiplas e fragmentadas, como a internet, o telefone e o e-mail, reunindo relatos que vinham de todo o país e do mundo, enquanto repetidamente esclarecia que não tinha meios de verificar se as informações eram verdadeiras.

Ela falava com franqueza sobre o vampirismo como um vírus que se propagava de pessoa para pessoa. Detalhava o desmoronamento da infraestrutura no país: acidentes, alguns catrastóficos, prejudicando ou então interrompendo as pontes principais em Connecticut, na Flórida, em Ohio, no estado de Washington e na Califórnia. Os apagões isolavam ainda mais certas regiões, principalmente no litoral. Gaseodutos no Meio-Oeste. A guarda nacional e diversos regimentos do exército haviam recebido ordens para manter a normalidade em muitos centros metropolitanos importantes, com relatos de atividade militar em Nova York e Washington, DC. Lutas haviam irrompido ao longo da fronteira entre as Coreias do Sul e do Norte. Mesquitas incendiadas no Iraque haviam desencadeado distúrbios, atrapalhando os esforços dos Estados Unidos para trazer paz ao país. Uma série de explosões inexplicadas nas catacumbas debaixo de Paris paralisara a cidade. E uma estranha série de relatos detalhava a ocorrência de suicídios em grupo nas cataratas de Vitória, no Zimbábue, nas cataratas do Iguaçu na fronteira entre Brasil e Argentina, e nas cataratas do Niágara, no estado de Nova York.

Eph balançava a cabeça diante de tudo isso – era espantoso, um pesadelo, a *Guerra dos Mundos* tornada realidade – até que ouviu o relato do descarrilamento de um trem da Amtrak dentro do túnel North River, isolando ainda mais a ilha de Manhattan. A locutora foi adiante, lendo o relato de um distúrbio na Cidade do México, deixando Eph olhando atônito para o rádio.

– Descarrilamento – disse ele.

O rádio não podia responder-lhe.

– Ela não disse quando foi. Talvez eles tenham escapado – disse Vasiliy.

Eph sentiu uma pontada de medo no peito. Sentiu-se nauseado, e disse:

– Eles não conseguiram – disse ele.

Ele sabia. Não era percepção extrassensorial ou conhecimento psíquico, ele simplesmente sabia. Passou a ver a fuga deles como algo bom demais para ser verdade. Todo o seu alívio e equilíbrio desapareceram. Uma mortalha escura caiu sobre sua mente.

– Eu preciso ir até lá. – Ele se virou para Vasiliy, incapaz de ver qualquer coisa além da imagem mental de um descarrilamento e de um ataque de vampiros. – Vamos atracar. Vocês precisam me deixar ir. Vou atrás de Zack e Nora.

Vasiliy não discutiu, ocupado com os controles de direção da embarcação.

– Preciso achar um lugar para embicar o barco.

Eph procurou as armas. Antigos chefes de gangues rivais, Gus e Creem estavam comendo petiscos baratos tirados de uma bolsa achada numa loja de conveniência. Gus usou a bota para empurrar a bolsa de armas na direção de Eph.

Uma mudança no tom de voz da locutora fez a atenção deles voltar para o rádio. Um acidente numa usina nuclear fora relatado na costa leste da China. Nada viera das agências de notícias chinesas, mas havia testemunhas oculares de uma nuvem com formato de cogumelo visível em Taiwan, bem como leituras de sismógrafos perto de Guangdong indicando um tremor de terra nas vizinhanças de um terremoto com 6,6 graus na escala Richter. A falta de informações vindas de Hong-Kong parecia indicar a possibilidade de um pulso eletromagnético, que transformaria os cabos de eletricidade em para-raios ou antenas e teria o efeito de torrar quaisquer equipamentos elétricos com transístores ligados à rede.

– Os vampiros vão fazer guerra nuclear contra nós agora? Estamos fodidos. – Depois traduziu a transmissão para Angel, que consertava uma tala de fabricação caseira em torno do joelho.

– *Madre de Dios* – disse Angel se benzendo.
– Esperem um minuto – disse Eph. – Um acidente nuclear? Isso é um derretimento, não uma bomba. Talvez uma explosão de vapor no sítio da usina, como em Chernobyl, mas não uma detonação. As usinas são projetadas para não deixar isso acontecer.
– Projetadas por quem? – perguntou Setrakian, sem levantar os olhos do livro.
– Não sei... o que você quer dizer com isso? – intrometeu-se Vasiliy.
– Construídas por quem?
– Stoneheart – disse Eph. – Eldritch Palmer.
– O quê? – disse Vasiliy. – Mas... explosões nucleares? Por que fazer isso quando ele está tão perto de dominar o mundo?
– Haverá mais – disse Setrakian. Sua voz chegou sem fôlego, desencorpada, sem entonação.
– O que você quer dizer com "mais"?
– Mais quatro – disse o velho. – Os Antigos nasceram da luz. Da Luz Caída, *Occido Lumen*... e eles só podem ser consumidos por ela...

Gus levantou e se postou diante de Setrakian. O livro estava aberto, com duas páginas à mostra. Uma complexa mandala em prata, preto e vermelho. Com papel transparente sobre isso, Setrakian traçara o contorno de um anjo de seis asas.

– O livro diz isso? – perguntou Gus.

Setrakian fechou o livro de prata e se levantou.

– Precisamos voltar aos Antigos. Imediatamente.
– Muito bem – disse Gus, embora intrigado pela súbita mudança de curso. – Para entregar o livro a eles?
– Não – respondeu Setrakian, encontrando a caixinha de pílulas no bolso do colete e abrindo-a com os dedos trêmulos. – O livro chega tarde demais para eles.
– Tarde demais? – Gus lançou um olhar enviesado.

Setrakian lutou para tirar da caixa uma pílula de nitroglicerina. Vasiliy firmou a mão trêmula do velho, pegando uma pílula e colocando-a na mão enrugada.

– O professor sabe que Palmer acabou de inaugurar uma usina nuclear em Long Island.

Os olhos do velho ficaram distantes e desfocados, ainda atordoados com a geometria concêntrica da mandala. Depois colocou a pílula debaixo da língua e fechou os olhos, esperando que os efeitos do remédio estabilizassem seu coração.

Depois que Nora partiu com a mãe, Zack ficou deitado na sujeira debaixo da laje estreita que corria ao longo da seção sul dos túneis North River, apertando a lâmina de prata junto ao peito. Nora voltaria logo, e ele precisava ficar escutando atentamente. Coisa que não era fácil, devido ao barulho de sua respiração ofegante. Quando percebeu isso, apalpou os bolsos procurando o inalador.

Levou o aparelho à boca e inalou duas doses, sentindo alívio imediato. Imaginava o ar nos seus pulmões como um sujeito preso numa rede. Quando ficava ansioso, era como se o sujeito estivesse lutando contra a rede, puxando-a, cansando ainda mais e deixando tudo tenso. O spray do inalador era como um jato de gás paralisante da polícia – o sujeito se enfraquecia, amolecia o corpo, e a rede afrouxava sobre ele.

Zack pôs de lado o inalador e reempunhou com mais firmeza o canivete. Dê-lhe um nome, e isso será seu para sempre. Fora isso que o professor lhe dissera. Ele vasculhou a cabeça velozmente à procura de um nome. Queria se concentrar em qualquer coisa que não fosse o túnel.

Carros recebem nomes de garotas. Armas recebem nomes de homens. Que nomes recebem os canivetes?

Ele pensou nos dedos velhos e quebrados do professor, presenteando-o com a arma.

Abraham.

Era esse o primeiro nome de Setrakian.

Era esse o nome que ele daria ao canivete.

– Socorro!

Uma voz de homem. Alguém correndo pelo túnel, chegando mais perto. A voz ecoando.

– Me ajudem! Tem alguém aí?

Zack não se mexeu. Nem mesmo girou a cabeça, apenas os olhos. Ouviu o homem tropeçar e cair, e então ouviu os outros passos. Alguém perseguindo o homem, que se levantou de novo e depois caiu. Ou então foi derrubado. Zack não percebera quão perto o barulho estava dele. O homem dava pontapés e uivava num balbuciar incompreensível, como um louco, rastejando pelos trilhos. Então Zack avistou um vulto na escuridão, arrastando-se para a frente com auxílio das mãos, enquanto dava pontapés para trás, nos seus perseguidores. O homem estava tão próximo que Zack sentiu o terror dele. Tão perto que ele aprontou Abraham na mão, com a lâmina apontada para fora.

Uma das criaturas aterrissou em cima das costas do homem, interrompendo seus uivos. Uma das mãos agressoras tateou em torno e entrou na boca do homem, puxando a bochecha dele. Mais mãos sobre ele, com dedos exageradamente grandes agarrando a carne e a roupa, e levando-o embora.

Zack se sentiu penetrado pela loucura do homem. Ficou ali estendido, tremendo tanto que achou que iria se denunciar. O homem deixou escapar outro gemido angustiado, que bastou para revelar que estava sendo arrastado pelas mãos das crianças no outro sentido.

Zack precisava correr. Precisava correr atrás de Nora. Ele se lembrou de uma vez em que brincava de pique-esconde no seu bairro antigo, e se escondera atrás de uns arbustos, ouvindo a lenta contagem do procurador. Fora o último a ser achado, ou quase o último, depois de perceber que um deles desaparecera. Era um garoto mais novo, que se juntara à brincadeira na última hora. Eles procuraram um pouco por ele, chamando seu nome, e depois perderam o interesse, achando que o garoto voltara para casa. Mas Zack achou que não era esse o caso. Vira o brilho no olhar do garoto quando eles correram para se esconder, a expectativa quase malévola do caçado esperando enganar o caçador. Além da emoção da caça, o conhecimento de um esconderijo realmente esperto.

Esperto para uma mente de cinco anos. E então Zack percebeu. Ele desceu toda a rua até a casa que pertencia ao velho que gritava com as crianças que cruzavam seu quintal. Foi até a geladeira derrubada de lado, ainda caída ali no final da entrada de carros, um dia depois da coleta de lixo. A porta da geladeira fora retirada, mas agora estava em cima da geladeira pintada de amarelo-abóbora. Zack puxou a porta, quebrando o selo, e lá estava o garoto, começando a ficar azul. De alguma forma, com a energia de um incrível Hulk proporcionada pelo pique-esconde, o garoto de cinco anos puxara a porta da geladeira sobre o seu corpo. Ele ficou bem, apesar de vomitar no gramado depois que Zack o ajudou a sair, enquanto o velho chegava à porta berrando para que eles dessem o fora.

Dar o fora.

Zack deslizou para fora de costas, com o corpo semicoberto pela fuligem do túnel, e começou a correr. Quando ligou o iPod quebrado, a tela rachada lançou um facho de luz azul suave sobre o chão um metro à frente. Nada conseguia ouvir, nem mesmo seus próprios passos, tão alto era o pânico na sua cabeça. Achou que estava sendo perseguido, chegando a sentir mãos sobre a sua nuca. Verdade ou não, correu como se fosse.

Queria gritar o nome de Nora, mas se conteve, sabendo que isso poderia denunciar sua posição. A lâmina de Abraham riscava a parede do túnel, dizendo que ele estava se desviando demais para a direita.

Zack viu uma chama vermelha ardendo lá adiante. Não era uma tocha, mas uma luz raivosa, como um clarão. Aquilo o aterrorizou. Pretendia correr dos problemas, e não para eles. Diminuiu o passo, sem querer prosseguir, mas incapaz de recuar.

Pensou no garoto escondido na geladeira. Nenhuma luz, nenhum som, nenhum ar.

A porta, escura contra a parede divisória, tinha um letreiro que Zack não se preocupou em ler. A maçaneta virou e ele entrou, de volta ao túnel original, que seguia para o norte. Era possível sentir o cheiro de fumaça causada pelo atrito do trem descarrilado, junto com o repugnante fedor de amônia. Aquilo era um erro – ele deveria esperar Nora, que estaria à sua procura –, mas Zack continuou correndo.

Adiante, uma figura. A princípio ele pensou que era Nora. A pessoa também usava uma mochila nas costas, e Nora carregava uma bolsa.

Mas tal otimismo era só um truque de sua mente pré-adolescente.

O som sibilante deixou-o aterrorizado a princípio. Mas Zack viu o bastante no fraco perímetro do facho de luz para perceber que aquela pessoa estava envolvida em uma tarefa que não envolvia violência. Observou os graciosos movimentos do braço da pessoa e percebeu que ela espargia tinta na parede do túnel.

Zack deu outro passo para a frente. A pessoa não era muito mais alta do que ele, e tinha a cabeça coberta por um capuz de suéter. Havia tinta salpicada nos cotovelos e na bainha do capuz preto, nas calças de camuflagem e nos tênis de cano alto. A parede estava coberta de tinta, embora Zack só pudesse ver um pequeno canto do mural, que era cor de prata e de aparência preguiçada. Abaixo, o vândalo terminava sua assinatura: PHADE.

Tudo isso aconteceu em instantes, e assim não pareceu estranho para Zack que alguém estivesse pintando na mais absoluta escuridão.

Phade abaixou o braço depois de terminar a assinatura, e então se virou para Zack.

— Ei, eu não sei o que você sabe, mas precisa cair fora daqui... — disse Zack.

Phade afastou o capuz que lhe cobria o rosto, e não era ele. Phade era uma garota, ou já fora uma garota, não mais velha do que uma adolescente. Seu rosto agora estava inerte, inusitadamente imóvel, como uma máscara de carne morta em torno da maligna biologia fervilhante ali dentro. Sua pele, à luz do iPod de Zack, tinha a palidez de carne em conserva, como a cor de um feto de porco dentro de um vidro de amostras. Zack viu manchas vermelhas na frente do queixo, pescoço e suéter. Aquilo não era tinta.

Zack ouviu um guincho atrás de si e se virou por um momento. Depois se desvirou, percebendo que acabara de dar as costas a uma vampira. Ao se virar de novo, estendeu a mão com o canivete, sem saber que Phade já se jogara sobre ele.

A lâmina de Abraham acertou em cheio a garganta dela. Zack puxou a mão rapidamente, como se houvesse cometido um trágico acidente, e um fluido branco surgiu borbulhando no pescoço de Phade. Seus olhos se arregalaram com uma expressão de ameaça, e antes de Zack perceber o que estava fazendo já esfaqueara a garganta de Phade mais quatro mais vezes. A lata de tinta caiu sibilando pela perna dela antes de chegar ao chão.

A vampira desabou.

Zack ficou ali, com a arma assassina na mão, como se Abraham fosse algo que ele houvesse quebrado e não soubesse consertar.

Foi despertado pelos passos dos vampiros que avançavam, invisíveis, mas convergindo para ele na escuridão. Abaixou a luz do iPod, estendendo a mão para a lata de tinta prateada. Segurou-a e colocou o gatilho debaixo do dedo, no momento em que duas crianças vampiras que mais pareciam aranhas saíram gritando do escuro, com os ferrões entrando e saindo das bocas. O modo como elas se movimentavam era indescritivelmente errado: tão rápido, explorando a flexibilidade da juventude com braços e joelhos deslocados, movendo-se grudadas ao chão de forma quase impossível.

Zack mirou nos ferrões, lançando a tinta sobre as duas criaturas bem no rosto, na boca, no nariz e nos olhos, antes de ser alcançado por elas, que já tinham uma espécie de película sobre os olhos. A tinta aderiu a essa película, bloqueando a visão. Os dois vampiros se viraram, tentando clarear os olhos com as mãos exageradamente grandes para os corpos, mas sem sucesso.

Era a oportunidade de Zack para atacar e matar. Sabendo que outros vampiros estavam a caminho, ele, em vez disso, pegou a luz do iPod e correu antes que os vampiros pintados o localizassem por meio de outros sentidos.

Avistou degraus e uma porta com avisos de cautela. Estava fechada, mas não aferrolhada, pois ninguém esperava ladrões tão abaixo do nível do mar, e Zack meteu a ponta da lâmina de Abraham no vão da porta, forçando o fecho. Ficou espantado com o zumbido de transformadores lá dentro. Não se via outra porta, e ele entrou em pânico, pensando estar preso. Mas havia um duto de serviço com uma folga de uns trinta centímetros na parede à esquerda, antes de fazer uma curva e entrar em ângulo na maquinaria. Zack olhou debaixo do duto e não viu parede do outro lado. Refletiu por um momento e depois colocou seu iPod no chão, com a luz voltada para cima, refletindo o fundo de metal do duto. Então empurrou o aparelho por baixo do duto feito uma pastilha fina deslizando sobre uma mesa de hóquei com colchão de ar. Voltada para cima, a luz foi escorregando pelo chão, desviando-se ligeiramente, mas avançando bastante antes de bater em algo duro. Zack viu que a luz não iluminava mais o duto refletor.

Não hesitou. Deitou de bruços e entrou debaixo do duto. Mas logo rastejou para fora novamente e recomeçou, ao perceber que podia progredir mais depressa sobre as costas já sujas. Foi deslizando naquele espaço estreito, com a cabeça para a frente. Arrastou-se pouco mais de quinze metros, o chão prendendo sua camisa e cortando suas costas de vez em quando. No final sentiu a cabeça sair num vazio, onde o duto fazia uma curva e subia ao longo de uma escada presa à parede.

Zack ligou novamente o iPod. Não conseguia ver nada. Mas ouvia baques ao longo do duto: eram as crianças vampiras seguindo o itinerário dele, movimentando-se com facilidade sobrenatural.

Zack começou a subir a escada, com a lata de tinta na mão e o canivete metido na cintura. Foi subindo mão após mão pelos degraus de ferro, com os ruídos surdos no duto aumentando. Parou um momento, enganchando o cotovelo em um degrau, e puxando o iPod do bolso para conferir a situação lá atrás.

Então o iPod escorregou da sua mão. Tentou segurá-lo, mas quase caiu da escada, e ficou observando o aparelho despencar.

A tela iluminada foi rodopiando e clareou uma figura que subia os degraus, junto com outro de seus companheiros malignos.

Zack voltou a subir, mais depressa do que achava que era capaz, mas nunca depressa o bastante. Sentiu a escada estremecer, parou e se virou bem a tempo. A criança vampira já estava nos calcanhares dele, mas Zack atacou-a com o jato da lata, atordoando-a e cegando-a. Depois chutou-a até que ela caiu da escada.

Continuou subindo, detestando ter que olhar para trás a toda hora. A luz do iPod era fraca, e o chão, onde estava o aparelho, ficava bem distante. A escada estremeceu, agora com mais força. Havia mais corpos subindo os degraus. Zack ouviu um cachorro latir. Era um som abafado, um ruído exterior, e ele percebeu que estava perto de algum tipo de saída. Isso o encheu de energia, e ele correu para cima, chegando a um telhado plano e redondo.

Era um bueiro. Tinha o fundo liso e frio devido ao contato com o exterior. A superfície do mundo estava logo acima. Zack empurrou com a palma da mão, pondo ali toda a força que podia.

Não adiantou.

Sentiu alguém se aproximar pela escada, e sem ver nada espargiu a tinta do spray para baixo. Ouviu um ruído como um gemido e deu um pontapé para baixo, mas a criatura não caiu imediatamente. Ficou pendurada, balançando-se. Zack deu um chute para baixo com uma perna, e sentiu uma mão agarrar seu tornozelo. Uma mão quente com um aperto firme. Uma criança vampira se pendurara nele, tentando puxá-lo para baixo. Zack deixou cair a lata de tinta, precisando de ambas as mãos para se agarrar à escada. Chutou, tentando prensar os dedos da criatura contra os degraus da escada, mas o vampiro não largava seu tornozelo. Até que de repente, com um guincho, largou.

Zack ouviu o corpo batendo na parede a caminho do chão.

Outro ser atacou antes que ele tivesse tempo de reagir. Era um vampiro. Zack sentiu o calor e aquele cheiro de terra. Uma mão agarrou o sovaco dele, empurrando-o e levantando-o até a altura do bueiro. Com dois grandes empurrões do ombro, a criatura afrouxou a tampa, lançando-a para o lado. Depois subiu para a friagem do exterior, puxando Zack junto.

Zack tirou o canivete da cintura, quase cortando o cinto ao tentar soltá-lo. Mas a mão do vampiro se fechou em torno da dele, apertando com força e mantendo-o quieto. Zack fechou os olhos, sem querer ver a criatura, que manteve o aperto firme, sem se mexer. Como se estivesse esperando.

Zack abriu e levantou os olhos vagarosamente, temendo a visão do rosto sinistro.

A criatura tinha olhos vermelhos feito brasas, com o cabelo achatado e mortiço em torno do rosto. A garganta inchada pulsava, com o ferrão se contorcendo por dentro. A expressão do olhar era uma mistura de satisfação e desejo vampirescos.

O canivete caiu da mão de Zack.

– Mamãe – disse ele.

* * *

Chegaram ao prédio no Central Park em dois carros de cortesia roubados de um hotel, sem encontrar interferência militar ao longo do caminho. Lá dentro, o elevador não funcionava por falta de energia. Gus e os Safiras começaram a subir a escada, mas Setrakian não conseguiria chegar ao topo. Vasiliy não se ofereceu para carregá-lo; o professor era orgulhoso demais para isso, e nem mesmo aceitaria discutir o problema. O obstáculo parecia insuperável, e Setrakian, com o livro de prata nos braços, jamais parecera tão velho.

Vasiliy notou que o elevador era antigo, com portas pantográficas. Num impulso, começou a verificar algumas portas perto da escada, e encontrou um pequeno e antiquado elevador de carga, forrado com papel de parede. Sem uma palavra de protesto, Setrakian entregou a Vasiliy sua bengala e entrou no elevador minúsculo, sentando com o livro sobre os joelhos. Angel fez funcionar a roldana e o contrapeso, levantando o professor a uma velocidade gradual.

Setrakian foi subindo na escuridão que enchia o prédio, naquela geringonça semelhante a um caixão de defunto, com as mãos pousadas no revestimento de prata do velho volume. Estava tentando recuperar o fôlego e acalmar a mente, mas uma espécie de chamada percorria sua cabeça espontaneamente: o rosto de cada um e de todos os vampiros que já matara. Todo o sangue branco que ele derramara, todos os vermes que libertara dos corpos amaldiçoados. Ele passara anos intrigado com a natureza da origem daqueles monstros na Terra. Os Antigos, de onde vieram. O ato original do mal que criara tais seres.

Vasiliy alcançou o último andar vazio, ainda em construção, e encontrou a porta do elevador de carga. Abriu-a e viu Setrakian, aparentemente atordoado, virar-se e testar o chão com as solas dos sapatos antes de sair da geringonça. Quando Vasiliy entregou-lhe a bengala, o velho piscou e olhou para ele com apenas um ligeiro traço de agradecimento.

Subindo alguns degraus, via-se entreaberta a porta que levava ao apartamento do último andar, vazio. Gus foi na frente do grupo. Quinlan e alguns caçadores pararam na entrada, apenas observando os outros entrarem. Não houve busca, nada de interrogatório. Além deles estavam ali os Antigos, de pé e imóveis como estátuas, olhando para a cidade que desabava lá fora.

Em absoluto silêncio, Quinlan tomou posição perto de uma estreita porta de ébano do lado oposto da sala, bem à esquerda dos Antigos.
Vasiliy então percebeu que agora só havia dois Antigos. Onde estivera o terceiro, bem para a direita, restava apenas o que parecia ser uma pilha de cinzas brancas numa pequena urna de madeira.
Setrakian avançou na direção deles mais do que os caçadores haviam lhe permitido na visita anterior, e parou perto do meio da sala. Um clarão de luz partiu do Central Park, iluminando o apartamento e delineando o vulto dos dois Antigos remanescentes em branco-magnésio.
– Então vocês sabem – disse Setrakian.
Não houve resposta.
– Outros além de Sardu... vocês eram Seis Antigos, três do Velho Mundo, três do Novo. Seis lugares de nascimento.
Nascimento é um ato humano. Seis sítios de origem.
– Um deles foi a Bulgária. Depois a China. Mas por que vocês não tomaram precauções para protegê-los?
Arrogância, talvez. Ou algo assim. Quando percebemos que estávamos em perigo, já era tarde demais. O Jovem nos enganou. Chernobyl foi um despiste. O sítio Dele. Por muito tempo ele conseguiu permanecer silencioso, alimentando-se de carniça. Agora agiu antes...
– Então vocês sabem que estão perdidos.
O Antigo da esquerda se vaporizou numa explosão de fina luz branca. Sua forma se transformou em poeira e caiu no chão fazendo um ruído estridente, como um gemido agudo. Um choque parcialmente elétrico e parcialmente psíquico sacudiu os humanos no recinto.
Quase que instantaneamente dois dos caçadores também foram obliterados. Eles se desvaneceram num nevoeiro mais fino do que fumaça, sem deixar cinzas ou poeira, apenas suas roupas, caindo num monte quente sobre o chão.
Com o Antigo desaparecia sua sagrada linhagem.
O Mestre estava eliminando seus únicos rivais no controle do planeta. Seria isso?
A ironia é que esse sempre foi o nosso plano para o mundo. Permitir que o gado levantasse seus próprios currais, criando e multiplicando suas armas e razões para a autodestruição. Alteramos o ecossistema do planeta por meio

da sua linhagem principal. Assim que o efeito estufa se tornasse irreversível, íamos nos revelar e conquistar o poder.

– Vocês iam transformar o mundo em um ninho de vampiros – disse Setrakian.

O inverno nuclear é um ambiente perfeito. Noites mais longas, dias mais curtos. Poderíamos existir na superfície, protegidos do sol pela atmosfera contaminada. E quase conseguimos. Mas ele previu isso. Previu que, uma vez conquistado nosso objetivo, precisaria compartilhar conosco este planeta e sua rica fonte de alimento. E não quer isso.

– Então, o que ele quer? – perguntou Setrakian.

Dor. O Jovem quer toda a dor que puder conseguir. Tão depressa quanto possível. Ele não consegue parar. Seu vício... essa fome por dor jaz, na realidade, na raiz de nossa própria origem...

Setrakian deu outro passo na direção do último Antigo remanescente.

– Depressa. Se vocês são vulneráveis através do sítio da sua criação... então ele também é.

Agora você já sabe o que está no livro. Precisa aprender a interpretá-lo...

– O local da origem dele? É isso?

Você acreditava que nós éramos o mal extremo. Uma praga para seu povo. Achava que nós éramos os corruptores máximos do seu mundo, contudo nós éramos a cola que mantinha tudo unido. Agora você sentirá a chicotada do verdadeiro senhor.

– Não, se você nos contar onde ele é vulnerável...

Não devemos nada a você. Estamos quites.

– Por vingança, então. Ele está destruindo vocês neste exato momento!

Como de costume, a sua perspectiva humana é estreita. A batalha está perdida, mas nada é destruído para sempre. De qualquer modo, como ele já mostrou suas cartas, você pode ter certeza de que também fortificou seu lugar de origem na Terra.

– Você disse Chernobyl – disse Setrakian.

Sadum, Amurah.

– O que é isso? Não compreendo. – Setrakian levantou o livro. – Está aqui, tenho certeza. Mas preciso de tempo para decifrá-lo. E nós não temos tempo.

Não fomos nem nascidos nem criados. Fomos semeados por um ato de barbaridade. Uma transgressão contra a alta ordem. Uma atrocidade. E aquilo que foi semeado uma vez, pode ser ceifado.

– Em que ele é diferente?

Ele é apenas mais forte. É como nós... nós somos ele, mas ele não é nós.

Em menos tempo do que levava para piscar, o Antigo se voltara para Setrakian. A cabeça e o rosto estavam alisados pelo tempo, destituídos de todas as feições, com olhos vermelhos empapuçados, um nariz que era um mero calombo, e uma boca virada para baixo, aberta em uma escuridão desdentada.

Uma coisa você precisa fazer. Reúna todas as partículas de nossos restos mortais. Deposite-as num relicário de prata e carvalho branco. Isso é crucial. Para nós, mas também para vocês.

– Por quê? Conte para mim.

Carvalho branco. Não falhe, Setrakian.

– Só farei tal coisa se souber que isso não ocasionará mais mal – disse Setrakian.

Você fará isso. Mais mal é algo que já não existe.

Setrakian viu que o Antigo tinha razão.

– Nós vamos reunir os restos mortais... e conservá-los numa lata de lixo – disse Vasiliy, atrás de Setrakian.

O Antigo olhou para além de Setrakian por um momento, na direção do exterminador. Com desprezo fatigado, mas também com algo como piedade.

Sadum. Amurah. E seu nome... nosso nome...

Então tudo ficou claro para Setrakian.

– Ozryel... o Anjo da Morte. – Finalmente, conseguira entender. Tinha todas as respostas.

Mas era tarde demais.

Uma explosão de luz branca e um pulso de energia, e o último remanescente dos Antigos do Novo Mundo se desvaneceu numa nuvem de cinza semelhante a neve.

Os últimos caçadores se contorceram de dor, e então se evaporaram dentro de suas roupas.

Setrakian sentiu um sopro de ar ionizado esvoaçar suas roupas e se esvanecer.

Curvou-se, apoiado na bengala. Os Antigos haviam desaparecido. E, contudo, um mal maior permanecia.

Na atomização dos Antigos, ele vislumbrou seu próprio destino.

Vasiliy estava a seu lado.

– O que vamos fazer?

Setrakian recuperou a voz.

– Reunir os restos mortais.

– Você tem certeza?

Setrakian assentiu.

– Use a urna. O relicário pode ficar para mais tarde.

Virou-se à procura de Gus, encontrando o matador de vampiros vasculhando as roupas de um caçador com a ponta da espada de prata. Esquadrinhava o aposento à procura de Quinlan, ou seus restos mortais, mas o chefe dos caçadores dos Antigos não podia ser encontrado em lugar algum.

A estreita porta do aposento à esquerda, entretanto, a porta de ébano da qual Quinlan se aproximara depois de entrar, estava entreaberta.

As palavras dos Antigos durante o primeiro encontro voltaram à mente de Gus.

"Ele é o nosso melhor caçador, eficiente e leal, único em muitos aspectos."

Será que Quinlan fora, de alguma forma, poupado? Por que ele não se desintegrara como os outros?

– O que há? – perguntou Setrakian, aproximando-se de Gus.

– Um dos caçadores... não deixou vestígio – respondeu Gus.

– Agora você está livre deles – disse Setrakian. – Livre do controle deles.

Gus olhou de novo para o velho.

– Nenhum de nós ficará livre por muito tempo.

– Você terá a oportunidade de liberar sua mãe.

– Se eu descobrir o paradeiro dela.

– Não – disse Setrakian. – Ela vai descobrir o seu.

Gus assentiu.

– Então... nada mudou.

– Uma coisa. Eles teriam transformado você em um dos seus caçadores se tivessem conseguido afastar o Mestre. Você foi poupado disso.

– Nós vamos nos mandar – disse Creem. – Se vocês concordarem. Já conhecemos o esquema, e parece que podemos levar adiante nosso bom trabalho. Mas todos nós temos famílias para reunir. Ou talvez não tenhamos. De qualquer forma, temos lugares para defender. Mas se você precisar dos Safiras um dia, Gus, basta vir nos encontrar.

Creem apertou a mão de Gus. Angel ficou parado ali, sem saber o que fazer. Olhou de alto a baixo um líder de gangue, e depois o outro. Então meneou a cabeça para Gus. O ex-lutador grandalhão decidira ficar.

Gus virou-se para Setrakian.

– Eu sou um dos seus caçadores agora.

– Você não precisa de mais nada meu. Mas eu preciso de mais uma coisa de você.

– Basta dizer.

– Uma carona. Uma carona rápida.

– Rapidez é minha especialidade. Eles têm mais jipões na garagem debaixo dessa casa de diversões. A menos que essa merda também tenha se evaporado.

Gus saiu para pegar um carro. Vasiliy localizara, dentro de uma cômoda no aposento contíguo, um maleta cheia da dinheiro vivo. Jogou fora as notas de modo que Angel tivesse algo onde depositar as cinzas dos Antigos. Como ouvira toda a conversa de Setrakian com Gus, disse:

– Acho que sei aonde vamos.

– Não – disse Setrakian, que ainda parecia distraído, só meio presente. – Vou sozinho.

Ele entregou a Vasiliy o *Occido Lumen* e seu caderno de anotações.

– Não quero isso – disse Vasiliy.

– Você precisa ficar com o livro. E lembre-se... *Sadum, Amurah*. Você se lembrará disso, Vasiliy?

– Não preciso me lembrar de nada, eu vou com você.

– Não. O livro é a coisa mais importante agora, e deve ficar em segurança, fora das garras do Mestre. Não podemos perder isso agora.

– Não podemos perder você.

Setrakian abanou a cabeça.

– Do jeito que as coisas estão, estou praticamente perdido.

– É por isso que precisa de mim com você.

– Sadum, Amurah. Repita – disse Setrakian. – É isso que você pode fazer por mim. Quero ouvir... quero ver que você guardou bem essas palavras...

– Sadum, Amurah – disse Vasiliy, obedientemente. – Já decorei.

Setrakian assentiu.

– Este mundo vai se tornar um lugar terrivelmente duro, com pouca esperança. Proteja essas palavras, proteja o livro, como uma chama. Leia o livro. A chave para isso está nas minhas anotações... A natureza deles, a origem deles, o nome deles... eles são o mesmo...

– Você sabe que eu não sou muito bom nisso...

– Então procure Ephraim, e juntos vocês conseguirão. Você deve procurar o doutor agora. – Sua voz falhou. – Vocês dois devem permanecer juntos.

– Dois de nós juntos não chegamos ao seu nível. Dê isso a Gus. Deixe-me levar você, por favor. – Havia lágrimas nos olhos do exterminador.

A mão torta de Setrakian agarrou o antebraço de Vasiliy com uma força evanescente.

– É sua responsabilidade agora, Vasiliy. Lá no fundo, confio em você... seja ousado.

A forração de prata do livro era fria ao ser tocada. Vasiliy finalmente aceitou o livro, porque o velho insistia, como um moribundo, entregando à força seu diário nas mãos de um herdeiro relutante.

– O que você vai fazer? – indagou ele, já sabendo que aquela era a última vez que veria Setrakian. – O que você pode fazer?

Setrakian soltou o braço de Vasiliy.

– Apenas uma coisa, meu filho.

Foi a palavra "filho" que tocou Vasiliy. Engoliu a dor enquanto via o velho ir embora.

* * *

O quilômetro que Eph percorreu correndo no túnel North River pareceu interminável. Guiado apenas pelo monocular de visão noturna de Vasiliy, cruzando uma esverdeada paisagem fosforescente de trilhos de trem inalteráveis, sua descida debaixo do rio Hudson foi uma verdadeira jornada pela loucura. Estonteado, frenético e arquejante, começou a ver manchas brancas brilhando ao longo dos dormentes da linha.

Eph diminuiu o passo momentaneamente, a fim de tirar uma lanterna Luma da mochila. A luz ultravioleta iluminou a explosão de cores causada pela matéria biológica expelida pelos vampiros. As manchas eram recentes, e o cheiro da amônia fazia os olhos lacrimejarem. Tamanha quantidade de dejetos indicava uma alimentação maciça.

Eph correu até avistar o último carro do trem descarrilado. Nenhum ruído; tudo silencioso. Deu a volta pela direita, vendo onde a locomotiva ou o primeiro vagão de passageiros saltara dos trilhos, inclinado sobre a parede do túnel. Entrou por uma porta aberta, subindo no trem às escuras. Com sua visão esverdeada, examinou a carnificina. Havia corpos derreados sobre os bancos, sobre outros corpos, no chão. Todos eram vampiros em botão, prontos para começar a se levantar no próximo pôr do sol. Não havia tempo para liberar todos agora. Nem para examinar cada um.

Não. Eph sabia que Nora era esperta demais para estar ali.

Pulou de volta para os trilhos, contornando o trem, e viu os vampiros à espreita. Quatro deles, dois de cada lado, com os olhos refletidos feito vidro no monóculo. A lanterna Luma de Eph os paralisou, com os rostos famintos num esgar, e depois fez com que recuassem, deixando livre a passagem.

Eph não se deixou enganar. Avançou entre os dois pares, contando até três antes de puxar a espada da mochila nas costas e girá-la.

Pegou o quarteto avançando, cortou os dois primeiros agressores, e depois perseguiu os que já retrocediam, golpeando-os sem hesitação.

Antes mesmo que os corpos dos vampiros caíssem nos trilhos, Eph voltou ao rastro úmido dos dejetos. Aquilo conduzia a uma passagem que atravessava a parede da esquerda, de frente para o trilho que levava a Manhattan. Acompanhou o redemoinho de cores, ignorando o próprio nojo e correndo pelo túnel escuro. Passou por dois corpos retalhados:

o registro brilhante do sangue derramado sob a luz negra mostrava que eram *strigoi*. E então ouviu uma algazarra mais adiante.

Aproximou-se de nove ou dez criaturas amontoadas junto a uma porta. Elas se espalharam ao vê-lo, enquanto Eph movimentava a lanterna Luma para evitar que qualquer daqueles vampiros passasse por trás dele.

A porta. Zack estava ali dentro, disse Eph para si mesmo.

Foi possuído por uma fúria homicida, atacando antes que os vampiros coordenassem um assalto. Cortando e queimando. Sua brutalidade animal superava a dos vampiros. Sua carência paternal sobrepujava a fome de sangue das criaturas. Era uma luta pela vida de seu filho, e para um pai levado ao extremo, a ânsia de matar chegava depressa. Matar era fácil.

Ele foi até a porta, batendo com a lâmina ensopada de líquido branco.

– Zack! Sou eu! Abra!

A mão que segurava a porta pelo lado de dentro soltou a maçaneta, e Eph abriu a porta com força. Lá estava Nora, com os olhos esbugalhados tão brilhantes quanto o rojão de iluminação que ardia em sua mão. Ela ficou olhando para Eph durante bastante tempo, como que se certificando de que era ele, um ele humano, e depois correu para seus braços. Atrás dela, sentada num caixote com seu casaco caseiro, com o olhar dirigido tristemente para o canto, estava sua mãe.

Eph cruzou os braços em torno de Nora o melhor que pôde, sem deixar que a lâmina úmida a tocasse. Depois, percebendo que o depósito estava vazio, recuou.

– Onde está Zack? – perguntou.

Gus passou voando pelo portão do perímetro, que estava aberto, com as silhuetas escuras das torres de resfriamento se projetando à distância. Câmeras de vigilância sensíveis ao movimento estavam dispostas em postes brancos feito cabeças em cima de lanças, sem acompanhar a passagem do Hummer. A estrada era longa e sinuosa; ninguém apareceu.

Setrakian seguia no banco do carona com a mão sobre o coração, vendo cercas altas encimadas por arame farpado e torres que cuspiam um vapor parecido com fumaça. Uma lembrança rápida do campo de extermínio passou por ele feito uma náusea.

– *Federales* – disse Angel no banco traseiro.

Caminhões da guarda nacional estavam estacionados na entrada da zona de segurança interna. Gus diminuiu a marcha, esperando um sinal ou uma ordem que fosse obrigado a descobrir como desobedecer.

Quando não surgiu coisa alguma, ele seguiu direto até o portão e parou. Saiu do carro com o motor ligado, examinando o primeiro caminhão. Vazio. O segundo também. Vazio a não ser pelas manchas de sangue vermelho no para-brisa e no painel de instrumentos, e por uma poça de sangue seco no banco dianteiro.

Gus foi até a traseira do caminhão, levantando a lona. De lá acenou para Angel, que se aproximou mancando. Juntos, os dois examinaram um suporte de armas portáteis. Angel pendurou uma submetralhadora em cada ombro forte, e pôs um fuzil de assalto nos braços, além de munição adicional nos bolsos e na camisa. Gus levou duas submetralhadoras Colt de volta ao carro.

Contornaram os caminhões na direção dos primeiros prédios. Ao sair, Setrakian ouviu motores potentes em funcionamento e percebeu que a usina operava com geradores de emergência movidos a óleo diesel. Os sistemas redundantes de segurança funcionavam automaticamente, evitando o desligamento do reator abandonado.

Dentro do primeiro prédio, foram recebidos por soldados transformados, ou vampiros em uniformes de combate. Com Gus na frente e Angel mancando atrás, avançaram por entre os mortos-vivos, retalhando os corpos sem qualquer delicadeza. Os tiros até derrubavam os vampiros, mas eles só permaneciam caídos quando a coluna vertebral era seccionada na altura do pescoço.

– Você sabe aonde estamos indo? – perguntou Gus por cima do ombro.

– Não sei – respondeu Setrakian.

Seguia os pontos de triagem de segurança, atravessando as portas com o maior número de sinais de alerta. Ali não havia mais soldados vampiros, apenas empregados da usina transformados em guardas e sentinelas. Quanto mais resistência Setrakian encontrava, mais perto da sala de controle sabia estar.

Setrakian.

O velho agarrou-se à parede.

O Mestre. Ali...

Dentro da cabeça dele, como a "voz" do Mestre era muito mais poderosa do que a dos Antigos! Feito uma mão que agarrasse seu tronco espinhal e seccionasse a coluna vertebral com uma torção.

Angel aprumou o corpo de Setrakian com a mão carnuda e chamou Gus.

– O que há? – disse Gus, temendo um ataque cardíaco.

Eles não haviam ouvido aquilo. O Mestre falava apenas para Setrakian.

– Ele está aqui agora – disse Setrakian. – O Mestre.

Gus olhou para um lado e para outro, superalerta.

– Ele está aqui? Ótimo. Vamos pegar o cara.

– Não. Você não entende. Vocês ainda não se defrontaram com ele. Ele não é como os Antigos. Essas armas nada representam para ele. Ele dança em torno das balas.

Gus recarrecagou sua arma fumegante e disse:

– Eu já fui longe demais com isso. Nada me mete medo agora.

– Eu sei, mas não se pode derrotar o Mestre dessa maneira. Não aqui, e não com armas feitas para matar homens. – Setrakian ajeitou o colete, empertigando o corpo. – Eu sei o que ele quer.

– Muito bem. O que é?

– Uma coisa que só eu lhe posso dar.

– Aquele maldito livro?

– Não. Escute, Gus. Volte para Manhattan. Se você partir agora, há esperança de conseguir fugir a tempo. Vá se juntar a Eph e Vasiliy, se puder. Vocês precisarão estar bem fundo no subsolo, mesmo assim.

– Este lugar vai explodir? – Gus olhou para Angel, que respirava com dificuldade, segurando a perna ruim. – Então venha conosco. Vamos. Se você não pode derrotar o Mestre aqui.

– Eu não posso parar essa reação nuclear em cadeia. Mas talvez possa afetar a reação em cadeia da infecção vampiresca.

Um alarme disparou, com sons penetrantes espaçados de um em um segundo. Assustado, Angel verificou as duas pontas do corredor.

– Meu palpite é que os geradores de emergência estejam falhando – disse Setrakian. Depois agarrou a camisa de Gus, elevando a voz acima da sirene do alarme. – Você quer ser cozinhado vivo aqui? Vocês dois... vão!

Gus permaneceu com Angel enquanto o velho se afastava, desembainhando a espada da bengala. Depois olhou para o outro velho sob seus cuidados – o lutador alquebrado estava banhado de suor, com os grandes olhos indecisos. Esperando receber ordens sobre o que fazer.

– Vamos – disse Gus. – Você ouviu o homem?

Angel deteve Gus com o braço enorme.

– Simplesmente deixar o professor aqui?

Gus balançou a cabeça com força, sabendo que não havia solução fácil.

– Eu só estou vivo por causa dele. Para mim, vale qualquer coisa que o penhorista diga. Agora eu vou me afastar daqui o máximo possível, a menos que você queira ver seu próprio esqueleto.

Angel ainda olhava para Setrakian, que se afastava, e precisou ser puxado por Gus.

Setrakian entrou na sala de controle e viu uma criatura metida num terno velho, parada sozinha diante de uma série de painéis, observando os mostradores rolando para trás, enquanto os sistemas falhavam. Luzes vermelhas de emergência piscavam em cada canto da sala, embora o alarme houvesse silenciado.

Eichhorst apenas girou um pouco a cabeça, fixando os olhos vermelhos no ex-prisioneiro do campo de extermínio. Não havia preocupação no seu rosto, pois ele era incapaz das sutilezas de emoção, e quase não registrava reações maiores, tais como surpresa.

Você chegou bem na hora, disse ele, voltando aos monitores.

Setrakian, com a espada ao lado do corpo, circundou a criatura por trás.

Acho que não lhe dei meus parabéns pela aquisição do livro. Foi uma jogada inteligente passar a perna em Palmer daquela maneira.

– Eu esperava encontrar Palmer aqui.

Você nunca mais verá Palmer. Ele não conseguiu realizar seu grande sonho, precisamente porque não conseguiu compreender que não eram as suas aspirações que importavam, mas sim as do Mestre. Vocês são criaturas cheias de esperanças patéticas.

– Por que você? Por que ele conservou você? – perguntou Setrakian.

O Mestre aprende com os humanos. Esse é um elemento-chave de sua grandeza. Ele observa e vê. A espécie humana lhe mostrou o caminho para sua própria solução final. Eu vejo apenas hordas de animais, mas ele vê padrões de comportamento. Ele ouve o que vocês estão dizendo quando, como eu suspeito, vocês nem têm ideia de que estão dizendo algo.

– Está dizendo que ele aprendeu com você? Aprendeu o quê? – Setrakian apertou com força o cabo da espada quando Eichhorst se virou. Ele olhou para o ex-comandante do campo de extermínio e subitamente percebeu.

Não é fácil montar e operar um campo que funcione bem. É preciso um tipo especial de intelecto humano para supervisionar a destruição sistemática de um povo com a máxima eficiência. Ele se aproveitou do meu conhecimento único.

Setrakian sentiu-se ressecado. Parecia que sua carne estava se desprendendo dos ossos.

Campos. Currais humanos. Fazendas de sangue espalhadas pelo país, pelo mundo.

Em certo sentido, Setrakian sempre soubera. Sempre soubera, mas nunca quisera acreditar. Vira isso nos olhos do Mestre durante o primeiro encontro nos galpões de Treblinka. A própria desumanidade do homem contra o homem aguçara o apetite do monstro pela devastação. Por meio de nossas atrocidades, tínhamos demonstrado nossa própria condenação à nêmese final, dando boas-vindas ao Mestre como a realização de uma profecia.

O prédio estremeceu quando o painel de monitores se apagou.

Setrakian pigarreou para encontrar a voz.

– Onde está o seu Mestre agora?

Ele está por toda parte, você não sabe? Aqui, agora. Observando você. Por meio da minha pessoa.

Setrakian se preparou, dando um passo adiante. Seu caminho era claro.

— Ele deve estar satisfeito com o seu trabalho. Mas já não precisa muito de você. Não há mais serviços a fazer.

Você me subestima, judeu.

Eichhorst saltou para o console próximo com pouco esforço aparente, colocando-se fora do alcance mortífero de Setrakian. O professor levantou a lâmina de prata, apontada para a garganta do nazista. Os braços do vampiro estavam ao lado do corpo, com os dedos alongados roçando as palmas. Fingiu atacar; Setrakian se defendeu, mas não deu trégua. O velho vampiro saltou para outro console, com os sapatos esmagando os controles delicados daquela sala altamente sensível. Setrakian girou em torno dele, perseguindo-o... até fraquejar.

Com a mão segurando a bainha de madeira da bengala, ele comprimiu os nós dos dedos tortos contra o peito, em cima do coração.

Sua pulsação está extremamente irregular.

Setrakian fez uma careta e cambaleou. Exagerou sua dificuldade, mas não por causa de Eichhorst. O braço que segurava a espada curvou-se, mas ele manteve a lâmina levantada.

Eichhorst pulou para o chão, observando Setrakian com algo semelhante a nostalgia.

Já não conheço o entrave das batidas do coração. A respiração pulmonar. O trabalho das engrenagens rudimentares e do lento tique-taque do relógio humano.

Setrakian apoiou-se no console. Esperando que suas forças voltassem.

E você preferiria perecer a prosseguir em grande forma?

— Melhor morrer como homem do que viver como monstro.

Não consegue perceber que, para todos os seres inferiores, você é o monstro? Vocês é que tomaram este planeta. E agora o verme se transforma.

Os olhos de Eichhorst piscaram por um momento, com as pálpebras nictitantes se estreitando.

Ele ordena que eu transforme você. Eu não quero o seu sangue. A endogamia hebraica fortificou a linha sanguínea, criando uma safra tão salgada e mineralizada quanto a água do rio Jordão.

– Você não vai me transformar. Nem o próprio Mestre conseguiria me transformar.

Eichhorst se movimentou lateralmente, ainda sem tentar diminuir a distância entre eles.

Sua esposa lutou, mas não chorou. Achei aquilo estranho. Nem mesmo choramingou. Apenas uma única palavra. "Abraham."

Setrakian permitiu-se ser espicaçado, querendo o vampiro mais perto.

– Ela viu o fim. E encontrou consolo no momento, sabendo que algum dia seria vingada por mim.

Ela gritou o seu nome, e você não estava lá. Fico imaginando se você cantará vitória no final.

Setrakian afundou e quase ajoelhou, antes de apoiar a lâmina no chão como uma espécie de muleta, para não cair.

Ponha de lado essa arma, judeu.

Setrakian levantou a espada, mudando a empunhadura a fim de examinar o gume da velha lâmina de prata. Depois olhou para o botão do punho com cabeça de lobo, sentindo o contrapeso.

Aceite seu destino.

– Ah – disse Setrakian, olhando para Eichhorst, parado a cerca de um metro de distância. – Mas eu já aceitei.

Setrakian pôs naquele golpe toda a energia que lhe restava. A espada cruzou o espaço entre eles e penetrou em Eichhorst exatamente entre os botões do colete. O vampiro tombou de costas sobre o console com os braços curvados para trás, tentando se equilibrar. A prata mortífera estava em seu corpo, e ele não podia tocá-la para puxar a lâmina. Então começou a se contorcer, enquanto as propriedades tóxicas e letais para os vírus se espalhavam por seu corpo como um câncer causticante. Sangue branco brotou em torno da lâmina, quando o primeiro dos vermes escapou.

Setrakian pôs-se de pé e ficou cambaleando diante de Eichhorst. Fez isso sem qualquer sensação de triunfo, e com pouca satisfação. Quando se certificou de que os olhos do vampiro – e, por extensão, os do Mestre também – estavam focalizados nele, disse:

– Através dele, você tirou o amor de mim. Agora você mesmo terá que me transformar.

Então agarrou o punho da espada e vagarosamente puxou-a do peito de Eichhorst.

O vampiro arriou sobre o console, com as mãos ainda tentando agarrar o vácuo, e começou a deslizar para a direita, caindo com força. Naquele estado enfraquecido, Setrakian previu a trajetória do corpo do vampiro e cravou a ponta da espada no chão. A lâmina ficou posicionada a um ângulo de cerca de quarenta graus, o ângulo da lâmina da guilhotina.

O corpo de Eichhorst caiu com o pescoço sobre o gume da lâmina, e o nazista foi destruído.

Setrakian passou os dois lados da lâmina de prata na manga do casaco do vampiro, limpando-os, e depois se afastou dos vermes sanguíneos que fugiam do pescoço aberto de Eichhorst. Seu peito se contraiu como um nó. Estendeu a mão para pegar a caixinha de pílulas e, ao tentar abri-la com as mãos retorcidas, derramou o conteúdo no chão da sala de controle.

Gus saiu da usina nuclear na frente de Angel, sob o céu encoberto do último dia. Entre as sirenes de alarme intermitentes, ele ouvia o silêncio sepulcral dos geradores que não funcionavam mais. Sentia certa voltagem baixa no ar, como eletricidade estática, mas talvez aquilo fosse apenas porque ele sabia o que estava para acontecer.

Então, um ruído familiar cortou a atmosfera. Um helicóptero. Gus divisou as luzes, vendo a aeronave circular atrás das torres de vaporização. Sabia que não se tratava de socorro. Percebeu que provavelmente era o Mestre fugindo dali, para não ser calcinado com o restante de Long Island.

Foi até a traseira do caminhão da guarda nacional. Já na primeira vez vira o míssil Stinger, mas pegara apenas as armas portáteis. Só precisava de uma razão.

Tirou-o de lá e conferiu duas vezes para certificar-se de que estava mirando na direção certa. O lançador se equilibrava bem no ombro e era surpreendentemente leve para uma arma antiaérea, talvez pouco mais de quinze quilos. Ele correu para o lado do prédio, passando por

Angel, que vinha mancando. O helicóptero estava descendo, aterrissaria em uma larga clareira.

O gatilho era fácil de achar, assim como a mira telescópica. Gus olhou pelo visor, e quando o míssil detectou o calor do escapamento da aeronave, a arma emitiu uma espécie de assobio alto. Gus puxou o gatilho e o lançador de foguetes impeliu o míssil para fora do tubo. O motor de lançamento se separou, enquanto o motor de combustível sólido do foguete se inflamava, e o Stinger partiu como uma pluma de fumaça viajando ao longo de uma corda.

O helicóptero nem chegou a ver o que vinha. Foi pego pelo míssil a poucas centenas de metros do solo e explodiu com o impacto, virando de ponta-cabeça numa trajetória espiralada até as árvores próximas.

Gus deixou de lado o lançador vazio. Aquele incêndio era bom. Iluminaria o caminho até a água. O estreito de Long Island era o caminho mais rápido e mais seguro para voltar.

Disse isso a Angel, mas percebeu, enquanto o clarão distante das chamas brincava no rosto do velho lutador, que algo mudara.

– Eu vou ficar – declarou Angel.

Gus tentou explicar o que ele mesmo só entendia vagamente.

– O lugar todo vai explodir. É papo nuclear.

– Não posso fugir de uma briga. – Angel bateu de leve na perna para mostrar que estava falando aquilo de verdade, tanto literal quanto figurativamente. – Além disso, eu já estive aqui antes.

– Aqui?

– Nos meus filmes. Eu sei como termina. O mal se defronta com o bem, e tudo parece perdido.

– Angel – disse Gus, precisando partir.

– O dia é sempre salvo... no final.

Gus já notara que o ex-lutador parecia cada vez mais perdido. O cerco vampiresco estava deformando a mente e a perspectiva dele.

– Não aqui. Não contra isso – disse ele.

Angel puxou, do fundo do bolso da frente, um pedaço de pano, que colocou na cabeça, abaixando a máscara de prata, de modo a expor só os olhos e a boca.

– Vá você – disse ele. – Volte para a ilha, com o doutor. Faça o que o velho falou. Eu? Ele não tem nenhum plano para mim. De modo que eu vou ficar. E lutar.

Gus sorriu diante da bravura daquele mexicano louco. E reconheceu Angel pela primeira vez. Compreendeu tudo – a força e a coragem daquele velho. Quando criança, vira todos os filmes do lutador na TV. Nos fins de semana eles passavam em sessões intermináveis. E agora ele estava ali, parado junto a seu herói.

– Esse mundo é muito filho da puta, não é? – disse Gus.

Angel assentiu.

– Mas é o único que nós temos.

Gus sentiu um arroubo de amor por aquele seu compatriota fodido. Seu ídolo nas matinês. E ficou de olhos marejados quando bateu com as mãos nos ombros de Angel.

– *Que viva el Ángel de Plata, culeros!*

Angel assentiu.

– *Que viva!*

E com isso o Anjo de Prata virou-se e saiu mancando na direção da usina de força condenada.

Dentro da sala de controle cintilavam as luzes de emergência, com o alarme exterior emudecido. Os instrumentos do painel na parede piscavam, implorando que mãos humanas entrassem em ação.

Setrakian ajoelhou-se no chão diante do corpo imóvel de Eichhorst. A cabeça do nazista rolara quase até o canto do recinto. Um dos espelhos de bolso de Setrakian rachara, e ele estava usando a prata do revestimento do espelho para esmagar os vermes sanguíneos que buscavam seu corpo. Com a outra mão, tentava pegar suas pílulas para o coração, mas seus dedos retorcidos e as juntas artríticas tinham dificuldade para pegar coisas pequenas.

E então tomou consciência de uma presença, cuja chegada súbita mudou a atmosfera já carregada da sala. Não houve fumaça ou trovão, apenas um golpe psíquico mais fulminante do que um mero efeito especial. Setrakian não precisava olhar para cima a fim de saber que se tratava do Mestre, mas mesmo assim ergueu o olhar da bainha da capa escura até o rosto imperioso.

A carne do vampiro descascara expondo a subderme, exceto por umas manchas de pele calcinada pelo sol. Era uma fera de um vermelho chamejante, com manchas negras. Os olhos rugiam de intensidade, com um matiz de vermelho ainda mais sanguíneo. Os vermes ondulavam debaixo da superfície como nervos tremelicantes, loucamente vivos.

Está feito.

O Mestre agarrou o cabo com cabeça de lobo da espada de Setrakian antes que o velho pudesse reagir. Segurou a lâmina de prata para inspecioná-la, tal como um homem seguraria um atiçador de lareira incandescente.

O mundo é meu.

Com movimentos muito rápidos, o Mestre pegou a bainha de madeira no chão, do outro lado de Setrakian. Encaixou as duas peças, enterrando a lâmina na cavidade da bengala original e fixando o conjunto com uma torção súbita.

Depois colocou de novo a ponta da bengala no chão. A bengala supercomprida servia-lhe perfeitamente, é claro; pertencera ao gigante humano Sardu, em cujo corpo o Mestre atualmente residia.

O combustível nuclear dentro do núcleo do reator está começando a superaquecer e derreter. Esta instalação foi construída com salvaguardas modernas, mas os procedimentos automáticos de contenção apenas retardarão o inevitável. O derretimento ocorrerá, contaminando e destruindo este local, que deu origem ao sexto membro, e único sobrevivente, do meu clã. A pressão crescente do vapor ocasionará uma catastrófica explosão do reator, liberando uma nuvem de partículas radioativas.

O Mestre golpeou Setrakian nas costelas com a ponta de bengala. O velho ouviu e sentiu um estalido, encolhendo-se como uma bola no chão.

Tal como cai sobre você, Setrakian, minha sombra também cai sobre este planeta. Primeiro eu infectei o seu povo, agora infectei o globo. Seu mundo meio escuro não era bastante. Por quanto tempo aguardei essa penumbra permanente, duradoura. Esta rocha quente, azul-verdeada, treme ao meu toque, tornando-se uma pedra fria e negra, de geada e podridão. O poente da humanidade é a aurora da colheita de sangue.

A cabeça do Mestre girou alguns graus na direção da porta. Não se alarmou, nem mesmo se aborreceu; o movimento era mais por curiosidade. Setrakian também se virou, sentindo um sopro de esperança percorrer sua espinha. A porta se abriu e Angel entrou mancando; usava uma reluzente máscara de náilon prateada com costuras pretas.

– Não – gritou Setrakian.

Angel levava uma arma automática e, ao ver aquela criatura de dois metros assomando como uma capa sobre Setrakian, abriu fogo contra o vampiro-rei.

A criatura ficou parada ali por um instante, encarando aquele adversário evidentemente ridículo. Mas, conforme os projéteis voavam, o Mestre tornou-se instintivamente um borrão no ar: as balas atravessavam a sala e se cravavam no equipamento sensível que revestia as paredes. Visível apenas por um momento fugaz, o Mestre parou num dos lados da sala; quando Angel se virou e disparou, porém, ele já se movimentara de novo. As balas explodiram no painel de controle, tirando faíscas da parede.

Setrakian voltou sua atenção para o chão, pegando freneticamente as pílulas diminutas.

O Mestre diminuiu de novo a velocidade, com o efeito de materializar-se diante de Angel. O lutador mascarado largou a enorme arma com estardalhaço e lançou-se contra a criatura.

O Mestre notou o joelho fraco do grandalhão, mas tais coisas podiam ser reparadas. O corpo estava envelhecido, mas o tamanho era apropriado. Adequado, talvez, para um abrigo temporário.

Então o Mestre iludiu Angel. O lutador girou, mas o Mestre estava sempre atrás dele de novo. Enquanto avaliava Angel, o Mestre deu-lhe um tapa na nuca, onde a bainha da máscara encontrava a pele. O lutador rodopiou alucinadamente de novo.

A criatura estava brincando com ele, e Angel não gostou. Virou-se rapidamente e girou com a mão livre, pegando o Mestre no queixo, com o golpe de palma aberta. O "Beijo do Anjo".

A cabeça da criatura virou para trás com um estalo. Angel ficou espantado com o sucesso do golpe que desferira. O Mestre abaixou os olhos para o vingador mascarado; a velocidade dos vermes ondulando debaixo da carne era um sinal de sua raiva.

Dentro da máscara, Angel sorriu excitado.

– Você gostaria que eu me revelasse, não é? – disse ele. – O mistério morre comigo. Meu rosto precisa permanecer oculto.

A frase era um bordão usado em todos os filmes do Anjo de Prata, dublada em muitas línguas por todo o mundo; o lutador esperara décadas para dizer aquelas palavras na vida real.

Mas o Mestre parara de brincar, e golpeou Angel violentamente com as costas da mão enorme. O maxilar e o osso malar explodiram dentro da máscara, acompanhados pelo olho esquerdo do lutador.

Mas Angel não desistiu. Com um enorme esforço, ele se aprumou nos dois pés. Estava tremendo, com o joelho doendo horrivelmente, sufocando no próprio sangue... contudo, mentalmente ele viajava para trás no tempo, rumo a um lugar mais jovem e feliz.

Sentia-se tonto, quente e cheio de energia, lembrando-se que estava no cenário de um filme. É claro, ele estava fazendo um filme. O monstro ali à frente não passava de um inteligente efeito especial, um figurante vestido. Então por que aquilo doía tanto? E a máscara tinha um cheiro engraçado. Parecia cabelo sujo e suor. Tinha cheiro de algo retirado de um depósito, onde fora esquecido. Cheiro dele mesmo.

Um bolha vazia de sangue subiu pela garganta de Angel e explodiu ali num gemido líquido. Com o maxilar e o malar esquerdo pulverizados, a máscara malcheirosa era a única coisa que mantinha coeso o rosto do velho lutador.

Angel deu um grunhido e se lançou contra o oponente. O Mestre largou a bengala a fim de agarrar o grandalhão com ambas as mãos e, num minuto, reduziu-o a frangalhos.

Setrakian sufocou um grito. Estava enfiando pílulas debaixo da língua, parando exatamente quando o Mestre voltou a atenção para ele.

O Mestre agarrou o ombro de Setrakian e levantou do chão o corpo leve do velho. Setrakian ficou se debatendo no ar diante do vampiro, espremido por suas mãos sanguinolentas. O monstro puxou-o para mais perto. Setrakian ficou olhando para aquele rosto horrendo; na face do sanguessuga enxameava o mal antigo.

Creio que, de certa forma, você sempre quis isso, professor. Acho que você sempre teve curiosidade de conhecer o outro lado.

Setrakian não podia responder devido às pílulas que se dissolviam debaixo de sua língua. Mas não precisava responder ao Mestre verbalmente. "O canto de minha espada é prata", pensou ele.

Sentia-se tonto; o remédio estava fazendo efeito, enevoando seus pensamentos e ocultando sua verdadeira intenção da percepção do Mestre. "Nós aprendemos muito com o livro. Sabemos que Chernobyl foi um engodo..." Viu o rosto do Mestre. Como ansiava por perceber medo ali. "Eu sei o seu verdadeiro nome. Você gostaria de ouvi-lo... Ozryel?"

Então a boca do Mestre abriu-se e o ferrão saltou furiosamente, cortando e furando o pescoço de Setrakian, rompendo suas cordas vocais e penetrando na artéria carótida. Ao perder a voz, Setrakian não sentiu uma pontada, apenas a dor generalizada de estar sendo bebido. Com o colapso de seu sistema circulatório e dos órgãos irrigados levou-o a um estado de choque.

Os olhos do Mestre eram de um vermelho-real, encarando o rosto da presa enquanto a bebia com imensa satisfação. Setrakian aguentou o olhar da criatura, não com uma atitude de desafio, mas observando e esperando algum indício de desconforto. Sentia a vibração dos vermes sanguíneos se contorcendo por todo o seu corpo, gulosamente inspecionando e invadindo seu eu.

De repente, o Mestre recuou, como que sufocado, e jogou a cabeça para trás, batendo rapidamente as pálpebras nictantes. Ainda assim o ferrão permaneceu firme, e a sugação continuou teimosamente até o fim. Finalmente o Mestre parou e retraiu o ferrão molhado. Todo o processo durara menos de meio minuto. Olhou para Setrakian, vendo o interesse nos olhos da vítima, e deu um passo cambaleante para trás. Seu rosto se contraiu, enquanto os vermes sanguíneos diminuíam a velocidade e o grosso pescoço inchava.

Largou Setrakian no chão e se afastou cambaleando, nauseado por aquela refeição com o sangue do velho. A boca do seu estômago queimava loucamente.

Setrakian ficou caído no chão da sala de controle num torpor tênue, sangrando pelo ferimento que o perfurara. Então finalmente relaxou a língua, sentindo que a última das pílulas na cavidade de seu maxilar fora sugada. Ingerira doses maciças de nitroglicerina para dilatar os vasos misturadas àquele remédio para afinar sangue feito com o veneno dos ratos de Vasiliy, passando tudo para o Mestre.

Na verdade Vasiliy tinha razão: as criaturas não tinham mecanismo de vômito. Uma vez ingerida uma substância, não conseguiam vomitá-la.

Queimando por dentro, o Mestre cruzou as portas feito uma mancha, correndo rumo aos alarmes estridentes.

O Centro Espacial Johnson silenciou na metade da órbita escura da estação, quando eles passaram pelo lado escuro da Terra. Thalia perdera Houston.

Ela sentiu os primeiros solavancos pouco depois disso. Eram detritos, lixo espacial colidindo com a estação. Nada de muito inusitado nisso, apenas a frequência dos impactos.

Impactos demais. Perto demais.

Ela ficou flutuando o mais imóvel que podia, tentando se acalmar, tentando pensar. Alguma coisa não estava certa.

Thalia seguiu até a escotilha e olhou para a Terra. Dois pontos quentes de luz eram visíveis no lado escuro do planeta. Um ficava bem na borda, bem no limite da penumbra. O outro ficava perto do lado leste.

Ela nunca observara algo assim, e nada no seu treinamento ou nos muitos manuais que lera a preparara para aquela visão. A intensidade da luz e seu evidente calor... eram meros pontos no planeta, mas os olhos treinados de Thalia sabiam que se tratava de explosões de imensa magnitude.

A estação foi sacudida por outro impacto. Aquilo não era a pequena chuva dos costumeiros detritos metálicos no espaço. Um indicador de emergência disparou, com luzes amarelas piscando perto da porta. Alguma coisa perfurara os painéis solares. Era como se a estação espacial estivesse sob fogo. Agora ela precisaria vestir o traje e...

BUUUM! Alguma coisa colidiu com o casco. Thalia foi flutuando até um computador e viu imediatamente o alarme de vazamento de oxigênio. Um vazamento rápido. Os tanques haviam sido perfurados. Ela chamou seus companheiros de bordo, seguindo para o compartimento estanque.

Um impacto maior sacudiu o casco. Thalia vestiu o traje espacial o mais depressa que pôde, mas a estação propriamente dita estava rachando. Esforçou-se para colocar o capacete, lutando contra o vácuo mortal. Com suas últimas forças, abriu a válvula de oxigênio.

Saiu flutuando na escuridão, perdendo a consciência. A última coisa em que pensou antes de apagar não foi no marido, mas em seu cão. No silêncio do espaço, ela, de certa forma, ouviu o animal latir.

Logo a Estação Espacial Internacional se juntou ao restante dos destroços que circulavam pelo espaço, gradualmente diminuindo sua órbita e deslizando inexoravelmente na direção da Terra.

A cabeça de Setrakian nadava enquanto ele permanecia deitado no chão da ribombante usina nuclear de Locust Valley.

Ele estava se transformando em vampiro. Podia sentir isso.

Uma dor apertava sua garganta, uma dor que era apenas o começo. O peito era uma colmeia de atividade. Os vermes sanguíneos haviam se estabelecido e liberavam sua carga: os vírus se reproduziam rapidamente dentro dele, invadindo as células. Alterando-o. Tentando refazê-lo.

Seu corpo não aguentaria a transformação em vampiro. Mesmo sem suas já enfraquecidas veias, ele estava velho demais, fraco demais. Era como um girassol de caule fino curvando-se debaixo do peso de sua crescente cabeça. Ou um feto se desenvolvendo a partir de cromossomos ruins.

As vozes. Ele as ouvia. O zumbido de uma consciência maior. Uma coordenação de ser. Um concerto de cacofonia.

Setrakian sentia calor. Devido à temperatura corporal, mas também ao chão que tremia. O sistema de resfriamento destinado a evitar que o combustível nuclear quente derretesse falhara, falhara propositadamente. O combustível derretera através do fundo do núcleo do reator.

Uma vez alcançado o lençol d'água, o solo debaixo da usina explodiria numa liberação letal de vapor.

Setrakian.

Era a voz do Mestre em sua mente. Entrando e saindo de sincronia com a sua própria voz. Então Setrakian visualizou o que parecia a traseira de um caminhão: eram os caminhões da guarda nacional que ele vira na entrada da usina. A visão do chão, vaga e monocromática, vista através dos olhos de um ser com visão noturna realçada além de toda capacidade humana.

Setrakian viu sua bengala, a bengala de Sardu, batendo a poucos metros de distância, como se ele pudesse estender a mão e tocá-la pela última vez.

Toque-toque-toque...

Ele estava vendo o que o Mestre via.

Setrakian, seu tolo.

O chão do caminhão ribombou, indo embora depressa. A imagem balançava de um lado para o outro como se estivesse sendo vista por algo se contorcendo de dor.

Você pensou que envenando meu sangue poderia me matar?

Setrakian se apoiou nos joelhos e nas mãos, confiando na força temporária que a transformação em vampiro lhe conferia.

Toque-toque...

"Eu envenenei você, strigoi", pensou Setrakian. "Mais uma vez enfraqueci você."

E ele sabia que o Mestre agora podia ouvi-lo.

Você foi transformado.

"Eu finalmente liberei Sardu. E dentro em breve serei liberado."

Depois de se calar, o nascente vampiro Setrakian arrastou-se para mais perto do núcleo ameaçado.

A pressão continuava a aumentar dentro da estrutura de contenção. Era uma bolha de hidrogênio tóxico se expandindo descontroladamente. A couraça de concreto reforçado por aço só pioraria a última explosão.

Setrakian arrastou-se braço a braço, perna a perna. Seu corpo se transformava por dentro, sua mente flutuava com a visão de mil olhos, e a cabeça cantava com um coro de mil vozes.

A hora zero estava próxima. Todos estavam indo para o subsolo.

Toque...
"Silêncio", strigoi.
Então o lençol d'água foi atingido. A terra debaixo da usina explodiu, e o lugar de origem do último Antigo foi obliterado, junto com Setrakian, no mesmo instante...
Nada mais.
O vaso de pressão rachou e se abriu, liberando a nuvem radiotiva sobre o estreito de Long Island.

Gabriel Bolivar, o ex-roqueiro e único remanescente dos quatro sobreviventes originais da Regis Air, aguardava muito abaixo da processadora de carne. Fora convocado especialmente pelo Mestre, convocado para ficar pronto.

Gabriel, meu filho.

As vozes zumbiam, reunidas em uma perfeita fidelidade. Já a voz do velho Setrakian fora silenciada para sempre.

Gabriel. O nome de um arcanjo... Tão apropriado...

Bolivar aguardava o pai sombrio, sentindo-o próximo. Sabendo de sua vitória na superfície. Agora só restava aguardar o novo mundo se estabelecer e se firmar.

O Mestre entrou na câmara de terra escura. Ficou diante de Bolivar, com a cabeça curvada sob o teto baixo. Bolivar podia sentir a dor no corpo do Mestre, mas sua mente – ou sua palavra – cantava tão verdadeira como sempre.

Em mim, você viverá. Na minha fome, na minha voz e na minha respiração... e nós viveremos em você. Nossas mentes residirão na sua e nosso sangue correrá junto.

O Mestre tirou a capa, metendo o braço comprido no caixão e pegando um punhado da terra preta. Depois meteu a terra na boca de Bolivar, que não a engoliu.

Você será meu filho e eu o seu pai... nós reinaremos como eu e nós, para sempre.

O Mestre enlaçou Bolivar num grande abraço. O roqueiro era alarmantemente magro, parecendo frágil e pequeno junto à colossal estrutura do vampiro. Ele se sentiu engolido, possuído. Sentiu-se acolhido. Pela primeira vez na vida ou na morte, Gabriel Bolivar se sentiu em casa.

Os vermes foram saindo do Mestre às centenas e centenas, exsudando de sua carne avermelhada. Freneticamente, enxameavam em torno dos dois corpos, entrando e saindo da carne das duas criaturas, fundindo os dois seres numa tapeçaria escarlate.

Então, finalmente, o Mestre liberou a velha carcaça do antigo gigante, que desmoronou e quebrou quando bateu no chão. E, ao fazer isso, a alma do menino-caçador também se liberou. Desapareceu num coro de vozes, o hino que animava o Mestre.

Sardu não existia mais. Gabriel Bolivar era algo novo.

Bolivar/ Mestre cuspiu fora a terra. Abriu a boca e testou o ferrão. A protuberância carnuda se lançou para fora com um estalido firme e depois se retraiu.

O Mestre renascera.

De certa forma aquele corpo não era familiar, pois o Mestre se acostumara com Sardu por tanto tempo, mas era um corpo de transição flexível e fresco. O Mestre logo o poria à prova.

De qualquer forma, essa fisicalidade humana já pouco preocupava o Mestre. O corpo do gigante servira à criatura quando ela vivia entre as sombras. Mas tamanho e durabilidade do corpo hospedeiro importavam pouco agora. Não no novo mundo que ele criara à sua própria imagem.

O Mestre sentiu uma intrusão humana. Um coração forte, uma pulsação rápida. Um garoto.

Pelo túnel contíguo chegou Kelly Goodweather com seu filho, Zachary, firmemente seguro. O garoto parou ali, tremendo, agachado numa postura autoprotetora. Ele não enxergava naquela escuridão; apenas sentia as presenças, corpos aquecidos no subsolo frio. Sentiu cheiro de amônia e de terra úmida, além de algo em putrefação.

Kelly aproximou-se com o orgulho de um gato ao depositar um camundongo na soleira do dono. A aparência física do Mestre, revelada pela visão noturna de seus olhos na escuridão da câmara subterrânea, não a confundiu nem um pouco. Ela viu a presença dele dentro de Bolivar sem questionar nada.

O Mestre raspou um pouco de magnésio da parede, salpicando a substância no invólucro de uma tocha. Depois bateu na pedra com a unha de seu dedo médio comprido e uma chuva de fagulhas incendiou a pequena tocha, produzindo uma luminosidade alaranjada dentro da câmara.

Zack se viu diante de um vampiro ossudo, com olhos vermelhos brilhantes e uma expressão frouxa. Sua mente estava bloqueada pelo pânico, mas uma pequena parte dele ainda confiava na mãe, encontrando calma desde que ela estivesse por perto.

Então, perto do vampiro esquálido, Zack viu o cadáver vazio que jazia no solo; a carne castigada pelo sol, lisa como vinil, ainda brilhava. A pele da criatura.

Também viu a bengala encostada na parede da caverna. Com a cabeça de lobo refletindo a chama.

Professor Setrakian.

Não.

Sim.

Aquela voz estava dentro de sua cabeça. Respondendo a ele com o poder e a autoridade que Zack suspeitava que Deus teria se falasse com ele algum dia, em resposta a suas preces.

Mas aquela não era a voz de Deus. Era a presença autoritária daquela criatura magra diante dele.

– Papai – sussurrou Zack. Seu pai estivera com o professor. Lágrimas brotaram em seus olhos. – Papai.

Sua boca se mexia, mas a palavra não tinha ar. Seus pulmões estavam fechados. Ele remexeu os bolsos à procura do inalador. Seus joelhos se dobraram, e Zack caiu no chão.

Kelly ficou observando o sofrimento do filho de maneira impassível. O Mestre estava preparado para destruí-la. Não estava acostumado a ser desafiado, e não conseguira imaginar por que Kelly não transformara o filho imediatamente em vampiro.

Agora via o porquê. A ligação de Kelly com o garoto era tão forte, a afeição tão poderosa, que em vez disso ela o trouxera para ser transformado pelo Mestre.

Era um ato de devoção. Uma oferenda nascida do amor, o precursor humano da carência vampiresca, e que na verdade suplantava essa carência.

O Mestre estava realmente com fome. E o garoto era um excelente espécime. Ficaria honrado em receber o Mestre.

Mas agora... as coisas pareciam diferentes na escuridão de uma nova noite.

O Mestre via mais benefício em esperar.

Percebia a angústia no peito do garoto, onde o coração primeiro disparara e agora começava a ficar mais lento. Zack estava caído no chão, segurando a garganta. Assomando sobre ele, o Mestre picou o polegar com a unha afiada de seu dedo médio proeminente e, tomando cuidado para nenhum verme sair, deixou uma única gota de sangue branco cair sobre a língua arquejante na boca aberta de Zack.

O garoto deu um gemido súbito, engolindo ar. Sentia na boca o gosto de cobre e cânfora quente. Em poucos instantes, porém, estava respirando normalmente de novo. Certa vez Zack apostara que poderia lamber as extremidades de uma bateria de nove volts, e o choque fora semelhante ao que ele sentira na língua antes que seus pulmões se abrissem. Levantou o olhar para o Mestre – aquela criatura, aquela presença – com a reverência dos curados.

EPÍLOGO

Trecho do diário de
Ephraim Goodweather

Domingo, 28 de novembro

Com todas as cidades e províncias do globo já alarmadas pelas notícias vindas de Nova York e agora afligidas por ondas crescentes de desaparecimentos inexplicáveis.

Com boatos e relatos desordenados... de gente desaparecida retornando ao lar depois de escurecer, possuída por desejos inumanos... propagando-se a velocidades mais devastadoras do que a própria pandemia...

Com termos como "vampirismo" e "praga" finalmente sendo pronunciados por aqueles em cargos de poder e influência...

E com a economia, a mídia e os sistemas de transportes entrando em colapso pelo mundo inteiro...

... o mundo já balançava, em pânico generalizado.

E então começaram os derretimentos das usinas nucleares.

Uma após a outra.

Nenhum curso oficial de acontecimentos ou cronograma real pode ser, nem nunca será, verificado, devido à destruição em massa e à devastação subsequente. O que se segue é a hipótese aceita, embora reconhecidamente apenas uma "melhor estimativa", baseada principalmente na arrumação das peças antes da queda da primeiro dominó.

Depois da China, a falha no reator construído pela Stoneheart em Hadera, na costa oeste de Israel, levou a um segundo derretimento nuclear. Foi liberada uma nuvem de vapor radioativo, contendo grandes partículas de radioisótopos, bem como de césio e telúrio sob a forma de aerossol. As correntes de vento quente do Mediterrâneo espalharam a contaminação a nordeste, pela Síria e Turquia, além do mar Negro, penetrando na Rússia, bem como para leste, sobre o Iraque e o norte do Irã.

Suspeitou-se que a sabotagem de terroristas seria a causa, e dedos apontaram para o Paquistão, que negou qualquer envolvimento. Uma reunião do gabinete israelense seguiu-se a uma reunião de emergência do Knesset, considerado um conselho de guerra. Nesse ínterim, Síria e Chipre exigiram censura internacional a Israel, bem como reparações financeiras, e o Irã declarou que a praga do vampirismo também era de origem judaica, obviamente.

O presidente e o primeiro-ministro do Paquistão, acreditando que o derretimento do reator era uma desculpa para Israel lançar um ataque, levaram o parlamento a autorizar um ataque nuclear preventivo com seis ogivas de guerra.

Israel contra-atacou com sua segunda capacidade de ataque.

O Irã bombardeou Israel e imediatamente proclamou a vitória. A Índia lançou, em retaliação, ogivas nucleares de quinze quilotons contra o Paquistão e o Irã.

A Coreia do Norte, instigada pelo medo da praga bem como por uma fome muito antiga, lançou um ataque contra a Coreia do Sul e mandou suas tropas cruzarem o paralelo trinta e oito.

A China se permitiu ser atraída pelo conflito, numa tentativa de desviar a atenção da comunidade internacional da catastrófica falha de seu próprio reator nuclear.

As explosões nucleares desencadearam terremotos e erupções vulcânicas. Toneladas e toneladas de cinza foram lançadas na atmosfera, junto com ácido sulfúrico e maciças quantidades de dióxido de carbono, gás que aumenta o efeito estufa.

Cidades se incendiaram e campos de petróleo pegaram fogo, consumindo muitos milhões de barris de óleo por dia, em incêndios que não podiam ser extintos pelo homem. Essas chaminés contínuas fizeram subir colunas de fumaça escura, criando uma manta na estratosfera saturada de cinzas, que ficou girando em torno do planeta, absorvendo a luz do sol em níveis que atingiam oitenta ou noventa por cento.

Essa fuligem resfriadora cresceu feito uma manta sobre a Terra. Isso afetou todas as instalações humanas, trazendo mais caos e a certeza do Arrebatamento. As cidades degeneraram em prisões tóxicas, e as rodovias se transformaram em ferros-velhos engarrafados. As fronteiras mexicana e canadense foram fechadas, e cidadãos americanos ilegais cruzando o rio Grande enfrentavam um poder de fogo certeiro. Mas nem mesmo esses limites perdurariam.

Acima de Manhattan pairava a maciça nuvem radioativa, com o céu escarlate até a fuligem atmosférica tapar o sol. O crepúsculo era artificial, pois os relógios diziam que ainda era dia, e contudo tudo aquilo era real demais.

No litoral, o oceano assumiu um tom preto-prateado, refletindo o céu lá em cima.

Mais tarde chegou uma chuva de cinzas. A chuva radioativa não lavou nada, apenas tornou as coisas piores.

Logo os alarmes pararam de funcionar, e hordas de vampiros emergiram dos porões... para tomar posse de seu novo mundo.

Túnel North River

VASILIY ENCONTROU NORA SENTADA sobre os trilhos nas entranhas do túnel debaixo do rio Hudson. A cabeça da mãe de Nora descansava no colo da filha, que alisava o cabelo grisalho dela, enquanto a mulher doente chorava.

Sentando-se junto às duas, Vasiliy disse:
– Nora, venha cá, eu quero ajudar você e a sua mãe...
– Mariela – disse Nora. – O nome dela é Mariela.
E então ela finalmente desabou, chorando, seu corpo estremecia com soluços profundos e primitivos, enquanto enfiava o rosto no ombro de Vasiliy.

Eph logo voltou do túnel que seguia para leste, onde estivera procurando Zack. Nora virou-se para ele, esgotada e vazia – quase se levantou, não fosse a mãe adormecida –, com esperança e dor estampadas no rosto.

Eph tirou o monóculo de visão noturna e balançou a cabeça. Nada.

Vasiliy sentiu a tensão entre Eph e Nora. Os dois estavam emocionalmente arrasados, incapazes de falar. Vasiliy sabia que Eph não culpava Nora, que sem dúvida fizera tudo que era possível por Zack, sob as circunstâncias. Mas também tinha a sensação de que, perdendo Zack, Nora também perdera Eph.

Vasiliy narrou novamente os acontecimentos até o momento em que Setrakian seguiu com Gus para Locust Valley.

– Ele mandou que eu ficasse para trás, e viesse até aqui. – Vasiliy olhou para Eph. – Para encontrar vocês.

Eph pegou no bolso um frasco de vidro, que encontrara no rebocador. Tomou um bom trago, e depois olhou para o túnel com expressão de amargo desgosto.

– E aqui estamos nós.

Vasiliy sentiu Nora se aprumar ao seu lado. Então um estrondo distante começou a encher o túnel. Vasiliy não conseguiu identificar o barulho a princípio, pois o som ficava distorcido pelo ruído incessante no seu ouvido danificado.

Um motor, um motor, vindo na direção deles... com um estrondo apavorante dentro do comprido túnel de pedra.

Luzes se aproximaram. Um trem era impossível... ou não era?

Duas luzes. Faróis. Um automóvel.

Vasiliy puxou a espada, pronto para qualquer coisa. O veículo grande parou, com os pneus grossos retalhados pelos trilhos, era um Hummer preto chacoalhando diretamente sobre os aros das rodas.

A grade dianteira do radiador estava ensopada com o sangue branco de vampiros.

Gus saltou do veículo. Tinha um lenço azul enrolado na cabeça. Vasiliy correu para o assento do carona, procurando um passageiro.

Não havia ninguém ali.

Gus sabia quem Vasiliy estava procurando e balançou a cabeça.

– Conte para mim – disse Vasiliy.

Gus relatou o acontecido, dizendo que deixara Setrakian na usina nuclear.

– Você deixou o professor lá? – perguntou Vasiliy.

O sorriso de Gus mostrou um clarão de raiva.

– Ele exigiu. Como fez com você.

Vasiliy caiu em si, e viu que o garoto tinha razão.

– Ele morreu? – indagou Nora.

– Não vejo outro jeito – disse Gus. – Estava preparado para lutar até o fim. Aquele maluco do Angel ficou. De jeito maneira o Mestre se livrou daqueles dois sem sofrer alguma dor. Pelo menos radiação.

– Derretimento – disse Nora.

Gus assentiu.

– Eu ouvi a explosão e as sirenes. A nuvem ruim veio para cá. O velho mandou que eu me enfiasse aqui com vocês.

– Ele mandou todo mundo para cá. Para nos proteger da radiação – disse Vasiliy.

Vasiliy olhou em torno. Enfiados debaixo do solo. Ele estava acostumado a sobrepujar seus adversários naquele cenário: era o exterminador que matava a gás as pragas em seus esconderijos. Deu uma olhadela em torno, pensando no que os ratos, os últimos sobreviventes, fariam quando confrontados com aquela situação, e viu o trem descarrilado a distância, com as janelas manchadas de sangue refletindo os faróis de Gus.

– Vamos limpar os vagões do trem – disse ele. – Podemos dormir ali em turnos, trancando as portas. Há um carro-lanchonete onde podemos conseguir comida por enquanto. Água. Banheiros.

– Por poucos dias, talvez – disse Nora.

– Pelo tempo que conseguirmos aguentar – disse Vasiliy. Sentiu uma onda de emoção, orgulho, determinação, gratidão e tristeza, atingindo-o como um soco. O velho morrera, mas continuava a viver. – O bastante para permitir que o pior da radioatividade se disperse lá em cima.

– E depois disso? – Nora já ultrapassara o limite máximo de esgotamento. Ela não aguentava mais. Estava farta de tudo aquilo. E não havia fim à vista. Não havia lugar algum para ir, mas apenas prosseguir, prosseguir rumo àquele novo inferno sobre a Terra. – Setrakian se foi... está morto, ou até coisa pior. Há um holocausto sobre nós. Eles venceram. Os *strigoi* venceram. Acabou. Está tudo acabado.

Ninguém falou coisa alguma. O ar no comprido túnel continuou parado e silencioso.

Vasiliy tirou a bolsa do ombro. Abriu-a e remexeu lá dentro com as mãos sujas. Depois puxou o livro encadernado em prata.

– Talvez – disse ele. – Ou... talvez não.

Eph pegou uma das possantes lanternas elétricas de Gus e se afastou, seguindo cada rastro de dejeto vampiresco até o fim.

Nenhum deles o levava a Zack. Ainda assim ele continuava, chamando o filho pelo nome, sua voz ecoava inócua pelo túnel, voltando como um sarcasmo. Ele esvaziou o frasco, e depois atirou o vidro grosso na parede do túnel, onde o som do vidro se estilhaçando parecia uma profanação.

Então, encontrou o inalador de Zack.

Caído ao lado da linha, num trecho do túnel sem qualquer característica marcante. A etiqueta com a receita ainda estava afixada ao inalador: Zachary Goodweather, rua Kelton, Woodside, Nova York. De repente, todas aquelas palavras falavam de coisas perdidas: nome, rua, vizinhança.

Eles haviam perdido tudo. Aquelas coisas nada mais significavam.

Eph agarrou o inalador e ficou parado no túnel escuro debaixo da terra. Agarrou-o com tanta força que a armação plástica começou a rachar.

Então ele parou. "Preserve isto", pensou. Encostou o inalador no coração e desligou a lanterna. Ficou ali parado, vibrando de fúria na escuridão total.

O mundo perdera o sol. Eph perdera o filho.

Começou a se preparar para o pior.

Voltaria para os outros. Limparia o trem descarrilado e vigiaria com eles, esperando.

Mas enquanto os outros estariam esperando que o ar ficasse limpo lá em cima, Eph estaria esperando outra coisa.

Estaria esperando que seu Zack voltasse para ele como um vampiro.

Aprendera com seu erro. Não poderia mostrar qualquer clemência, como tivera com Kelly.

Seria um privilégio e uma dádiva libertar seu único filho.

Mas a pior coisa que Eph imaginara – a volta de Zack como vampiro, procurando a alma do pai... acabou não sendo a pior, de jeito algum.

Não.

A pior coisa foi que Zack não voltou.

A pior coisa foi a percepção gradual de que a vigilância de Eph não teria fim. Que sua dor não encontraria libertação.

A Eterna Noite começara.

Os autores desejam agradecer a ajuda da doutora Ilona Zsolnay, da Seção Babilônia do Museu da Universidade da Pensilvânia.

Este livro foi impresso na Editora JPA Ltda.,
Av. Brasil, 10.600 – Rio de Janeiro – RJ,
para a Editora Rocco Ltda.